MICHEL HOUELLEBECQ

UNTERWERFUNG

MICHEL HOUELLEBECQ

UNTERWERFUNG

ROMAN

Aus dem Französischen
von Norma Cassau und Bernd Wilczek

DUMONT

Der dem Text vorangestellte Auszug aus *Unterwegs* wurde zitiert nach: Joris-Karl Huysmans: *Unterwegs*. Aus dem Französischen von Michael von Killisch-Horn. Belleville, München 2015.

Die französische Originalausgabe erschien 2015 unter dem Titel *Soumission* bei Flammarion, Paris.
© Michel Houellebecq/Flammarion 2015

Dritte Auflage 2015
© 2015 für die deutsche Ausgabe: DuMont Buchverlag, Köln
Alle Rechte vorbehalten
Übersetzung: Norma Cassau, Bernd Wilczek
Lektorat: Christian Döring, Stephan Kleiner
Umschlag: Lübbeke Naumann Thoben, Köln
Gesetzt aus der Documenta
Gedruckt auf säurefreiem und chlorfrei gebleichtem Papier
Druck und Verarbeitung: CPI books GmbH, Leck
Printed in Germany
ISBN 978-3-8321-9795-7

www.dumont-buchverlag.de

»*Stimmengewirr brachte ihn nach Saint-Sulpice zurück; der Chor ging hinaus; die Kirche würde gleich schließen. Ich hätte doch versuchen sollen zu beten, sagte sich Durtal; das wäre besser gewesen, als auf einem Stuhl vor mich hin zu träumen; aber beten? Ich habe nicht das Verlangen danach; der Katholizismus lässt mir keine Ruhe, benebelt von seinen Weihrauchschwaden und seinem Kerzenduft, schleiche ich um ihn herum, zu Tränen gerührt von seinen Gebeten, bis ins Mark erschüttert von seinen Psalmodien und Gesängen. Mein Leben ekelt mich an, ich bin meiner überdrüssig, aber deswegen ein neues Leben zu führen ist doch ein großer Schritt! Außerdem ... außerdem ... so verstört ich in den Kapellen auch bin, sobald ich sie verlasse, werde ich wieder gleichgültig und gefühllos. Im Grunde, dachte er, während er sich erhob und den wenigen Personen folgte, die sich, getrieben von dem Schweizer, zu einer Tür im hinteren Teil begaben, ist mein Herz durch das lockere Leben verhärtet und vertrocknet, ich bin zu nichts nutze.*«

(J.-K. Huysmans, *Unterwegs*)

In all den Jahren meiner traurigen Jugend war Huysmans mein Gefährte, mein treuer Freund. Nie überkamen mich Zweifel, nie war ich versucht, ihn aufzugeben, mich einem anderen Thema zuzuwenden. Dann, an einem Nachmittag im Juni 2007, nachdem ich lange abgewartet, mich so lange davor gedrückt hatte, wie es zulässig war, ja sogar etwas über diesen Punkt hinaus, verteidigte ich vor dem Prüfungsausschuss der Universität Paris IV – Sorbonne meine Dissertation: *Joris-Karl Huysmans oder Das Ende des Tunnels.* Am darauffolgenden Morgen (oder vielleicht schon am Abend selbst, ich kann es nicht genau sagen, der Abend meiner Disputation war einsam und alkoholgetränkt) begriff ich, dass ein Lebensabschnitt zu Ende gegangen war und dass es vermutlich der beste gewesen war.

So geht es in unseren noch westlichen und sozialdemokratischen Gesellschaften allen, die ihr Studium beenden, nur ist es den meisten nicht oder nicht sofort bewusst, denn sie sind hypnotisiert vom Geld oder vom Konsum wie die Primitivsten, die die heftigste Sucht nach gewissen Dingen entwickelt haben (doch sie sind in der Minderzahl; die ernsthaftere und gemäßigtere Mehrheit entwickelt schlicht eine Faszination für Geld, diesen »unermüdlichen Proteus«). Noch willenloser sind sie ihrem Drang ausgeliefert, sich zu beweisen, sich einen beneidenswerten Platz in einer Gesellschaft des – wie sie denken und hoffen – Wettbewerbs zu erkämpfen, elektrisiert von der Anbetung austauschbarer Ikonen: Sportler, Modedesigner, Internetkreative, Schauspieler, Models.

Aus verschiedenen psychologischen Gründen, die zu analysieren ich weder die Fähigkeit noch die Lust habe, entfernte ich mich deutlich von diesem Schema. Am 1. April 1866, im Alter von achtzehn Jahren, begann Joris-Karl Huysmans seine Laufbahn als Beamter des mittleren Dienstes im Ministerium für Inneres und religiöse Angelegenheiten. 1874 publizierte er auf eigene Kosten einen ersten Band mit Prosagedichten, *Das Gewürzschälchen*, der abgesehen von einer freundschaftlichen Besprechung aus der Feder Théodore de Banvilles wenig Beachtung fand. Seine ersten Schritte waren also alles andere als sensationell.

Sein Verwaltungsleben plätscherte, wie sein Leben im Allgemeinen, dahin. Am 3. September 1893 zeichnete ihn die Ehrenlegion für seine Meriten im Staatsdienst aus. Als 1898 – nach Abzug seiner aus persönlichen Gründen erfolgten Freistellungszeiten – seine dreißig Jahre reguläre Dienstzeit erfüllt waren, wurde er pensioniert. Zwischenzeitlich hatte er Gelegenheit gehabt, mehrere Bücher zu schreiben, die ihn mir über mehr als ein Jahrhundert hinweg als Freund erscheinen ließen. Über die Literatur ist vieles, vielleicht zu vieles geschrieben worden (als Literaturwissenschaftler steht mir dieses Urteil mehr als jedem anderen zu), dabei ist die spezifische Besonderheit der Literatur, der *hohen Kunst* der westlichen, vor unseren Augen untergehenden Welt nicht schwierig zu bestimmen. Die Musik kann im selben Maße wie die Literatur erschüttern, eine gefühlsmäßige Umkehr, Traurigkeit oder absolute Ekstase bewirken; die Malerei kann im selben Maße wie die Literatur verzücken, einen neuen Blick auf die Welt eröffnen. Aber allein die Literatur vermittelt uns das Gefühl von Verbundenheit mit einem anderen menschlichen Geist, mit allem, was diesen Geist ausmacht, mit seinen Schwächen und seiner Größe, seinen Grenzen, seinen Engstirnigkeiten, seinen fixen Ideen, seinen Überzeugungen; mit allem, was ihn berührt, interessiert, erregt oder abstößt. Allein die Literatur erlaubt uns, mit dem Geist eines Toten in Verbindung zu treten, auf direkte, umfassendere und tiefere Weise, als das selbst in einem Gespräch mit einem Freund möglich wäre – denn so tief und dauerhaft eine Freundschaft sein mag, niemals liefert man sich in einem Gespräch so restlos aus, wie man sich einem leeren Blatt ausliefert, das sich an einen unbekannten Empfänger richtet. Natürlich sind, wenn es um Literatur geht, die Schönheit des Stils, die Musikalität der Sätze von Wichtigkeit. Die Tiefe und Originalität der Gedanken des Autors sind nicht unwesentlich; aber ein Autor ist zuvorderst ein Mensch, der in seinen Büchern gegenwärtig ist; ob er gut schreibt oder schlecht, ist dabei zweitrangig, die Hauptsache ist, dass er schreibt und wirklich in seinen Büchern präsent ist. (Es ist seltsam, dass ein scheinbar so geringfügiger Umstand in Wahrheit so tiefgreifend ist und dass diese offenkundige, leicht festzustellende Tatsache von den Philosophen der verschiedenen Richtungen kaum erschlossen wurde: Weil Menschen aufgrund ihrer Natur grundsätzlich die gleiche Quantität von Sein besitzen, sind sie alle mehr oder weniger gleich *gegenwärtig*. Und doch ist das nicht der Eindruck, den sie über einige Jahrhunderte hinweg vermitteln; zu oft kann man beobachten, wie ein schemenhaftes Wesen in den mehr vom Zeitgeist als von der eigenen Persönlichkeit diktierten Seiten zunehmend zerfasert, immer geisterhafter und ungekannter wird.) Ein Buch, das man mag, ist zudem vor allem ein Buch, dessen Autor man mag, dem man gern begegnet, mit dem man gern seine Tage verbringt. In den sieben Jahren, die ich für die Niederschrift meiner Dissertation gebraucht habe, war Huysmans mein Gefährte gewesen, quasi mein ständiger Begleiter. Huysmans wurde in der Rue Suger geboren, er wohnte in der Rue de Sèvres und Rue Monsieur, starb in der Rue Saint-Placide und wurde auf dem Friedhof Montparnasse bestattet. Im Grunde spielte sich beinahe sein gesamtes Leben im sechsten Arrondissement von Paris ab, so wie sein Berufsleben sich mehr als dreißig Jahre lang in den Büroräumen des Ministeriums für Inneres und religiöse Angelegenheiten abgespielt hat. Auch ich lebte damals im sechsten Arrondissement von Paris, in einem feuchtkalten und vor allem extrem dunklen Zimmer – die Fenster gingen auf einen winzigen Hof, wenig mehr als ein Brunnenschacht, hinaus, und man musste schon am frühen Morgen Licht machen. Ich litt unter Armut, und wenn ich bei einer dieser Umfragen, die in regelmäßigen Abständen den »Puls der Jugend« erfassen wollen, befragt worden wäre, hätte ich meine Lebensbedingungen wohl mit »eher schwierig« benannt. Dennoch war mein erster Gedanke am Morgen nach der Verteidigung meiner Dissertation (oder sogar noch am Abend selbst), dass ich soeben etwas Unschätzbares verloren hatte, etwas, das ich nie wiederfinden würde: meine Freiheit. Über mehrere Jahre hinweg hatten die allerletzten Überbleibsel einer agonisierenden Sozialdemokratie mir erlaubt (durch ein Forschungsstipendium, ein System von Vergünstigungen und vielfältigen sozialen Vorteilen, schlechte, aber billige Mahlzeiten in der Mensa), die Gesamtheit meiner Tage einer Beschäftigung zu widmen, die ich mir selbst ausgesucht hatte: dem freien geistigen Umgang mit einem Freund. Wie André Breton richtig festhält, ist Huysmans' Humor einzigartig: Er ist selbstlos, er lässt dem Leser einen Vorsprung, lädt ihn ein, sich schon im Voraus über den Autor zu mokieren, über die Exzesse seiner greinenden, grauenhaften oder komischen Beschreibungen. Von dieser Selbstlosigkeit hatte ich mehr als jeder andere profitiert, wenn ich meine Portion Sellerie mit Remoulade oder Kabeljaupüree in den Fächern der metallenen Krankenhaustabletts empfing, die die Bullier-Mensa ihren unglücklichen Nutzern zur Verfügung stellte (jenen, die offensichtlich sonst nicht wussten, wohin sie gehen sollten, die wahrscheinlich aus allen annehmbaren Mensen verdrängt worden waren, aber immer noch ihren Studentenausweis hatten, denn den konnte man ihnen nicht nehmen), während ich über Huysmans' Eigenschaftswörter sinnierte, über den »trostlosen« Käse, die »furchteinflößende« Seezunge, und mir vorstellte, was Huysmans, der sie nicht gekannt hatte, aus diesen karzerhaften Metallfächern gemacht hätte; dann fühlte ich mich etwas weniger unglücklich, etwas weniger allein in der Bullier-Mensa.

Aber all das war vorbei, allgemeiner gesagt: Meine Jugend war vorbei. Bald würde ich mich (und vermutlich recht zügig) um meine berufliche Eingliederung kümmern müssen. Was mich ganz und gar nicht freute.

Ein Studium im Fachbereich Literaturwissenschaften führt bekanntermaßen zu so ziemlich gar nichts außer – für die begabtesten Studenten – zu einer Hochschulkarriere im Fachbereich Literaturwissenschaften. Wir haben es hier im Grunde mit einem recht ulkigen System zu tun, das kein anderes Ziel hat, als sich selbst zu erhalten; die über 95 Prozent Ausschuss nimmt man in Kauf. Nun schaden solche Studien aber auch nicht und können sogar einen geringfügigen Nutzen abwerfen. Ein junges Mädchen, das sich als Verkäuferin bei Céline oder Hermès bewirbt, muss selbstverständlich und in allererster Linie gepflegt auftreten; ein Abschluss in Literaturwissenschaften kann ein zusätzlicher Pluspunkt sein, dem Arbeitgeber wird eine gewisse mentale Beweglichkeit garantiert, die die Möglichkeit weiterer Karriereschritte nicht ausschließt, wo ansonsten keine brauchbaren Kompetenzen vorhanden sind – außerdem ist die Literatur in der Industrie der Luxusgüter seit jeher positiv konnotiert.

Ich war mir meinerseits bewusst, der winzigen Randgruppe der »begabtesten Studenten« anzugehören. Ich hatte, wie ich wusste, eine gute Dissertation vorgelegt und rechnete mit einer ordentlichen Note. Dennoch überraschte mich das *summa cum laude* angenehm und vor allem das Dissertationsgutachten, das ausgesprochen positiv, beinahe überschwänglich war. Ich hätte demzufolge gute Aussichten gehabt, Hochschullehrer zu werden, wenn ich es gewollt hätte. Mein Leben ähnelte in seiner Eintönigkeit und vorhersehbaren Farblosigkeit weiterhin dem von Huysmans eineinhalb Jahrhunderte früher. Die ersten Jahre meines Erwachsenenlebens hatte ich an einer Universität verbracht, vermutlich würde ich auch die letzten dort verbringen – und womöglich in derselben (ganz so war es in Wirklichkeit nicht: Meinen Abschluss hatte ich in Paris IV an der Sorbonne gemacht, berufen wurde ich an die Universität Paris III, die zwar weniger angesehen war, sich dafür aber nur wenige hundert Meter entfernt im fünften Arrondissement, befand).

Ich hatte nie die geringste Begabung für die Lehre gehabt, und fünfzehn Jahre später hatte meine Karriere die anfängliche Abwesenheit der Begabung nur bestätigt. Ein paar Privatstunden, die ich gegeben hatte, um meinen Lebensstandard zu verbessern, überzeugten mich sehr schnell davon, dass die Weitergabe von Wissen die meiste Zeit so unmöglich war wie die Verschiedenheit der Intelligenzen extrem und dass nichts diese grundsätzliche Ungleichheit beseitigen oder auch nur abschwächen konnte. Vielleicht noch schlimmer: Ich mochte keine jungen Leute, ich hatte sie nie gemocht, selbst als man mich als einen der ihren hätte bezeichnen können. Die Vorstellung von Jugend implizierte, wie mir schien, einen gewissen Enthusiasmus gegenüber dem Leben oder vielleicht eine Art des Aufstands, begleitet von einem mindestens vagen Gefühl der Überlegenheit hinsichtlich der Generation, die zu ersetzen man bestimmt war. Niemals hatte ich etwas Derartiges empfunden. Dabei hatte ich in meiner Jugend sehr wohl Freunde gehabt – genauer gesagt waren da einige Kameraden gewesen, bei denen ich mir ohne Widerwillen vorstellen konnte, zwischen den Seminaren gemeinsam einen Kaffee oder ein Bier trinken zu gehen. Vor allem aber hatte ich Frauen gehabt, oder, wie man damals sagte (und wie man es vielleicht auch jetzt noch sagt), *Freundinnen* – ungefähr eine pro

Jahr. Diese Liebesbeziehungen liefen nach einem relativ starren Muster ab. Sie begannen am Anfang des Studienjahres während einer Übung, bei einem Austausch von Notizen aus dem Seminar, kurzum, bei einer der zahlreichen Gelegenheiten, sich zu sozialisieren, die sich im Leben eines Studenten häufig ergeben und deren Verschwinden mit dem Eintritt in das Berufsleben einen Großteil der Leute in eine ebenso verblüffende wie radikale Einsamkeit stürzt. Die jeweilige Freundin besuchte das ganze Jahr über ihre Kurse, die Nächte verbrachten wir mal bei ihr, mal bei mir (also vor allem bei ihr, die düstere, ja ungesunde Atmosphäre meines Zimmers war *galanten Rendezvous* nur wenig zuträglich), es fand Geschlechtsverkehr statt (den ich mir gern als für beide Seiten befriedigend vorstelle). Zum Ende der Sommerferien, also zu Beginn des neuen Studienjahres, ging die Beziehung zu Ende, eigentlich immer auf Initiative der Mädchen. Im Sommer *war etwas gewesen*, so lautete die Erklärung, die ich, selten mit genaueren Details versehen, bekam; andere, die weniger besorgt um mich waren, ergänzten, dass sie *jemanden getroffen* hätten. Ja, und? Ich war doch auch *jemand*. Mit Abstand betrachtet kommen mir diese nüchternen Erklärungen unzulänglich vor. Richtig, sie hatten, das streite ich nicht ab, *jemanden getroffen*. Doch was diese Begegnung so schwerwiegend machte, dass sie der Beziehung zu mir ein Ende setzen und eine neue eingehen mussten, war allein die Anwendung eines wirkmächtigen, aber unausgesprochenen Verhaltensmodells für Liebesbeziehungen, das umso wirkmächtiger war, je unausgesprochener es blieb.

Gemäß dem in meinen Jugendjahren vorherrschenden Beziehungsmodell (und nichts deutete darauf hin, dass die Dinge sich grundlegend geändert hatten) waren die jungen Leute nach einer kurzen Phase des sexuellen Vagabundierens, wie es der Vorpubertät entsprach, dazu angehalten, exklusive Beziehungen einzugehen, die sich durch strikte Monogamie sowie durch Aktivitäten nicht rein sexueller, sondern auch sozialer Art (Ausgehen am Abend, gemeinsam verbrachte Wochenenden und Ferien) auszeichneten. Dennoch hatten diese Beziehungen nichts Verbindliches, sondern wurden als Ausbildung in Sachen Liebe verstanden, sie waren gewissermaßen *Praktika* (die sich auch im beruflichen Rahmen zu etablieren begannen, sozusagen als Bedingung für die erste Stelle). Liebesbeziehungen von schwankender Dauer (die Dauer eines Jahres, die ich bei mir beobachtet hatte, galt als akzeptabel) und in schwankender Anzahl (zehn bis zwanzig schienen ein vernünftiger Durchschnitt zu sein) sollten aufeinander folgen, bevor sie zum krönenden Abschluss in die allerletzte Beziehung mündeten, die dieses Mal einen eheähnlichen und endgültigen Charakter haben würde und durch die Zeugung von Kindern zur Gründung einer Familie führen sollte.

Die völlige Sinnlosigkeit dieses Modells sollte mir erst sehr viel später aufgehen, eigentlich erst vor Kurzem, als ich zufällig mit einigen Wochen Abstand zunächst wieder auf Aurélie und dann auf Sandra traf (wobei ich davon überzeugt bin, dass auch ein Zusammentreffen mit Chloé oder Violaine an meinen Schlussfolgerungen im Wesentlichen nichts geändert hätte). Kaum betrat ich das baskische Restaurant, in das ich Aurélie zum Abendessen eingeladen hatte, begriff ich, dass ein trostloser Abend vor mir lag. Trotz der beiden Flaschen weißen Irouléguys, den ich mehr oder weniger allein trank, hatte ich zunehmend unüberwindbare Schwierigkeiten, ein warmherziges Gespräch auf anständigem Niveau zu führen. Ohne dass ich es mir recht erklären konnte, erschien es mir als taktlos und ganz unmöglich, in gemeinsamen Erinnerungen zu schwelgen. Und was die Gegenwart betraf, so lag auf der Hand, dass Aurélie es keineswegs geschafft hatte, eine eheliche Beziehung aufzubauen, dass die Gelegenheitsabenteuer sie zunehmend ekelten, dass ihr Gefühlsleben kurz gesagt auf ein unumkehrbares und vollkommenes Desaster zusteuerte. Dabei hatte sie es mindestens ein Mal versucht, wie ich an verschiedenen Anzeichen erkennen konnte, und sie hatte sich von ihrem Scheitern nicht erholt. So bissig und verbittert, wie sie von ihren männlichen Kollegen sprach (mangels anderer Themen waren wir auf ihren Job zu sprechen gekommen – sie war verantwortlich für die Kommunikation beim Verband der Bordeaux-Weine, weswegen sie viel reiste, vor allem durch Asien, um die französischen Lagen zu bewerben), war es offensichtlich, dass sie ganz schön was eingesteckt hatte. Ich war überrascht, als sie mich trotzdem zu einem »Absacker« einlud, kurz bevor wir aus dem Taxi stiegen. Die ist wirklich fertig, sagte ich mir, und schon als die Türen des Fahrstuhls sich hinter uns schlossen, wusste ich, dass nichts geschehen würde, ich hatte nicht einmal Lust, sie nackt zu sehen, hätte es gern vermieden, trotzdem passierte es und bestätigte mir nur, was ich schon geahnt hatte. Sie hatte nicht nur gefühlsmäßig eingesteckt, ihr Körper hatte irreparable Schäden erlitten, der Hintern und die Brüste waren nur mehr dünne, schrumpelige, schlaff herabhängende Hautlappen, sie war am Ende, würde nie wieder ein Objekt der Begierde sein.

Mein Essen mit Sandra lief in etwa nach dem gleichen, nur situationsbedingt variierten Muster ab (Meeresfrüchte-Restaurant, ihr Job als Chefsekretärin in einem multinationalen Pharmaunternehmen) und endete im Großen und Ganzen gleich, mit dem Unterschied, dass Sandra draller und jovialer war als Aurélie und ihre emotionale Einsamkeit mir weniger schlimm vorkam. Ihre Trauer war groß und unaufhaltsam, und ich wusste, dass sie bald alles überdecken würde. Wie Aurélie war sie im Grunde nur ein ölverschmutzter Vogel, aber sie hatte sich, wenn ich das so sagen kann, die Fähigkeit, mit den Flügeln zu schlagen, in höherem Maße erhalten. In ein oder zwei Jahren würde sie alle Ehebestrebungen aufgegeben haben, ihre nicht gänzlich erloschene Sinnlichkeit würde sie in die Nähe junger Männer treiben, sie mutierte, wie man in meiner Jugend sagte, zu einer *Cougar*, eine Existenz, die sicherlich einige Jahre, bestenfalls ein Jahrzehnt andauern würde, bevor die substanzielle Erschlaffung ihrer Haut der Beginn einer endgültigen Einsamkeit wäre.

In meinen Zwanzigern, als ich wegen allem Möglichen und manchmal ohne jeden Grund Erektionen bekam, als meine Erektionen gewissermaßen *ins Leere gingen*, hätte eine Beziehung dieser Art reizvoll sein können, sie wäre befriedigender und zugleich lukrativer gewesen als meine Nachhilfestunden, und ich denke, ich hätte meinen Mann gestanden, aber jetzt konnte davon selbstverständlich keine Rede mehr sein, meine selteneren und unberechenbareren Erektionen verlangten nach straffen, geschmeidigen Körpern ohne Makel.

Mein eigenes Sexualleben erfuhr in den ersten Jahren nach meiner Berufung zum Hochschullehrer der Universität Paris III – Sorbonne keine nennenswerte Entwicklung. Jahr um Jahr schlief ich weiter mit Studentinnen meiner Fakultät, die Tatsache, dass ich ihr Dozent war, änderte daran nichts. Die Altersdifferenz zwischen mir und diesen Studentinnen war anfangs recht klein, erst nach und nach schlich sich eine Dimension des Verbotenen ein, die mehr mit meinem universitären Status zusammenhing als mit meinem wirklichen oder erkennbar fortschreitenden Alter. Ich profitierte letztlich voll und ganz von jener grundlegenden Ungleichheit, die zur Folge hat, dass sich der Alterungsprozess eines Mannes nur langsam auf sein erotisches Potenzial auswirkt, während sich der Verfall der Frau mit verblüffender Härte in wenigen Jahren, manchmal Monaten vollzieht. Der einzige echte Unterschied zu meiner Studentenzeit bestand darin, dass meistens ich derjenige war, der die Beziehung zu Beginn des neuen Studienjahres beendete. Ich tat dies nicht aus Donjuanismus oder aus dem Wunsch nach gesteigerter Zügellosigkeit heraus. Anders als mein Kollege Steve, der mit mir zusammen die ersten beiden Jahrgänge in der Literatur des 19. Jahrhunderts unterrichtete (mit seinen Sweatshirts, den Converse-Sneakern und dem leicht kalifornischen Look erinnerte er mich jedes Mal an Thierry Lhermitte, wie er in *Die Strandflitzer* bei der wöchentlichen Ankunft der neuen Sommerurlauberinnen aus seiner Hütte kommt), stürzte ich nicht am ersten Tag des neuen Semesters hin, um die »neue Ware«, die Erstsemesterinnen, zu begutachten. Wenn ich den Beziehungen mit diesen jungen Mädchen ein Ende setzte, so geschah dies eher in Folge von Mutlosigkeit und Ermattung: Ich fühlte mich nicht mehr in der Lage, eine Liebesbeziehung zu gestalten, und hoffte, jede Art von Enttäuschung und Desillusionierung vermeiden zu können. Im Laufe des Studienjahres änderte ich dann meine Meinung unter dem Einfluss externer und sehr anekdotischer Faktoren – meist war das ein kurzer Rock.

Aber auch das ging zu Ende. Im September hatte ich Myriam Lebwohl gesagt, nun war Mitte April, das Studienjahr neigte sich dem Ende zu und ich hatte sie noch immer nicht ersetzt. Ich war zum Professor ernannt worden, meine akademische Karriere hatte eine Art Höhepunkt erreicht, aber ich glaubte nicht an einen wirklichen Zusammenhang. Doch dann traf ich kurz nach meiner Trennung von Myriam erst Aurélie und dann Sandra, und da gab es eine beunruhigende, unangenehme und missliche Verbindung. Es muss mir wohl gedämmert haben, als ich im Laufe der Tage darüber nachdachte: Meine Exfreundinnen und ich waren uns sehr viel näher, als wir es uns vorstellten; der außerhalb der Perspektive einer dauerhaften Beziehung stattfindende sporadische Sex erfüllte uns mit einem vergleichbaren Gefühl der Enttäuschung. Im Gegensatz zu ihnen konnte ich mich aber niemandem mitteilen, denn Gespräche über das Privatleben gehören nicht zu den Themen, die in männlicher Gesellschaft als akzeptabel gelten. Männer sprechen von Politik, Literatur, Finanzmärkten oder Sport, wie es eben ihrer Natur entspricht; kein Wort über ihr Liebesleben, und das bis zum letzten Atemzug.

Fiel ich mit dem Altern der Andropause zum Opfer? Der Gedanke war nicht abwegig; um zu wissen, woran ich war, begann ich meine Abende auf YouPorn zu verbringen, das im Laufe der Jahre als Pornoseite Maßstäbe gesetzt hatte. Das Ergebnis war von Anfang an außerordentlich ermutigend. YouPorn erfüllte die Fantasievorstellungen normaler Männer überall auf dem Planeten, und ich war, wie sich in den ersten Minuten herausstellte, ein stinknormaler Mann. Das war durchaus nicht selbstverständlich, hatte ich doch einen Großteil meines Lebens dem Studium eines Autors gewidmet, der weithin als *décadent* galt und dessen Sexualität daher eine irgendwie undurchsichtige Sache war. Nun, ich ging gänzlich erleichtert aus diesem Selbstversuch hervor. Die teils wunderbaren (in Los Angeles von einem Team gedreht, zu dem ein

Beleuchter, mehrere Bühnentechniker und richtige Kamera-
leute gehörten), teils erbärmlich produzierten, aber dafür
klassischen (deutsche Amateure) Videos beruhten auf wenigen identischen und ansprechenden Szenarien. In einem der
am weitesten verbreiteten ließ ein Mann (jung? alt? Es gab
beide Versionen) seinen Schwanz tatenlos in einer kurzen
Hose oder Unterhose ruhen. Zwei Frauen von variabler Ras-
se verständigten sich über diese Unschicklichkeit und gaben
nicht eher Ruhe, als bis sie das Organ aus seinem zeitweiligen
Quartier befreit hatten. Sie übertrafen sich gegenseitig darin,
den Mann zu betören, ihn zu necken, bis er beinahe den Verstand verlor, was sich in freundschaftlicher Stimmung und
im Geiste geheimen weiblichen Einverständnisses vollzog.
Der Schwanz ging von Mund zu Mund, die Zungen kreuzten
sich, wie die Schwalben sich in leichter Unruhe im dunklen
Südhimmel des Département Seine-et-Marne kreuzen, kurz
bevor sie Europa verlassen, um dem Winter zu entfliehen.
Dem schicksalsergebenen Mann kam nur Kümmerliches über
die Lippen: entsetzlich Kümmerliches bei den Franzosen (»O
verdammt!«, »O verdammt, ich komme!«, das entsprach ungefähr dem, was man von einem Volk der Königsmörder erwarten konnte), Schöneres und Ausdrucksvolleres bei den
Amerikanern (»Oh my God!«, »Oh Jesus Christ!«), anspruchs-
vollen Zeugen, deren Einlassungen sich anhörten wie Wei-
sungen, Gottes Gaben (Fellatio, Brathähnchen) zu achten.
Wie dem auch sei, hinter meinem 27-Zoll-iMac hatte auch
ich einen Ständer, alles bestens also.

Seit ich Professor war, erlaubte mir mein reduzierter Lehrplan, meine universitären Verpflichtungen sämtlich auf den Mittwoch zu legen. Der Tag begann mit einer Vorlesung über die Literatur des 19. Jahrhunderts von acht bis zehn Uhr, für Studenten im zweiten Studienjahr. In derselben Zeit hielt Steve in einem benachbarten Hörsaal eine entsprechende Vorlesung für das erste Studienjahr. Von elf bis dreizehn Uhr leitete ich den Masterkurs 2 über die *décadents* und die Symbolisten. Zuletzt hatte ich von fünfzehn bis achtzehn Uhr ein Seminar, wo ich die Fragen der Doktoranden beantwortete.

Ich stieg gern um kurz nach sieben Uhr in die Métro und gab mich der flüchtigen Illusion hin, dem Frankreich der Frühaufsteher anzugehören, dem der Arbeiter und Handwerker; allerdings musste ich damit so ziemlich alleine sein, denn mein Acht-Uhr-Seminar fand vor fast leeren Reihen statt, bis auf eine kompakte Gruppe Chinesinnen, die eine ernste Unnahbarkeit ausstrahlten, nicht untereinander sprachen und auch sonst mit niemandem. Sobald sie den Raum betraten, schalteten sie ihre Smartphones ein, um die ganze Vorlesung aufzunehmen, was sie nicht davon abhielt, sich in 21 x 29,7 Zentimeter großen Spiralblöcken Notizen zu machen. Nie unterbrachen sie mich, nie stellten sie Fragen, und die zwei Stunden vergingen, ohne dass ich das Gefühl hatte, wirklich begonnen zu haben. Nach der Vorlesung traf ich auf Steve, dessen Auditorium ähnlich besetzt war wie meines – mit dem kleinen Unterschied, dass die Chinesinnen gegen verschleierte Nordafrikanerinnen ausgetauscht wurden, die aber ebenso ernsthaft und undurchdringlich waren. Fast immer schlug er mir vor, etwas trinken zu gehen – meistens einen Pfefferminztee in der Großen Pariser Moschee, die nicht weit weg von der Uni war. Ich mochte weder Pfefferminztee noch die Große Pariser Moschee, ich mochte auch Steve nicht sonderlich gern, dennoch begleitete ich ihn. Ich denke, er war mir dankbar dafür, er wurde insgesamt von den Kollegen nicht sehr geschätzt. Man konnte sich tatsächlich fragen, wie er es bis zum Hochschullehrer gebracht hatte, ohne etwas zu veröffentlichen, weder in einer wichtigen Fachzeitschrift noch in einer unwichtigen; er war lediglich Verfasser einer nebulösen Dissertation über Rimbaud, einer totalen »Mogelpackung«, wie mir Marie-Françoise Tanneur erklärte, eine meiner anderen Kolleginnen und anerkannte Balzac-Spezialistin. Über Rimbaud wurden Tausende Dissertationen geschrieben, an allen Universitäten Frankreichs, der frankofonen Länder und darüber hinaus, Rimbaud ist das am häufigsten durchgekaute Dissertationsthema der Welt, mit Ausnahme vielleicht von Flaubert. Man muss sich nur zwei, drei alte Arbeiten heraussuchen, die an Provinzuniversitäten eingereicht wurden, und sie grob interpolieren, niemand verfügt über die materiellen Mittel, das zu überprüfen, niemand hat die Zeit und die Lust, sich in Hunderttausende Seiten unverdrossener Ergüsse charakterloser Studenten über die »Seher-Briefe« zu stürzen. Die mehr als achtbare Universitätskarriere von Steve war, noch immer nach Marie-Françoises Meinung, einzig und allein dem Umstand geschuldet, dass er »Mama Delouze die Muschi leckte«. Das war möglich, wenngleich es auch verwunderlich gewesen wäre. Mit ihren quadratischen Schultern, dem ergrauten Igelschnitt und ihren erbarmungslosen *gender studies* war Chantal Delouze, die

Präsidentin der Universität Paris III – Sorbonne, für mich immer eine hundertprozentige Kampflesbe gewesen, aber ich konnte mich täuschen, womöglich hegte sie gegenüber Männern Rachegelüste, die sich in Domina-Fantasien äußerten, vielleicht versetzte es sie in Ekstasen ungekannter Art, den netten Steve mit seinem hübschen, harmlosen Gesicht, dem halblangen, gelockten feinen Haar dazu zu zwingen, zwischen ihren stämmigen Schenkeln niederzuknien. Ob es stimmte oder nicht, das Bild drängte sich mir an jenem Morgen auf, als ich ihm im Patio des Teesalons der Großen Moschee dabei zusah, wie er an seiner widerlichen Shisha mit Apfelgeschmack nuckelte.

Er sprach wie gewöhnlich von Berufungen und Karrieren in der Welt der Universitätshierarchie – ich glaube nicht, dass er von sich aus jemals ein anderes Thema angeschnitten hatte. An jenem Morgen beschäftigte ihn die Berufung eines fünfundzwanzigjährigen Typen, Verfassers einer Dissertation über Léon Bloy, der nach dessen Meinung »Verbindungen zur identitären Bewegung« gehabt habe. Ich fragte mich, was ihn das wohl kümmere; um Zeit zu gewinnen, zündete ich mir eine Zigarette an. Mir kam kurzzeitig die Idee, dass *der Linke* in ihm aufgewacht war, aber dann dachte ich wieder: Der Linke in Steve schlief tief und fest, nur ein Ereignis vom Rang eines politischen Rucks in den Führungsgremien der französischen Universität hätte ihn aus seinem Schlummer reißen können. Vielleicht sei das ein Zeichen, so Steve weiter, immerhin sei Amar Rezki, der für seine Forschung über antisemitische Autoren zu Beginn des 20. Jahrhunderts bekannt war, gerade zum Professor berufen worden. Außerdem, betonte er, habe die Hochschulrektorenkonferenz sich soeben einer Boykott-Aktion gegen den Austausch mit israelischen

Forschern angeschlossen, die ursprünglich von einer Gruppe britischer Akademiker ausgegangen war.

Als Steve sich einen Moment lang auf seine Shisha konzentrierte, die schlecht zog, nutzte ich die Gelegenheit, um einen heimlichen Blick auf meine Uhr zu werfen. Es war erst halb elf, ich konnte ihm schlecht damit kommen, dass ich zur Vorlesung müsse, um mich zurückzuziehen. Da hatte ich eine Idee, die mir erlaubte, die Unterhaltung ohne Risiko erneut in Gang zu bringen: Seit einigen Wochen sprach man wieder von einem bereits vier oder fünf Jahre alten Projekt, das sich mit der Errichtung einer Zweigstelle der Sorbonne in Dubai (oder war es Bahrain oder Katar? Ich konnte sie nie auseinanderhalten) befasste. Ein ähnliches Projekt wurde gerade in Oxford geprüft, das ehrwürdige Alter der beiden Universitäten musste es der einen oder anderen Ölmonarchie angetan haben. Für einen jungen Hochschullehrer wäre das eine vielversprechende Möglichkeit, seine Finanzen aufzubessern; würde sie ihn dazu verleiten, sich dadurch anzubieten, dass er antizionistische Positionen vertrat? Und glaubte er, dass ich gut beraten wäre, es ihm gleichzutun?

Ich sah Steve unverhohlen forschend an – der Typ war nicht übermäßig intelligent und daher leicht aus der Fassung zu bringen, mein Blick zeigte schnell Wirkung. »Als Bloy-Spezialist«, stammelte er, »weißt du sicher einiges über diese antisemitischen Identitären ...« Ich seufzte matt: Bloy war kein Antisemit, und ich war nicht im Mindesten ein Bloy-Kenner. Natürlich war ich im Rahmen meiner Forschungen zu Huysmans an Bloy nicht vorbeigekommen, ein Vergleich ihres Sprachgebrauchs war Teil meiner Schrift *Schwindel der Neologismen* gewesen, meiner einzigen Veröffentlichung und wahrscheinlich dem Gipfel meiner irdischen geistigen Anstrengung, die jedenfalls exzellente Kritiken in *Poétique* und *Romantisme* bekommen hatte und der ich vermutlich meine Berufung zum Professor verdankte. Tatsächlich aber handelte es sich bei einem Großteil der seltsamen Wörter, die man bei Huysmans fand, nicht um Neologismen, sondern um seltene Wörter, die der Fachsprache handwerklicher Berufe oder bestimmten Dialekten entnommen waren. Huysmans, so meine These, war durch und durch Naturalist geblieben, er wollte in seinem Werk die Sprache des Volkes abbilden, er war auf gewisse Art vielleicht sogar der Sozialist geblieben, der als junger Mann an Zolas Abenden in Médan teilgenommen hatte, seine wachsende Verachtung für die Linke war niemals so groß gewesen wie seine anfängliche Aversion gegen den Kapitalismus, das Geld und alles, was mit bürgerlichen Werten gleichzusetzen war – im Grunde war er eine einzigartige Figur, ein *christlicher Naturalist.* Bloy hingegen, der immerzu nach kommerziellem oder gesellschaftlichem Erfolg gierte, der sich seiner andauernden Neologismen bediente, um aufzufallen, um sich als erleuchteter, verfolgter, geheimnisvoller Spiritueller in Stellung zu bringen, Bloy also hatte sich für eine mystisch-elitistische Position in der literarischen Welt seiner Epoche entschieden und hörte später nicht auf, sich über seinen Misserfolg und die durchaus gerechtfertigte Gleichgültigkeit zu wundern, die seine Verwünschungen hervorriefen. Er war, schrieb Huysmans, »ein Unglücklicher, dessen Hochmut teuflisch und dessen Hass maßlos ist.« Tatsächlich war Bloy mir von Beginn an wie der Prototyp des *schlechten Katholiken* vorgekommen, dessen Glaube und Begeisterung erst in Wallung geraten, wenn seine Gesprächspartner Verdammte sind. Zwar war ich damals, als ich an meiner Dissertation schrieb, auch mit verschiedenen katholisch-royalistischen linken Krei-

sen in Kontakt gekommen, die Bloy und Bernanos wie Göt-
ter verehrten und mich mit diesem oder jenem handschrift-
lichen Brief locken wollten, bis ich feststellte, dass sie mir
nichts, aber auch gar nichts zu bieten hatten – kein Dokument,
das ich nicht leicht selbst in den Archiven, die einem akademischen Publikum für gewöhnlich zugänglich waren, hätte finden können.

»Du bist da sicher auf etwas gestoßen … Lies doch noch
einmal Drumont«, sagte ich jedoch zu Steve, mehr, um ihm
zu schmeicheln, und er sah mich folgsam und naiv wie ein op-
portunistisches Kind an.

Vor der Tür meines Vorlesungsraums – ich wollte an jenem
Tag von Jean Lorrain sprechen – versperrten drei Typen von
rund zwanzig Jahren, zwei Araber und ein Schwarzer, den
Weg. Heute waren sie nicht bewaffnet und wirkten eher ruhig, in ihrer Haltung lag eigentlich nichts Bedrohliches, aber
man war gezwungen, zwischen ihnen hindurchzugehen, um
in den Raum zu kommen – ich musste eingreifen. Ich blieb bei
ihnen stehen: Sicher waren sie angewiesen worden, niemand-
en zu provozieren und die Lehrenden der Universität mit
Respekt zu behandeln, so hoffte ich jedenfalls.

»Ich bin Professor an dieser Universität, ich muss jetzt meine Vorlesung halten«, sagte ich entschlossen in Richtung der
Gruppe. Es war der Schwarze, der mir mit einem breiten Lächeln antwortete. »Kein Problem, Monsieur, wir haben nur
unsere Schwestern besucht«, antwortete er und zeigte mit einer beruhigenden Geste in den Hörsaal. Mit »Schwestern«
konnte er nur die beiden nordafrikanischen Mädchen meinen,
die nebeneinander oben links im Hörsaal saßen. Sie trugen
schwarze Burkas, ihre Augen waren von einem Gitter ge-
schützt, sie wirkten also völlig untadelig, schien mir. »Gut,

nun haben Sie sie ja gesehen …«, folgerte ich freundlich, um sie dann aufzufordern: »Jetzt können Sie gehen.« – »Kein Problem, Monsieur«, antwortete er, und sein Lächeln wurde noch breiter. Dann machte er auf dem Absatz kehrt, gefolgt von den beiden anderen, die kein Wort gesagt hatten. Nach wenigen Schritten drehte er sich zu mir um. »Friede sei mit Ihnen, Monsieur«, sagte er mit einer leichten Verbeugung. »Das ist doch gut gegangen …«, dachte ich, während ich die Tür des Hörsaals schloss. »Ist gut gegangen diesmal.« Ich wusste nicht recht, was ich erwartet hatte – es kursierten Gerüchte von Angriffen auf Dozenten in Mülhausen, Straßburg, Aix-Marseille und Saint-Denis, aber ich hatte keinen dieser Kollegen getroffen und glaubte im Grunde nicht wirklich daran. Laut Steve hatte es im Übrigen eine Vereinbarung zwischen den Strömungen der jungen Salafisten und den Institutionen der Universität gegeben, Beweis war für ihn die Tatsache, dass Banditen und Dealer schon seit zwei Jahren beinahe völlig aus der unmittelbaren Umgebung der Uni verschwunden waren. Ob die Vereinbarung auch eine Klausel enthielt, die jüdischen Organisationen das Betreten der Uni untersagte? Auch das war nur ein schwer überprüfbares Gerücht, es war aber eine Tatsache, dass der Verband jüdischer Studenten Frankreichs seit dem Beginn des neuen Semesters nicht mehr anzutreffen war, auf keinem Campus in ganz Paris, während der Jugendverband der Bruderschaft der Muslime so ziemlich überall seine Fühler ausgestreckt hatte.

Nach meiner Vorlesung (was interessierte die beiden Jungfrauen in Burka wohl an Jean Lorrain, einer widerlichen Schwuchtel, die sich selbst als »*Fickanthrop*« outete? Kannten ihre Väter die Inhalte ihres Studienfachs? Wofür die Literatur nicht alles herhalten musste!) traf ich Marie-Françoise, die vorschlug, gemeinsam zu essen. Wirklich, ich hatte einen sozialen Tag.

Ich mochte die unterhaltsame und über alle Maßen klatschsüchtige alte Hexe; ihre langjährige Betriebszugehörigkeit, ihre Stellung in diversen beratenden Gremien verlieh ihrem Klatsch mehr Gewicht und Bedeutung, als die Gerüchte hatten, die vom unscheinbaren Steve kamen. Sie entschied sich für ein marokkanisches Restaurant in der Rue Monge – einen Halal-Tag würde ich also außerdem haben.

Mutter Delouze, setzte sie an, als der Ober uns unsere Teller brachte, sitze auf einem Schleudersitz. Der Nationale Hochschulrat, der Anfang Juni tagte, werde aller Voraussicht nach Robert Rediger für den Posten benennen.

Ich warf einen kurzen Blick auf meine Artischocken-Lamm-Tajine, bevor ich für alle Fälle überrascht die Augenbrauen hochzog.

»Ja, ich weiß«, sagte sie, »das ist unglaublich, aber es sind mehr als nur Gerüchte, mir sind schon Details zu Ohren gekommen.«

Ich entschuldigte mich, um zur Toilette zu gehen und dort diskret mein Smartphone zu befragen – man findet ja wirklich den letzten Blödsinn im Netz. Meine Recherche dauerte zwei

Minuten und informierte mich darüber, dass Robert Rediger für seine propalästinensische Haltung bekannt und eine der maßgeblichen Schlüsselfiguren des Boykotts israelischer Universitäten war. Ich wusch mir sorgfältig die Hände, bevor ich zu meiner Kollegin zurückging.

Mein Tajine-Gericht war trotzdem kalt geworden, wie schade. »Wird man nicht die Wahlen abwarten, um das zu tun?«, fragte ich nach einem ersten Bissen, es schien mir eine gute Frage zu sein.

»Die Wahlen, die Wahlen, und dann? Was soll das schon ändern?« Offenbar war meine Frage doch nicht so gut gewesen.

»Keine Ahnung, immerhin wird in drei Wochen ein neuer Präsident gewählt ...«

»Du weißt doch genau, dass die Sache längst gelaufen ist, das wird wie 2017, der Front National kommt in die zweite Runde, die Linke wird wiedergewählt, ich weiß wirklich nicht, warum sich der Nationale Hochschulrat bis zu den Wahlen die Eier schaukeln sollte.«

»Da wäre noch das Wahlergebnis der Bruderschaft der Muslime, man weiß es nicht, wenn sie über die symbolische 20-Prozent-Hürde kommen, kann sich das auf das Kräfteverhältnis auswirken ...« Das war natürlich Schwachsinn, die Wähler der Bruderschaft der Muslime würden ihre Stimmen zu 99 Prozent den Sozialisten geben, das änderte auf keinen Fall etwas am Ergebnis, aber das Wort »Kräfteverhältnis« hatte in jeder Unterhaltung eine imponierende Wirkung, als hätte ich Clausewitz und Sunzi gelesen, die »symbolische Hürde« gefiel mir auch gut. Jedenfalls nickte Marie-Françoise, als hätte ich gerade eine Idee gehabt, sie wägte lange die Konsequenzen ab, die eine Wahl der Bruderschaft der Muslime auf Regierungsebene auf die Zusammensetzung der universitären Leitungsgremien hätte, ihre kombinatorische Intelligenz spielte alles durch. Ich hörte nicht mehr wirklich zu, ich beobachtete, wie die Hypothesen nacheinander über ihr spitzes, altes Gesicht zogen. Für irgendetwas muss man sich ja im Leben interessieren, sagte ich mir, und ich fragte mich, wofür ich mich interessieren könnte, wenn sich das Ende meines Liebeslebens bestätigen sollte – ich könnte Weinbau lernen oder Modellflugzeuge sammeln.

Die Übungen am Nachmittag waren anstrengend, überhaupt waren die Doktoranden anstrengend, bei ihnen stand ab jetzt einiges auf dem Spiel, bei mir gar nichts mehr, höchstens wenn es darum ging, das indische Gericht auszuwählen, das ich am Abend in der Mikrowelle aufwärmen wollte (*Chicken Biryani? Chicken Tikka Masala? Chicken Rogan Josh?*), während ich mir eine Politsendung auf France 2 ansah.

An diesem Abend ging es um die Kandidatin des Front National, die ihre Liebe zu Frankreich bekräftigte (»Aber zu welchem Frankreich?«, entgegneten ihr recht läppisch die linksliberal eingestellten Moderatoren), während ich mich fragte, ob es das wirklich gewesen sei mit meinem Liebesleben, ganz sicher war das im Grunde nicht, und einen großen Teil des Abends trug ich mich mit dem Gedanken, Myriam anzurufen. Ich glaubte nicht, dass sie schon einen anderen hatte, wir waren uns mehrmals über den Weg gelaufen, und sie hatte mich, wie man sagen könnte, intensiv angesehen, aber sie schaute eigentlich immer intensiv, auch wenn es nur darum ging, die richtige Haarkur auszusuchen, ich machte mir wohl besser nichts vor. Es wäre sinnvoller gewesen, mich politisch zu engagieren, die aktiven Mitglieder der diversen

Gruppierungen durchlebten in dieser Phase des Wahlkampfs intensive Momente, während ich zusehends verkümmerte, das war nicht zu leugnen.

»Glücklich jene, die das Leben zufrieden macht, die sich amüsieren und fröhlich sind«, beginnt Maupassant seinen Artikel über *Gegen den Strich* in der Zeitschrift *Gil Blas*. Die Literaturgeschichte war im Allgemeinen hart mit der Schule der Naturalisten umgesprungen, Huysmans wurde mit Lob überhäuft, weil er sich von diesem Joch befreit hatte, aber der Artikel von Maupassant geht tiefer und ist einfühlsamer als der, den Bloy zur selben Zeit in *Le Chat noir* veröffentlichte. Selbst die Einwände von Zola sind recht vernünftig, wie man nachlesen kann; richtig ist, dass des Esseintes aus psychologischer Perspektive von der ersten bis zur letzten Seite derselbe bleibt, dass nichts passiert und in dem Buch auch nicht passieren kann, dass die Handlung in gewisser Weise gleich null ist; nicht weniger richtig ist, dass Huysmans auf gar keinen Fall an *Gegen den Strich* anknüpfen konnte, dass dieses Meisterwerk eine Sackgasse war – aber sind das nicht alle Meisterwerke? Huysmans konnte nach diesem Buch kein Naturalist mehr sein – das ist es vor allem, was Zola festhält, wohingegen Maupassant, der sich stärker als Künstler verstand, in erster Linie das Meisterwerk sieht. Ich legte diese Gedanken in einem kurzen Artikel für das *Journal des dix-neuvièmistes* dar, was mir ein paar Tage Zerstreuung sehr viel angenehmerer Art als die Wahlkampagnen brachte, mich aber nicht im Mindesten davon abhielt, an Myriam zu denken.

Sie musste in ihrer nicht weit zurückliegenden Jugend ein entzückendes kleines Gothic-Mädchen gewesen sein, bevor sie sich zu einer eleganten jungen Frau entwickelte, mit ihrem schwarzen Bob, ihrer sehr weißen Haut und den dunklen Augen. Elegant und auf schlichte Art sexy. Ihr diskreter erotischer Charme hatte sogar mehr gehalten, als er versprochen hatte. Die Liebe eines Mannes ist nichts anderes als die Anerkennung für das ihm bereitete Vergnügen, und mir hatte nie zuvor jemand derart viel Vergnügen bereitet wie Myriam. Sie spannte ihre Möse an, wie es ihr gefiel (mal langsam, mit leichtem, unwiderstehlichem Druck, mal in heftigen, rebellischen Kontraktionen); sie wackelte unendlich anmutig mit ihrem kleinen Hintern, bevor sie ihn mir entgegenstreckte. Und ihre Fellatio! Nie hatte ich Ähnliches gekannt, an jede Fellatio machte sie sich heran, als wäre es die erste und letzte in ihrem Leben. Jede Fellatio von ihr hätte genügt, das Leben eines Mannes zu rechtfertigen.

Ich zauderte noch ein paar Tage, dann rief ich sie an. Wir vereinbarten ein Treffen für denselben Abend.

Es ist üblich, dass man seine *Exfreundinnen* weiterhin duzt, aber statt eines echten Kusses gibt man sich *Küsschen* auf die Wange. Myriam trug einen kurzen, schwarzen Rock und ebenso schwarze Strumpfhosen, ich hatte keine Lust, ins Restaurant zu gehen, und sie daher zu mir eingeladen. Neugierig blickte sie sich im Raum um, dann setzte sie sich tief in die Couch. Ihr Rock war wirklich kurz, und sie hatte sich geschminkt. Ich fragte sie, ob sie etwas trinken wolle – »Bourbon, wenn du welchen hast«, antwortete sie.

»Irgendetwas hast du verändert« – sie nahm einen Schluck – »aber ich sehe nicht, was.«

»Die Vorhänge.« Ich hatte orange-ockerfarbene, ethnisch angehauchte Übergardinen angebracht. Außerdem hatte ich einen passenden Stoff gekauft, der als Sofaüberwurf diente.

Sie drehte sich um und kniete sich auf die Couch, um die Vorhänge zu begutachten. »Hübsch«, meinte sie endlich, »sehr hübsch sogar. Aber du hattest ja schon immer einen guten Geschmack. Also für einen Macho«, schränkte sie ein. Sie setzte sich wieder hin, mir gegenüber.

»Es stört dich doch nicht, wenn ich sage, dass du ein Macho bist?«

»Ich weiß nicht, vielleicht stimmt es ja, ich bin wohl wirklich so eine Art Macho. Ich hielt es eigentlich nie für eine gute Idee, Frauen das Wahlrecht zu geben, sie zu den gleichen Studiengängen und Berufen zuzulassen und so weiter. Wir haben uns letztlich daran gewöhnt, aber ist es wirklich eine gute Idee?«

Sie kniff erstaunt die Augen zusammen, für einen kurzen Augenblick hatte ich das Gefühl, sie fragte sich das tatsächlich, also stellte ich mir die Frage selbst auch, bis ich merkte, dass ich wie auf alle anderen Fragen auch auf diese keine Antwort hatte.

»Du bist also für die Rückkehr zum Patriarchat, meinst du das?«

»Ich bin *für* gar nichts, wie du weißt, aber das Patriarchat hatte zumindest den Vorzug zu existieren, also ich meine, als Sozialsystem, es hatte Bestand, es gab Familien mit Kindern, die im Großen und Ganzen nach demselben Muster lebten, kurz, es funktionierte; jetzt gibt es nicht mehr genug Kinder, da hat es sich erledigt.«

»Ja, theoretisch bist du ein Macho, gar kein Zweifel. Aber du hast einen ausgefallenen Literaturgeschmack: Mallarmé, Huysmans, du bist kein typischer Macho. Dazu kommt ein weiblicher, anormaler Hang für Einrichtungsstoffe. Aber anziehen tust du dich wie ein Trampel. Ein Macho im schmuddeligen Rocker-Look könnte sogar glaubwürdig sein, aber du fandest Nick Drake schon immer besser als ZZ Top. Du bist eine widersprüchliche Persönlichkeit.«

Ich schenkte mir Bourbon nach, bevor ich ihr antwortete. Hinter Aggressivität verbirgt sich oftmals der Wunsch nach Verführung, das hatte ich bei Boris Cyrulnik gelesen, und Boris Cyrulnik muss es wissen, der ist nicht von gestern, in Psychosachen kennt er sich aus, eine Art Konrad Lorenz für Menschen. Übrigens hatte sie die Schenkel leicht gespreizt, während sie auf meine Antwort wartete, das war ihre ganz reale Körpersprache.

»Daran ist überhaupt nichts widersprüchlich, es passt nur nicht ins psychologische Raster deiner Frauenzeitschriften.

Darin geht es doch nur um die Typologie von Konsumenten: der LOHAS-Konsument, der Show-off, die Gaby 2.0, der *Satanic Geek*, der Techno-Buddha – die denken sich doch jede Woche was Neues aus. Ich entspreche zunächst einmal keiner dieser Konsumentenschablonen, das ist alles.«

»Könnten wir uns nicht ... nette Sachen sagen an unserem Wiedersehensabend, was meinst du?« Jetzt klang ihre Stimme brüchig, ich war verlegen. »Hast du Hunger?«, fragte ich, um das Unbehagen zu zerstreuen. Nein, sie habe keinen Hunger, aber am Ende isst man doch immer zusammen. »Hast du Lust auf Sushi?« Natürlich hatte sie Lust, auf Sushi haben die Leute immer Lust, die größten Feinschmecker ebenso wie um ihre Linie besorgte Frauen, es herrscht eine Art Universalkonsens hinsichtlich dieses amorphen Nebeneinanders von rohem Fisch und weißem Reis. Ich hatte ein Faltblatt von einem Sushi-Lieferservice, allein die Lektüre war ermüdend, Salmon Roll, Wasabi, Maki – ich verstand nichts und hatte auch keine Lust, irgendetwas zu verstehen, ich rief an und bestellte das Kombi-Menü B3 (letztlich wäre es wohl doch besser gewesen, ins Restaurant zu gehen). Nachdem ich das Gespräch beendet hatte, legte ich Nick Drake auf. Es folgte anhaltendes Schweigen, das ich blödsinnig mit der Frage unterbrach, wie denn das Studium laufe. Sie blickte mich vorwurfsvoll an, ehe sie antwortete, es sei schon in Ordnung, sie habe vor, einen Master in Buchwissenschaft zu machen. Erleichtert lenkte ich sie auf ein allgemeineres Thema um, das ihre Karrierepläne im Übrigen rechtfertigte: Während die französische Wirtschaft in großen Teilen zusammenbrach, ging es dem Verlagswesen gut, es verzeichnete wachsende Gewinne, es war wirklich erstaunlich, man könnte glauben, Lesen sei das Letzte, was den Menschen in ihrer Hoffnungslosigkeit blieb.

»Dir scheint es auch nicht besonders gut zu gehen. Aber so hast du eigentlich schon immer auf mich gewirkt ...«, sagte sie ohne Groll, eher traurig. Was sollte ich antworten? Das war schwer zu leugnen.

»Habe ich auf dich einen so deprimierten Eindruck gemacht?«, fragte ich nach neuerlichem Schweigen.

»Nicht deprimiert, nein, irgendwie schlimmer, du hattest immer so eine Art von anormaler Ehrlichkeit, eine Unfähigkeit, all die Kompromisse einzugehen, die den Leuten letztlich erlauben zu leben. Nehmen wir einmal an, du hättest recht mit deiner Meinung über das Patriarchat, dass es das einzig lebensfähige System ist. Trotzdem habe ich studiert, ich wurde dazu erzogen, mich als Individuum zu betrachten, das über ein dem Mann gleichwertiges Reflexions- und Entscheidungsvermögen verfügt. Und was passiert jetzt mit mir? Bin ich gut für die Tonne?«

Vermutlich wäre »Ja« die richtige Antwort gewesen, aber ich schwieg, letzten Endes war ich wohl doch nicht so ehrlich. Das Sushi kam noch immer nicht. Ich schenkte mir noch einen Bourbon ein, es war schon der dritte. Nick Drake sang noch immer von jungen Mädchen und altertümlichen Prinzessinnen, und ich hatte noch immer keine Lust, ihr ein Kind zu machen, den Haushalt mit ihr zu teilen oder eine Baby-Trage zu kaufen. Ich wollte nicht einmal mit ihr schlafen, höchstens ein bisschen, aber gleichzeitig hatte ich irgendwie Lust zu sterben, ich wusste nicht so recht, ich spürte leichte Übelkeit aufsteigen, was ist denn mit diesem verschissenen *Rapid Sushi*? Ich hätte sie bitten sollen, mir einen zu blasen, genau jetzt, das hätte uns als Paar eine zweite Chance geben können, stattdessen tat ich nichts gegen das Unbehagen, das sich mit jeder Sekunde weiter ausbreitete.

»Es ist wohl besser, ich gehe …«, sagte sie nach einem mindestens dreiminütigen Schweigen. Nick Drake war mit seinem Gewimmer eben fertig geworden, als Nächstes wäre das raue Krächzen von Nirvana gefolgt; ich stellte den Ton aus, ehe ich antwortete: »Wie du willst …«

»Schade, echt schade, dass es mit dir so weit gekommen ist, François«, sagte sie im Flur, sie hatte schon ihren Mantel an. »Ich würde gern etwas tun, aber ich weiß nicht, was, du lässt mir keine Möglichkeit.« Dann gaben wir uns wieder Küsschen auf die Wange und ich glaubte nicht, dass es noch einmal darüber hinausgehen würde.

Wenige Minuten nach Myriams Aufbruch kam das Sushi. Es war sehr viel.

II

Nach Myriams Fortgang blieb ich über eine Woche lang alleine. Das erste Mal seit meiner Berufung fühlte ich mich nicht einmal imstande, meine Mittwochskurse zu leiten. Die geistigen Höhepunkte meines Lebens waren die Niederschrift meiner Dissertation und die Veröffentlichung meines Buchs gewesen; all das lag mehr als zehn Jahre zurück. Geistige Höhepunkte? Höhepunkte überhaupt? Jedenfalls fühlte ich damals so etwas wie eine *Existenzberechtigung*. Seitdem hatte ich nur kurze Beiträge für das *Journal des dix-neuvièmistes* und, seltener, für das *Magazine littéraire* verfasst, wenn etwas anlag, das meinem Fachgebiet entsprach. Meine Beiträge waren klar, bissig, brillant, im Allgemeinen erfuhren sie Wertschätzung, zumal ich stets pünktlich ablieferte. Aber genügte das als Existenzberechtigung? Inwiefern braucht eine Existenz eine Berechtigung? Sämtliche Tiere und der überwältigende Großteil der Menschen existieren, ohne jemals das geringste Bedürfnis nach einer Berechtigung zu verspüren. Sie leben, weil sie leben, und basta, das ist ihre Denkweise, und sie sterben, weil sie sterben, nehme ich weiter an, womit die Analyse in ihren Augen abgeschlossen ist. Als Spezialist für Huysmans fühlte ich mich verpflichtet, mir wenigstens ein bisschen mehr Mühe zu geben.

Wenn Doktoranden mich fragten, in welcher Reihenfolge man die Werke des Autors, dem sie ihre Dissertation widmen wollen, lesen sollte, antwortete ich immer, dass sie sie in der chronologischen Reihenfolge lesen sollen. Nicht, dass das Leben des Autors einen Einfluss hätte, es ist die Reihenfolge der

Bücher, die eine Art geistiger Biografie von ganz eigener Logik darstellt. Im Falle Joris-Karl Huysmans' trat das Problem in Bezug auf seinen Roman *Gegen den Strich* mit besonderer Deutlichkeit hervor. Wie kann jemand, der ein Buch von derartig überwältigender Originalität geschrieben hat, das in der Weltliteratur seinesgleichen sucht, wie kann so jemand weiterschreiben?

Die erste Antwort, die einem durch den Kopf schießt, ist natürlich: nur unter allergrößten Schwierigkeiten. Das ist es in der Tat, was sich bei Huysmans beobachten lässt. *Zuflucht*, das auf *Gegen den Strich* folgt, ist ein enttäuschendes Buch, es hatte gar nichts anderes sein können, und wenn der negative Eindruck, das Gefühl von Stagnation, von langsamem Abfall, das Lesevergnügen nicht vollends zerstört, dann weil der Autor folgende brillante Idee hatte: nämlich in einem Buch, das dazu verdammt ist, enttäuschend zu sein, die Geschichte einer Enttäuschung zu erzählen. Auf diese Weise trägt er, durch die enge Verbindung zwischen dem Thema und seiner Umsetzung, einen ästhetischen Sieg davon: Man langweilt sich schon etwas, liest aber weiter, gleichzeitig fühlt man, dass nicht nur die Figuren während ihres Landaufenthaltes *Zuflucht* suchen, sondern auch Huysmans selbst. Fast meint man, dass er sich hier erneut als Naturalist versucht (der gemeine Naturalismus des Landes, in dem die Bauern sich noch niederträchtiger und gieriger zeigen als die Pariser), wären da nicht diese traumartigen Einschübe, die den Text zerstören und bewirken, dass er sich nirgends einordnen lässt.

Dass es Huysmans mit dem nächsten Roman gelang, aus der Sackgasse herauszukommen, war auf eine simple, bewährte Methode zurückzuführen: die Einführung einer zentralen Figur, eines auktorialen Sprachrohrs, dessen Entwicklung wir über mehrere Bücher hinweg verfolgen können. All dies hatte ich in meiner Doktorarbeit klar dargelegt. Schwierig war es für mich erst später geworden, weil der entscheidende Moment in Durtals (wie auch in Huysmans') Entwicklung von *Tief unten*, auf dessen ersten Seiten er sich vom Naturalismus abwendet, über *Unterwegs* und *Die Kathedrale* bis hin zu *Der Oblate* die Konversion zum Katholizismus war.

Selbstredend ist es für einen Atheisten nicht leicht, über eine Reihe von Büchern zu schreiben, deren Hauptthema eine Konversion ist, ebenso wie es jemandem, der noch nie verliebt gewesen ist, dem dieses Gefühl fremd ist, schwerfiele, sich für einen Roman zu begeistern, der eben diese Leidenschaft zum Thema hat. Das Gefühl, das den emotional unbeteiligten Atheisten angesichts der spirituellen Abenteuer Durtals überkommt, angesichts der alternierenden Wellen der ihn verlassenden und dann wieder über ihn hereinbrechenden Gnade – was der Rahmenhandlung von Huysmans' letzten drei Romanen entspricht –, ist unglücklicherweise das der Langeweile.

An diesem Punkt meiner Überlegungen (ich war eben aufgestanden und trank einen Kaffee, während draußen der Tag herandämmerte) kam mir ein äußerst unschöner Gedanke: Wie Huysmans' *Gegen den Strich* der Höhepunkt seines Schaffens war, war Myriam vermutlich der Höhepunkt meines Liebeslebens. Wie konnte ich den Verlust meiner Geliebten verwinden? Die Antwort war wohl, dass ich es gar nicht konnte.

Während ich auf den Tod wartete, blieb mir das *Journal des dix-neuvièmistes*, dessen nächste Versammlung in weniger als einer Woche stattfinden sollte. Und dann war da noch der

Wahlkampf. Viele Männer interessieren sich für Politik und Krieg, aber ich konnte einer solchen Beschäftigung nichts abgewinnen, ich war politisiert wie ein Handtuch, was wahrscheinlich schade war. Es stimmt, dass die Wahlen in meiner Jugend so uninteressant waren, wie man es sich nur denken konnte. Die Dürftigkeit des »politischen Angebots« war sogar wirklich frappierend. Man wählte einen Mitte-links-Kandidaten, abhängig von seinem Charisma für die Dauer von einem oder zwei Mandaten, ein drittes wurde ihm aus undurchsichtigen Gründen verwehrt. Dann wurde das Volk dieses Kandidaten beziehungsweise der Mitte-links-Regierung überdrüssig – hier ließ sich gut das Phänomen des *demokratischen Wechselspiels* beobachten –, woraufhin die Wähler einen Mitte-rechts-Kandidaten an die Macht brachten, ebenfalls für die Dauer von ein oder zwei Mandaten, je nach Typ. Seltsamerweise war der Westen überaus stolz auf dieses Wahlsystem, das doch nicht mehr war als die Aufteilung der Macht zwischen zwei rivalisierenden Gangs, nicht selten kam es sogar zu einem Krieg, um dieses System anderen Ländern aufzuzwingen, die diesbezüglich weniger enthusiastisch waren.

Seit dem Vormarsch der Rechtsextremen war die ganze Sache ein wenig spannender geworden, die Debatten waren vom vergessenen Beben des Faschismus untermalt. Aber erst 2017 kam mit der zweiten Runde der Präsidentschaftswahlen wirklich Bewegung in die Sache. Wie gelähmt musste die internationale Presse dieses schändliche, aber arithmetisch unabwendbare Spektakel der Wiederwahl eines linken Präsidenten in einem immer unverhohlener rechts denkenden Land mitansehen. In den Wochen, die auf die Abstimmung folgten, hatte sich eine seltsame, drückende Stimmung im Land ausgebreitet. Eine beklemmende, fundamentale Hilflosigkeit, dann und wann von aufständischen Funken durchbrochen. Viele gingen daraufhin ins Exil. Einen Monat nach Auszählung der Stimmen der zweiten Runde verkündete Mohammed Ben Abbes die Gründung der Bruderschaft der Muslime. Ein früherer Vorstoß des politischen Islams war von der Partei der Muslime Frankreichs ausgegangen und bald fehlgeschlagen, weil ihr Anführer einen misslichen Antisemitismus an den Tag legte, der ihn nicht einmal davor zurückschrecken ließ, Kontakte zu Rechtsextremen zu knüpfen. Die Muslimbrüder hatten daraus gelernt und legten Wert darauf, moderate Positionen zu vertreten, beispielsweise in der Palästina-Frage, und recht herzliche Beziehungen zu jüdischen religiösen Führungsfiguren zu pflegen. Nach dem Vorbild der muslimischen Parteien, wie sie in der arabischen Welt existierten (sie waren übrigens dem früheren Vorbild der Kommunistischen Partei Frankreichs nicht unähnlich), wurde die politische Handlung in ein dichtes Netz von Jugendverbänden, Kultureinrichtungen und karitativen Institutionen verlagert. In einem Land, in dem die Massenarmut sich Jahr für Jahr schicksalhaft ausbreitete, trug diese Politik der Vernetzung schließlich Früchte und hatte zur Folge, dass die Bruderschaft der Muslime auch außerhalb des konfessionellen Rahmens potenzielle Wähler fand, ihr Erfolg war durchschlagend: In den letzten Umfragen erreichte die gerade einmal fünf Jahre alte Partei 21 Prozent und lag damit nur knapp hinter den Sozialisten, die auf 23 Prozent kamen. Die Rechtskonservativen erreichten nur 14 Prozent, während der Front National mit 32 Prozent klar an erster Stelle stand.

David Pujadas war seit ein paar Jahren eine Ikone – man hatte ihm einen Platz in den Reihen jener wenigen Politik-

Journalisten in der Geschichte der Medien (Cotta, Elkabbach, Duhamel und einige andere) zugesprochen, die für würdig befunden worden waren, zwischen dem ersten und dem zweiten Wahlgang einem Präsidentschaftsduell vorzustehen. Doch nicht nur das, mit seiner freundlichen Hartnäckigkeit, seiner Ruhe, vor allem aber seiner Fähigkeit, Beleidigungen zu ignorieren und die Auseinandersetzung, wenn sie zu zerfasern drohte, neu auszurichten und ihr den Anschein einer würdigen und demokratischen Konfrontation zurückzugeben, hatte er seine Vorgänger in den Schatten gestellt. Die Kandidatin des Front National und der Kandidat der Bruderschaft der Muslime erkoren ihn einmütig zum Schiedsrichter ihres Austauschs, der von allen Debatten vor der ersten Wahlrunde die am ungeduldigsten erwartete war. Wenn es nämlich dem Kandidaten der Bruderschaft der Muslime, der sich seit Beginn seines Wahlkampfs stetig nach vorne schob, gelänge, den Kandidaten der Sozialisten zu überholen, würde es eine noch nie da gewesene zweite Runde geben – mit sehr ungewissem Ausgang. Die linken Wähler sträubten sich trotz der immer eindringlicheren Appelle ihrer Tages- und Wochenzeitungen, ihre Stimme einem muslimischen Kandidaten zu geben. Die immer zahlreicheren rechtskonservativen Wähler wollten, den entschiedenen Aufrufen ihrer Führungsfiguren zum Trotz, allem Anschein nach den Sprung wagen und in der zweiten Runde für die »nationale« Kandidatin stimmen – denn die wollte einen Coup landen, mit Sicherheit den größten ihres Lebens.

Das Duell fand an einem Mittwoch statt, was die Sache für mich nicht einfacher machte. Am Vorabend hatte ich eine Auswahl indischer Mikrowellengerichte und drei Flaschen einfachen Rotweins eingekauft. Ein Schönwetterhoch hatte sich von Ungarn bis Polen anhaltend ausgebreitet und hinderte so das Tiefdruckgebiet über den britischen Inseln daran, nach Süden zu ziehen. In Kontinentaleuropa war es ungewöhnlich kalt und trocken. Meine Doktoranden hatten mich tagsüber mit ihren überflüssigen Fragen ziemlich genervt. Warum wurden unbedeutende Dichter (Moréas, Corbière u. a.) als unbedeutend angesehen, woran lag es, dass man sie nicht als bedeutend einstufte (wie Baudelaire, Rimbaud, Mallarmé, um es kurz zu machen; danach kommt Breton) – so in der Art. Ihre Fragen waren weit davon entfernt, uneigennützig zu sein, es handelte sich um zwei schmächtige und bösartige Doktoranden, von denen der eine seine Dissertation über Cros schreiben wollte, der andere über Corbière – gleichzeitig wollten sie sich nicht die Finger verbrennen, ich erkannte das wohl, sie lauerten auf meine Antwort als Vertreter der Institution. Ich wich der Frage aus, indem ich ihnen Laforgue als Mittelweg empfahl.

Die Debatte hatte ich mir dann versaut, besser gesagt: Meine Mikrowelle hatte sie mir versaut, sie hatte eine neue Macke entwickelt (der Drehteller rotiert mit voller Geschwindigkeit und sie gibt etwas wie Unterschallgeräusche von sich, aber das Essen wird nicht warm), sodass ich meine Fertigmenüs in der Pfanne erwärmen musste und dadurch wesentliche Argumente verpasste. Soweit ich sehen konnte, verlief alles mit nahezu übersteigerter Korrektheit, die beiden Kandidaten für das höchste Amt überboten sich in gegenseitigen Respektsbekundungen, brachten jeweils ihre unermessliche Liebe zu Frankreich zum Ausdruck und machten den Eindruck, sich in so ziemlich allem einig zu sein. Zur selben Zeit kam es allerdings in Montfermeil zu Ausschreitungen zwischen militanten Rechtsextremen und einer Gruppe junger Afrikaner, die behaupteten, keiner bestimmten politischen Richtung anzugehören – nach der Schändung einer Moschee gab es bereits seit einer Woche gelegentliche Zusammenstöße auf dem Gebiet dieser Gemeinde. Auf einer Internetseite der Identitären war am darauffolgenden Morgen zu lesen, dass der Zusammenstoß sehr heftig gewesen sei und man mehrere Tote registriert habe, was das Innenministerium sogleich wieder dementierte. Wie jedes Mal ließen die Vorsitzende des Front National und der Vorsitzende der Bruderschaft der Muslime eine Erklärung veröffentlichen, worin sie sich nachdrücklich und jeder für sich von diesen kriminellen Machenschaften distanzierten. Bereits vor zwei Jahren hatten die Sender einige reißerische Reportagen gezeigt, als es zu den ersten bewaffneten Auseinandersetzungen gekommen war, aber nun sprach man immer weniger davon, es schien normal geworden zu sein. Mehrere Jahre, vermutlich sogar Jahrzehnte lang prangerte *Le Monde* wie allgemein alle linksliberalen Zeitungen – also eigentlich alle Zeitungen – regelmäßig die »Kassandras« an, die einen Bürgerkrieg zwischen den muslimischen Einwanderern und der einheimischen Bevölkerung Westeuropas voraussahen. Einer meiner Kollegen, der griechische Literatur lehrte, erklärte mir, dass der Bezug auf den Kassandra-Mythos im Grunde seltsam war. In der griechischen Mythologie tritt Kassandra zunächst als ein sehr hübsches Mädchen auf, vergleichbar mit der »Goldenen Aphrodite«, wie Homer schrieb. Apollon, der sich in sie verliebt, verleiht ihr im Austausch gegen ihre Gunst die Gabe der Weissagung. Kassandra nimmt das Geschenk gern an, verweigert sich aber dem Gott, der ihr daraufhin in den Mund spuckt und sie dazu verdammt, niemals und von niemandem angehört und verstanden zu werden. So sagt sie nacheinander die Entführung von Helena durch Paris und den Ausbruch des Trojanischen Krieges voraus, ebenso wie sie ihre trojanischen Mitbürger vor der List der Griechen (dem berüchtigten »Trojanischen Pferd«) warnt, die diesen schließlich ermöglicht, die Stadt einzunehmen. Kassandra wird von Klytämnestra ermordet, natürlich nicht, ohne den Mord vorherzusehen; auch die Ermordung Agamemnons sieht sie vorher, doch er glaubt ihr nicht. Kassandra steht also beispielhaft für ungünstige Vorhersagen, die immer wieder tatsächlich eintreffen; gemessen an den Fakten schien es, als wären die linksliberalen Journalisten von der gleichen Blindheit befallen wie die Trojaner – was in der Geschichte auch nichts Neues wäre: Dasselbe könnte man über die Intellektuellen, Politiker und Journalisten der 1930er-Jahre sagen, die einhellig davon überzeugt waren, dass Hitler »schon zur Vernunft käme«. Wahrscheinlich ist es für Menschen, die in einem bestimmten sozialen System gelebt und es zu etwas gebracht haben, unmöglich, sich in die Perspektive solcher zu versetzen, die von diesem System nie etwas zu erwarten hatten und einigermaßen unerschrocken auf seine Zerstörung hinarbeiten.

Nun, seit einigen Monaten hatte sich die Einstellung der linksliberalen Medien gewandelt: Von der Gewalt in den Vorstädten, den Auseinandersetzungen zwischen den verschiedenen Volksgruppen war gar keine Rede mehr, das Problem wurde einfach totgeschwiegen, man hatte sogar aufgehört, sich über die »Kassandras« zu beklagen, die ihrerseits ebenso verstummt waren. Die Menschen waren das Thema leid – und in den Kreisen, in denen ich verkehrte, war man es noch früher leid als anderswo. »Es kommt, wie es kommen muss«, so lässt sich die allgemeine Stimmung recht gut wiedergeben.

Als ich mich am nächsten Abend zum vierteljährlichen Cocktailempfang des *Journal des dix-neuvièmistes* begab, wusste ich bereits, dass die Auseinandersetzungen von Montfermeil nicht Thema sein würden, ebenso wenig wie die letzten Debatten vor der ersten Wahlrunde, sehr viel weniger als die jüngsten Berufungen an der Uni. Der Abend fand in der Rue Chaptal statt, im dafür eigens angemieteten Musée de la Vie romantique.

Die Place Saint-Georges und ihre herrlichen Belle-Époque-Fassaden hatte ich schon immer gern gemocht, ich blieb einen Moment vor der Büste Gavarnis stehen, ehe ich die Rue Notre-Dame-de-Lorette und dann die Rue Chaptal entlangging. An der Hausnummer 16 führte ein kurzer, gepflasterter und mit Bäumen bestandener Weg zum Museum.

Es war mild, und die Doppeltür zum Garten hin war weit geöffnet. Ich nahm mir ein Glas Champagner und spazierte zwischen den Linden umher. Schon bald fiel mein Blick auf Alice – sie war Hochschullehrerin an der Uni von Lyon III, Spezialistin für Nerval, ihr leichtes Kleid mit dem fröhlichen Blumenmuster war wohl das, was man ein »Cocktailkleid« nennt, die Unterschiede zwischen Cocktail- und Abendkleid entzogen sich mir, um ehrlich zu sein, aber ich war mir sicher, dass Alice immer und überall das passende Kleid trug und sich überhaupt passend benahm, ihre Gesellschaft war eine Wohltat. Ich zögerte darum nicht, sie zu begrüßen, obwohl sie gerade mit einem jungen Mann mit kantigem Gesicht und sehr weißer Haut sprach, der einen blauen Blazer über einem Paris-Saint-Germain-T-Shirt und dazu grellrote Turnschuhe trug und trotzdem insgesamt recht elegant wirkte. Er stellte sich mir als Godefroy Lempereur vor.

»Ich bin einer Ihrer neuen Kollegen«, sagte er und wandte sich zu mir um; ich bemerkte, dass er sich einen Whiskey genommen hatte. »Ich wurde gerade nach Paris III berufen.«

»Ja, ich habe davon gehört, Sie haben sich auf Bloy spezialisiert, nicht wahr?«

»François hat Bloy noch nie gemocht«, schaltete Alice sich unbefangen ein, »als Huysmans-Fachmann kommt er natürlich von ganz woanders.«

Lempereur drehte sich überraschend herzlich lächelnd zu mir um und sagte rasch: »Natürlich kenne ich Sie ... Ich bewundere Ihre Arbeit zu Huysmans«, dann kurzes Schweigen, er suchte nach Worten, ohne seinen durchdringenden Blick von mir abzuwenden, einen Blick, der derart intensiv war, dass ich meinte, Lempereur müsse geschminkt sein, mindestens hatte er seine Wimpern mit etwas Mascara betont, und ich hatte in dem Moment das Gefühl, dass er mir wichtige Dinge zu sagen hätte. Alice sah uns mit diesem zugleich zärtlichen und leicht spöttischen Blick an, den Frauen aufsetzen, wenn sie einer Unterhaltung zwischen Männern folgen, diesem merkwürdigen Vorgang, der stets zwischen Homoerotik und Duell schwankt. Ein ziemlich heftiger Windstoß fegte durch das Lindenlaub über uns. In diesem Augenblick ertönte weit weg ein unbestimmbares, dumpfes Grollen, das wie eine Explosion klang.

»Seltsam«, sagte Lempereur schließlich, »wie man doch bei den Autoren bleibt, die einen schon von Anfang an beschäftigt haben. Man könnte meinen, dass die Begeisterung mit einem oder zwei Jahrhunderten Abstand nachlässt, dass man als Akademiker eine Art literarischer Objektivität erlangt et cetera. Aber weit gefehlt! Huysmans, Zola, Barbey, Bloy, sie kannten sich alle, mochten sich oder auch nicht, verbündeten oder zerstritten sich – die Geschichte ihrer Beziehungen ist die der französischen Literatur. Und wir spielen ein Jahrhundert später diese Beziehungen nach, bleiben unserem Favoriten treu, sind bereit, uns um seinetwillen zu verbünden, zu zerstreiten, in Beiträgen miteinander zu ringen.«

»Sie haben recht. Aber das ist gut so, es beweist zumindest, dass die Literatur eine ernste Sache ist.«

»Mit dem armen Nerval hat sich nie jemand überworfen …«, meinte Alice, aber Lempereur schien sie nicht zu hören, noch immer starrte er mich intensiv an, gebannt von seinem eigenen Vortrag.

»Sie waren immer sehr ernsthaft«, fuhr er fort, »ich habe alle Ihre Beiträge im *Journal* gelesen. Bei mir war das anders. Mit zwanzig war ich fasziniert von Bloy, von seiner Verbissenheit, seiner Heftigkeit und davon, wie virtuos er die Kunst der Verachtung und Beleidigung beherrschte. Aber er war auch in Mode, sogar sehr. Bloy war die ultimative Waffe gegen das 20. Jahrhundert und seine Mittelmäßigkeit, seine engagierte Dummheit, seinen klebrigen Humanitarismus. Gegen Sartre und Camus, gegen all die Hanswurste der engagierten Literatur, aber auch gegen diese widerlichen Formalisten, den *nouveau roman* und diesen ganzen folgenlosen Quatsch. Gut, jetzt bin ich fünfundzwanzig. Sartre, Camus und alles, was mit dem *nouveau roman* zu tun hat, kann ich immer noch nicht ausstehen. Aber auch Bloys Virtuosität finde ich jetzt unerträglich, und ich muss zugeben, dass diese ganze spirituell-sakrale Dimension, an der er sich berauscht, mir so ziemlich gar nichts mehr sagt. Umso mehr Freude habe ich jetzt an Maupassant oder Flaubert – sogar an Zola, jedenfalls, wenn es nur ein paar Seiten sind. Und natürlich am sehr erstaunlichen Huysmans …«

Seine Aura des *Rechtsintellektuellen* war ziemlich verführerisch, sagte ich mir, das verlieh ihm an der Uni eine gewisse Sonderstellung. In der Regel kann man die Leute recht lange reden lassen, sie sind immer an ihren eigenen Ansichten interessiert, aber hier und da muss man die Unterhaltung ein wenig ankurbeln. Ich warf Alice einen ernüchterten Blick zu, ich wusste, dass diese Epoche sie ganz und gar nicht interessierte, sie war durch und durch *Frühromantikerin*. Mir lag auf der Zunge, Lempereur zu fragen: »Sind Sie eher Katholik, eher Faschist oder eine Mischung aus beidem?«, aber ich hielt mich zurück, ich hatte lange nichts mit Rechtsintellektuellen zu tun gehabt und wusste nicht mehr, wie man sie anpacken musste. Aus der Ferne hörte man plötzlich ein fortgesetztes Geknalle. »Was glaubt ihr, was das ist?«, fragte Alice. »Klingt wie Schüsse ...«, fügte sie unsicher hinzu. Als wir verstummten, merkte ich, dass alle Unterhaltungen im Garten verstummt waren, man hörte den Wind wieder durch die Blätter rauschen und vorsichtige Schritte auf dem Kies: Mehrere Kollegen hatten den Saal, in dem der Cocktailempfang stattfand, verlassen und schlichen leise und abwartend zwischen die Bäume. Zwei Dozenten der Universität von Montpellier gingen an mir vorbei, sie hatten ihre Smartphones eingeschaltet und hielten sie irgendwie seltsam, wie Zauberstäbe, den Bildschirm in der Waagerechten. »Nichts zu finden ...«, flüsterte der eine beklommen, »die sind alle noch beim G 20.« Wenn die sich einbildeten, dass die Nachrichtenkanäle darüber berichteten, täuschten sie sich, sagte ich mir, heute genauso wenig wie gestern in Montfermeil, in den Medien herrschte totales Stillschweigen darüber.

»Das erste Mal, dass es in Paris knallt«, bemerkte Lempereur in neutralem Tonfall. In dem Moment wieder das Geräusch von Salven, dieses Mal ganz deutlich und offenbar in der Nähe, gefolgt von einer noch viel lauteren Explosion. Die Gäste drehten sich sofort in die Richtung der Geräusche. Eine Rauchsäule stieg in den Himmel über den Häusern; das musste ungefähr von der Place de Clichy kommen.

»Tja, ich denke, das war's dann wohl mit unserer kleinen *Tanzparty* ...«, sagte Alice unbeschwert. Tatsächlich versuchten viele der Gäste zu telefonieren, einige gingen in Richtung Ausgang, aber langsam, stoßweise, wie um zu zeigen, dass sie sich im Griff hatten, sich nicht von Panik überwältigen ließen.

»Wir könnten unsere Unterhaltung bei mir fortsetzen, wenn Sie wollen«, bot Lempereur an. »Ich wohne in der Rue du Cardinal Mercier, es sind nur ein paar Schritte dorthin.«

»Ich habe morgen ein Seminar in Lyon, ich nehme den TGV morgens um sechs«, sagte Alice. »Ich glaube, ich fahre nach Hause.«

»Sicher?«

»Ja, ich habe komischerweise gar keine Angst.«

Ich sah sie an und fragte mich, ob ich nachdrücklicher sein sollte, aber seltsamerweise hatte ich auch keine Angst, ich war ohne besonderen Grund davon überzeugt, dass die Auseinandersetzungen sich auf den Boulevard de Clichy beschränken würden.

Alice hatte ihren Twingo an der Ecke Rue Blanche geparkt. »Ich weiß wirklich nicht, ob das klug ist«, sagte ich ihr, nachdem ich sie auf die Wange geküsst hatte. »Ruf mich bitte an, sobald du angekommen bist.« Sie nickte und fuhr los. »Eine bemerkenswerte Frau«, sagte Lempereur. Ich stimmte ihm zu, dabei wusste ich im Grunde nicht viel von Alice. Die Gesprächsthemen unter den Kollegen beschränkten sich mehr oder weniger auf Ehrentitel, Karrieresprünge und Wer-mit-wem; was Alice anging, war mir nie etwas zu Ohren gekommen. Sie war intelligent, elegant, hübsch, wie alt sie wohl sein mochte? Ungefähr so alt wie ich, zwischen vierzig und fünfundvierzig – und allem Anschein nach war sie Single. Es war doch noch etwas früh, um mich neu zu binden, sagte ich mir, bevor mir einfiel, dass ich eben das noch am Vorabend in Erwägung gezogen hatte. »Bemerkenswert!«, betonte ich, während ich versuchte, den Gedanken aus meinem Kopf zu vertreiben.

Die Schüsse hatten aufgehört. Indem wir in die um diese Zeit menschenleere Rue Ballu einbogen, betraten wir zugleich die Epoche unserer bevorzugten Autoren; beinahe alle der beachtlich gut erhaltenen Gebäude stammten aus der Epoche des Zweiten Kaiserreichs oder aus der Anfangszeit der dritten Republik, sagte ich zu Lempereur. »Stimmt, sogar Mallarmés Dienstagstreffen fanden ganz in der Nähe statt, in der Rue de Rome ...«, antwortete er. »Und Sie, wo wohnen Sie?«

»Avenue de Choisy, eher 1970er-Jahre. In literarischer Hinsicht natürlich weniger bemerkenswert.«

»Das, was man *Chinatown* nennt?«

»Genau, mittendrin.«

»Könnte sich als kluge Wahl erweisen«, meinte er nach einiger Überlegung nachdenklich. In dem Augenblick erreichten wir die Ecke Rue de Clichy. Gebannt blieb ich stehen. Hundert Meter nördlich stand die gesamte Place de Clichy in Flammen. Man konnte die ausgebrannten Wracks einiger Pkws und eines Busses erkennen. Inmitten des Feuers erhob sich, imposant und schwarz, die Statue von Moncey. Niemand in Sicht. Stille hüllte das Geschehen ein, unterbrochen nur von dem wiederholten Aufheulen einer Sirene.

»Kennen Sie die Geschichte von Marschall Moncey?«

»Nein, gar nicht.«

»Er hat unter Napoleon gedient und sich bei der Verteidigung der Barrikade von Clichy gegen die Russen 1814 hervorgetan. Sollten die ethnischen Zusammenstöße sich im Inneren von Paris ausbreiten«, meinte Lempereur in demselben Ton, »wird die chinesische Community außen vor bleiben. Chinatown könnte zu den wenigen sicheren Vierteln von Paris werden.«

»Meinen Sie, das könnte passieren?«

Stumm zuckte er mit den Schultern. Da sah ich zu meinem Verblüffen zwei Leute der Nationalpolizei – in Anzügen aus Kevlar, Maschinenpistolen quer über die Brust gehängt – gemächlich die Rue de Clichy in Richtung Bahnhof Saint-Lazare entlanggehen. Sie unterhielten sich angeregt und nahmen uns nicht zur Kenntnis.

»Die sind ...« – ich war dermaßen perplex, dass mir das Sprechen schwerfiel. »Die tun ja so, als ob nichts geschehen wäre.«

»Ja ...« Lempereur war stehen geblieben und rieb sich nachdenklich das Kinn. »Sehen Sie, es ist im Moment schwierig zu sagen, was möglich ist und was nicht. Wer das Gegenteil behauptet, ist ein Idiot oder ein Lügner. Meiner Meinung nach gibt es niemanden, der wissen kann, was in den nächsten Wochen passiert. So«, fuhr er nach kurzem Nachdenken fort, »wir sind jetzt ganz bei mir in der Nähe. Hoffentlich kommt Ihre Freundin gut heim ...«

Die stille, menschenleere Rue du Cardinal Mercier endete in einer Sackgasse mit einem von Säulen umgebenen Brunnen. Von Überwachungskameras überragte, wuchtige Portale führten an jeder Seite auf mit Bäumen bestandene Höfe hinaus. Lempereur presste seinen Zeigefinger auf eine kleine Aluminium-Platte, die wohl ein biometrisches Erkennungssystem war; sogleich schob sich vor uns ein Metallgitter hoch. Hinten auf dem Hof entdeckte ich, halb von Platanen verdeckt, ein kleines Stadtpalais, luxuriös und elegant, wie es für das Zweite Kaiserreich typisch war. Mir drängten sich Fragen auf. Es war wohl kaum sein Hochschullehrereinkommen auf einer unteren Gehaltsstufe, das ihm erlaubte, hier zu wohnen. Was war es also dann?

Ich weiß nicht, warum ich mir die Wohnung meines jungen Kollegen minimalistisch schlicht und mit viel Weiß vorgestellt hatte. Die Inneneinrichtung entsprach ganz im Gegenteil genau dem Stil des Gebäudes: Die Wände des Salons waren mit Samt und Seide bezogen, im Raum standen bequeme Sessel und kleine Tischchen mit Intarsien und Perlmutt; über einem kunstvoll gearbeiteten Kamin prangte ein riesiges Gemälde in pompös akademischem Stil – wohl ein echter Bouguereau. Ich setzte mich auf eine mit flaschengrünem Rips bespannte Ottomane und ließ mich mit einem Birnengeist bewirten.

»Wenn Sie möchten, könnten wir versuchen, herauszufinden, was da vor sich geht …«, bot Lempereur an, während er mir einschenkte.

»Nein, ich weiß schon, dass auf den Nachrichtenkanälen nichts kommt. Vielleicht auf CNN, wenn Sie eine Satellitenschüssel haben.«

»Ich habe es die letzten Tage auch versucht; nichts auf CNN, auf YouTube auch nicht, aber das war ja zu erwarten. Manchmal gibt es auf Rutube etwas von Leuten, die mit ihrem Handy filmen; aber immer nur rein zufällig, diesmal habe ich auch nichts gefunden.«

»Ich verstehe nicht, was dieser Nachrichtenstopp soll, was die Regierung damit erreichen will.«

»In diesem Fall ist das meiner Meinung nach klar: Sie befürchten tatsächlich, dass der Front National die Wahlen gewinnen könnte. Und jedes Bild mit Gewalttaten aus der Stadt bringt dem Front Stimmen. Jetzt sind es die Rechtsextremen, die versuchen, den Druck im Kessel zu erhöhen. Die Typen in den Vorstädten lassen sich das natürlich nicht zweimal sagen. Aber wenn Sie genauer hinsehen, war immer eine antiislamische Provokation der Auslöser: eine geschändete Moschee, eine Frau, die man unter Drohungen zwingt, ihren Nikab auszuziehen, so etwas in der Art.«

»Und Sie meinen, da steckt der Front National dahinter?«

»Nein, nein, das können die sich nicht leisten. So läuft das nicht. Sagen wir, es gibt da ... Verbindungen.«

Er trank sein Glas aus, schenkte uns beiden nach und schwieg. Der Bouguereau über dem Kamin stellte fünf Frauen in einem Garten dar, von denen einige weiße Tuniken trugen und andere mehr oder weniger nackt waren; sie umstanden ein nacktes Kind mit gelocktem Haar. Eine der Frauen bedeckte ihre nackten Brüste mit der Hand, eine andere konnte das nicht, sie hielt einen Wiesenblumenstrauß. Sie hatte hübsche Brüste, deren natürliche Rundung der Künstler perfekt eingefangen hatte. Das Bild war vor etwas mehr als einem Jahrhundert entstanden, mir erschien das weit weg, und die erste Reaktion diesem unverständlichen Kunstobjekt gegenüber war Verblüffung. Schritt für Schritt konnte man versuchen, sich in einen Bourgeois des 19. Jahrhunderts zu versetzen, eine jener angesehenen Persönlichkeiten im Gehrock, für die dieses Gemälde einst gemalt worden war, man konnte vielleicht ihre erotischen Wonneschauder angesichts dieser griechischen Nacktheiten nachempfinden. Aber es war eine ermüdende, schwierige Zeitreise. Bei Maupassant, Zola, selbst bei Huysmans war der Zugang viel leichter. Ich hätte besser davon reden sollen, von der erstaunlichen Macht der Literatur, entschloss mich aber, weiter über Politik zu sprechen, ich wollte mehr erfahren – und er schien mehr zu wissen, jedenfalls war das der Eindruck, den er auf mich machte.

»Sie standen der identitären Bewegung nahe, richtig?« Ich hatte den perfekten Ton getroffen, ganz interessierter Mann von Welt, nur ein wenig neugierig, wohlwollend neutral, mit einem Hauch von Eleganz. Er lächelte offen, ohne Zurückhaltung.

»Ja, ich weiß, dass an der Uni solche Gerüchte kursieren ... Stimmt, ich habe der Bewegung angehört, vor ein paar Jahren, als ich an meiner Doktorarbeit schrieb. Die Leute dort waren Katholiken, oft Royalisten, Nostalgiker, im Grunde Romantiker – zum Großteil auch Alkoholiker. Aber das ist jetzt alles anders, ich habe den Kontakt verloren, ich glaube, wenn ich zu einer Versammlung ginge, würde ich nichts wiedererkennen.«

Ich schwieg systematisch. Wenn man systematisch schweigt und den Leuten dabei direkt in die Augen sieht, ihnen das Gefühl gibt, an ihren Lippen zu hängen, dann reden sie. Sie mögen es, wenn man ihnen zuhört, Ermittler wissen das; alle Ermittler, alle Schriftsteller und alle Spione.

»Sehen Sie«, fuhr er fort, »der identitäre Block war in Wirklichkeit alles andere als ein Block, die Identitären bestanden aus zahlreichen Gruppierungen, die nicht miteinander konnten: Katholiken, Solidaristen, die dem ›Dritten Weg‹ nahestanden, Royalisten, Neopaganisten, unverfälschte Laizisten aus dem linksextremen Lager … Aber mit der Gründung der ›Ureinwohner Europas‹ ist alles anders geworden. Die haben sich anfangs von den ›Ureinwohnern der Republik‹ inspirieren lassen, das heißt, sie haben genau das Gegenteil von denen gemacht, und es ist ihnen gelungen, eine klare Botschaft zu vermitteln, die alle vereint: Wir sind Europas Urbevölkerung, die Ersten auf diesem Grund und Boden, und wir lehnen die islamische Kolonisierung ab; ebenso lehnen wir amerikanische Firmen ab und den Aufkauf unseres ererbten Landes durch die neuen Kapitalisten aus Indien, China und anderswo. Sie haben Geronimo, Cochise und Sitting Bull für sich sprechen lassen, was recht geschickt war. Vor allem haben sie eine grafisch sehr innovative und professionelle Internetseite betrieben, mit packenden Animationen und gutem Sound, was ihnen ein neues Publikum beschert hat, ein junges Publikum.«

»Glauben Sie wirklich, dass die darauf aus sind, einen Bürgerkrieg anzuzetteln?«

»Zweifellos. Ich werden Ihnen einen Text zeigen, der im Netz erschienen ist…«

Er stand auf, ging in den Raum nebenan. Seit wir den Salon betreten hatten, schien der Lärm der Schießereien aufgehört zu haben, aber ich war mir nicht sicher, ob man sie bei ihm einfach nicht hörte, die Sackgasse war äußerst ruhig gelegen.

Er kam zurück und reichte mir ein Dutzend zusammengeklammerter kleingedruckter Blätter. Der Titel des Dokuments ließ in der Tat gar keinen Zweifel: »DEN BÜRGERKRIEG VORBEREITEN«.

»Na ja, es gibt noch viel mehr von der Art, aber das hier ist am besten zusammengestellt, es sind glaubwürdige Statistiken darin. Und nicht wenige Zahlen, weil sie von zweiundzwanzig Ländern der Europäischen Union jedes einzeln betrachten – aber sie kommen immer zum selben Schluss. Ihre Thesen ließen sich folgendermaßen zusammenfassen: Transzendenz sei ein selektiver Fortpflanzungsvorteil – diejenigen Paare, die sich zu einer der drei Buchreligionen bekennen, die an den Werten des Patriarchats festhalten, bekommen mehr Kinder als atheistische oder agnostische Paare; die Frauen seien weniger gebildet, Hedonismus und Individualismus seien weniger ausgeprägt. Weiterhin sei diese Transzendenz, langfristig betrachtet, genetisch vererbbar: Konversionen oder eine ablehnende Haltung gegenüber tradierten Familienwerten seien nur von marginaler Bedeutung, zum Großteil bleiben die Menschen dem metaphysischen System treu, in dem sie erzogen wurden. Der atheistische Humanismus, auf dem das laizistische ›zusammen Leben‹ beruhe, sei zum baldigen Verfall verurteilt und es stehe zu erwarten, dass der Anteil der monotheistischen Bevölkerung rasch steigen werde. Das betreffe im Besonderen die muslimische Bevölkerung – selbst ohne die Zuwanderung, die diesen Effekt zusätzlich noch verstärke. Die Identitären Europas gehen davon aus, dass zwischen den Moslems und dem Rest der Bevölkerung früher oder später ein Bürgerkrieg ausbrechen muss. Wenn sie eine Chance haben wollen, diesen Krieg zu gewinnen, so lautet ihr Schluss, dann sei es besser, wenn der Krieg so früh wie mög-

61

lich ausbräche – in jedem Fall vor 2050, vorzugsweise noch viel früher.«

»Das klingt logisch…«

»Ja, auf politischer und militärischer Ebene haben sie mit Sicherheit recht. Bleibt abzuwarten, ob sie sich schon jetzt zum Handeln entschlossen haben – und in welchen Ländern. Die ablehnende Haltung gegenüber den Moslems ist in allen europäischen Ländern ungefähr gleich ausgeprägt; Frankreich ist wegen seiner Armee allerdings ein spezieller Fall, die französische Armee gehört zu den besten der Welt, daran hat keine Regierung je gerüttelt, Etat-Kürzungen hin oder her. Kein Aufstand würde je gegen die Regierung ankommen, wenn die sich dazu entschlösse, die Armee einschreiten zu lassen. Die Strategie ist also zwangsläufig eine andere.«

»Nämlich?«

»Die Laufbahnen beim Militär sind kurz. Im Augenblick stehen der französischen Armee – Heer, Marine und Luftwaffe zusammengenommen – dreihundertdreißigtausend Leute zur Verfügung, wenn man die Gendarmerie mitzählt. Jährlich kommen etwa zwanzigtausend neu hinzu. Das bedeutet, dass in etwas mehr als fünfzehn Jahren der Bestand von Grund auf erneuert wäre. Wenn die jungen identitären Aktivisten – und es sind fast alles junge Leute – in die Armee drängten, könnten sie innerhalb kurzer Zeit ideologisch die Oberhand gewinnen. Das ist der Kurs, den der politische Flügel der Bewegung von Anfang an fährt. Das war auch vor zwei Jahren der Grund für den Bruch mit dem militärischen Flügel, der die Ansicht vertrat, man müsse sofort zum bewaffneten Kampf übergehen. Ich glaube, dass der politische Flügel weiterhin die Kontrolle behalten wird und dass der militärische nur ein paar waffenbegeisterte Kriminelle für sich gewinnen kann. Aber in anderen Ländern könnte es anders sein, vor allem in den skandinavischen. Die Multikulti-Ideologie ist in Skandinavien um einiges erdrückender als in Frankreich, es gibt zahlreiche kampferprobte, militante Identitäre, auf der anderen Seite ist die Armee unbedeutend, sie wäre vermutlich nicht in der Lage, einem ernsthaften Aufstand etwas entgegenzusetzen. Wenn es in nächster Zeit irgendwo in Europa einen großen Aufstand gibt, dann also vielleicht in Norwegen oder Dänemark. Auch Belgien und Holland sind potenziell instabil.«

Gegen zwei Uhr morgens schien Ruhe eingekehrt zu sein, ich hatte keine Probleme, ein Taxi zu bekommen. Ich beglückwünschte Lempereur zu seinem ausgezeichneten Birnengeist, den wir nahezu geleert hatten. Wie jeder andere auch, hatte ich diese Thesen in den letzten Jahren und Jahrzehnten schon oft gehört. Der Ausdruck »Nach mir die Sintflut« wird mal Louis XV. zugeschrieben, mal seiner Mätresse, der Madame de Pompadour. Er beschrieb ziemlich gut meinen allgemeinen Geisteszustand, aber es war das erste Mal, dass mich ein unbehaglicher Gedanke durchfuhr: Was, wenn die Sintflut vor meinem eigenen Tod käme? Natürlich erwartete ich keinesfalls ein glückliches Lebensende, es gab keinen Grund, weshalb ich von Trauer, Behinderung und Leiden verschont bleiben sollte. Aber bis eben hatte ich wenigstens darauf gehofft, diese Welt ohne übertriebene Gewalt zu verlassen.

Trug Lempereur zu dick auf? Leider nein, glaubte ich. Der Junge hatte mich mit seiner Ernsthaftigkeit tief beeindruckt. Am nächsten Morgen recherchierte ich auf Rutube, aber es gab nichts über die Place de Clichy. Ich fand nur ein Video, das ziemlich beängstigend wirkte, obwohl keine Gewalt zu sehen war: Ungefähr fünfzehn maskierte und vermummte Typen, in Schwarz und mit Maschinenpistolen, marschierten in V-Formation langsam durch eine städtische Umgebung, die eine gewisse Ähnlichkeit mit der Dalle von Argenteuil hatte. Das war sicherlich kein Video, das man mit einem Handy aufgenommen hatte: Das Bild war außergewöhnlich scharf, es wurde Zeitlupe eingesetzt. Statisch, imposant und aus der Froschperspektive gefilmt, bestand der Zweck dieses Videos allein darin, Präsenz zu zeigen und die Kontrolle über ein bestimmtes Gebiet zu belegen. Im Falle eines ethnischen Konflikts würde ich automatisch zum Lager der Weißen gezählt werden, und als ich einkaufen ging, war ich den Chinesen das erste Mal dankbar, dass sie es seit Bestehen dieses Viertels verstanden hatten, den Zuzug von Schwarzen und Arabern – wie im Übrigen auch allen anderen Nicht-Chinesen, mit Ausnahme einiger Vietnamesen – zu verhindern.

Trotzdem schien mir ratsam, einen Rückzugsort zu suchen, für den Fall, dass die Dinge bald ausarteten. Mein Vater lebte in einem Chalet im Écrins-Massiv, seit Kurzem (zumindest hatte ich es erst vor Kurzem erfahren) hatte er eine neue Lebensgefährtin. Meine Mutter trauerte in Nevers vor sich hin, wobei ihr einzig ihre französische Bulldogge Gesellschaft leistete. Seit etwa zehn Jahren hatte ich fast nichts mehr von ihnen gehört. Die beiden Babyboomer hatten stets einen schonungslosen Egoismus an den Tag gelegt, und es gab keinen Grund zu glauben, dass sie mich mit Wohlwollen aufnehmen würden. Ich fragte mich schon manchmal, ob ich meine Eltern vor ihrem Tod noch einmal sehen würde, aber meine Antwort fiel immer negativ aus; daran konnte, wie ich glaubte, selbst ein Bürgerkrieg nichts ändern, sie fänden schon einen Grund, mich abzuweisen. In dieser Hinsicht waren sie immer sehr erfinderisch gewesen. Dann gab es noch einige Freunde, viele waren es nicht, um ehrlich zu sein, die meisten hatte ich etwas aus den Augen verloren. Gut, da war noch Alice, die ich zweifellos als »Freundin« bezeichnen konnte. Aber insgesamt war ich nach meiner Trennung von Myriam in höchstem Maße allein.

Ich habe die Abende von Präsidentschaftswahlen immer
schon gemocht. Ich glaube sogar, dass die Übertragung, mit
Ausnahme der Endspiele von Fußballweltmeisterschaften,
mein Lieblings-TV-Programm war. Es war natürlich weniger
spannend, die Wahlen verliefen nach dem eigentümlichen Er-
zählmuster einer Geschichte, deren Ausgang ab der ersten Minute klar ist, aber die unglaublich vielfältigen Akteure (Polito-
logen, »führende« politische Leitartikler, Scharen jubelnder
oder in Tränen aufgelöster Anhänger in den Geschäftsstellen
ihrer Partei … und nicht zuletzt die Politiker selbst mit ihren
spontanen, bedachten oder bewegten Erklärungen) und die
allgemeine Anspannung aller vermittelten einem wirklich das
so seltene und wertvolle Fernsehgefühl, einen historischen
Moment live mitzuerleben.

Um einiges klüger als vor der letzten Debatte, als meine
Mikrowelle mich daran gehindert hatte, die Sendung zu verfolgen, hatte ich diesmal Taramas, Humus, Blini und Fischeier
gekauft. Schon am Vorabend hatte ich zwei Flaschen Rully
kalt gestellt. Sobald David Pujadas um 19.50 Uhr auf Sendung
ging, wusste ich, dass der Wahlabend wie ein großer Wein
schmecken und ich einem außergewöhnlichen Fernsehmo-
ment beiwohnen würde. Pujadas blieb natürlich professionell
und ließ sich nichts anmerken, aber der Glanz in seinen Augen
konnte nicht täuschen: Die Ergebnisse, die er bereits kannte
und in zehn Minuten würde verkünden dürfen, waren eine

enorme Überraschung. Die politische Landschaft Frankreichs stand vor einer tiefgreifenden Umwälzung.

»Es ist ein Erdbeben«, kündigte er die ersten eingeblendeten Zahlen an. Dass der Front National mit 34,1 Prozent der Stimmen weit vor den anderen lag, war an sich nicht überraschend, schon seit Monaten hatten die Umfragen das angekündigt, in den letzten Wochen des Wahlkampfs hatte die Kandidatin der Rechtsextremen nur noch wenig dazugewonnen. Aber dahinter lagen die Sozialisten mit 21,8 Prozent und die Bruderschaft der Muslime mit 21,7 Prozent Kopf an Kopf, nur wenige Stimmen Unterschied, die Situation würde im Laufe des Abends entsprechend den Ergebnissen der großen Wahlbüros in Paris und den übrigen Großstädten wahrscheinlich noch mehrfach kippen. Mit 12,1 Prozent der Stimmen war der Kandidat der traditionellen Rechten weit abgeschlagen.

Jean-François Copé tauchte erst ab 21.50 Uhr auf dem Bildschirm auf. Mit nachlässig gebundener Krawatte, abgezehrt und schlecht rasiert, wirkte er noch verhärmter als sonst und machte den Eindruck, als habe man ihn während der letzten Stunden ganz schön in die Mangel genommen. Voll schmerzhafter Demut bekannte er, dass dies eine Niederlage sei, eine heftige Niederlage, für die er allein die Verantwortung trage. Er ging aber nicht so weit zu sagen, dass er sich aus dem politischen Leben zurückziehen wolle, wie es Lionel Jospin 2002 getan hatte. Und was seine Ratschläge für die Stimmabgabe in der zweiten Runde betraf, so gab er keine. Der Parteivorstand der UMP werde in der nächsten Woche tagen und einen Beschluss fassen.

Um 22 Uhr war das Rennen zwischen dem Kandidaten der

Bruderschaft der Muslime und dem der Sozialisten noch immer nicht entschieden, die letzten Schätzungen kamen für beide auf dieselben Zahlen; diese Ungewissheit ersparte dem sozialistischen Kandidaten eine Erklärung, die noch schwierig genug werden würde. Würden die beiden Parteien, die seit den Anfängen der fünften Republik die politische Landschaft Frankreichs prägten, hinweggefegt werden? Diese Annahme war dermaßen umwerfend, dass die Kommentatoren, die einer nach dem anderen durchs Studio jagten – bis hin zu David Pujadas, der nicht gerade für seine Islamfreundlichkeit, dafür aber umso mehr für seine Nähe zu Manuel Valls bekannt war –, insgeheim darauf hofften. König des Wahlabends war zweifelsohne Christophe Barbier, dem es nicht nur gelang, noch zu vorgerückter Stunde eindrucksvoll mit seinem Schal zu wedeln, sondern auch mit derartiger Geschwindigkeit von einem Sender in den nächsten zu wechseln, dass man meinte, er müsse allgegenwärtig sein. Mühelos überstrahlte er Renaud Dély, der angesichts eines Ergebnisses, mit dem sein Magazin nicht gerechnet hatte, fahl und verdrießlich wirkte, und sogar Yves Thréard, der für gewöhnlich kampflustiger war.

Erst kurz nach Mitternacht, als gerade meine zweite Flasche Rully zur Neige ging, kamen die endgültigen Ergebnisse: Mohammed Ben Abbes, der Kandidat der Bruderschaft der Muslime, kam mit 22,3 Prozent der Stimmen auf den zweiten Platz. Der Kandidat der Sozialisten war mit 21,9 Prozent ausgeschaltet. Manuel Valls hielt eine kurze, sehr nüchterne Ansprache, in der er die beiden führenden Kandidaten beglückwünschte und jede weitere Entscheidung auf die Tagung des Vorstands der Sozialistischen Partei verschob.

Mittwoch, 18. Mai

Als ich wieder an der Fakultät war, um meine Kurse abzuhalten, hatte ich zum ersten Mal das Gefühl, dass etwas passieren könnte, dass das politische System, in das ich seit meiner Kindheit hineingewachsen war und das seit einiger Zeit spürbare Risse bekam, mit einem Schlag zu zerspringen drohte. Ich kann gar nicht genau sagen, was mir diesen Eindruck vermittelte. Vielleicht war es die Haltung meiner Master-Studenten: Für gewöhnlich waren sie amorph und unpolitisch, aber an diesem Tag wirkten sie angespannt und ängstlich und suchten mit ihren Smartphones und Tablets offenbar nach jedem noch so kleinen Hinweis. Jedenfalls waren sie in Gedanken weit weg von meinem Seminar. Vielleicht war es auch die Haltung der Studentinnen in Burka, die sich selbstsicherer und gemächlicher als sonst in Dreierreihen über die Gänge bewegten, ohne die Wände zu berühren, als herrschten sie bereits über das Territorium.

Was mich wirklich schockierte, war die Schlaffheit meiner Kollegen. Sie hatten anscheinend kein Problem, fühlten sich null betroffen. Ihre Haltung bestätigte mir nur, was ich schon seit vielen Jahren dachte: Wer einmal Hochschullehrer geworden war, der konnte sich nicht mehr im Geringsten vorstellen, dass eine politische Entwicklung sich auf seine Karriere auswirken mochte. Diese Leute fühlten sich absolut unantastbar.

Am späten Nachmittag, als ich gerade in die Rue de Santeuil einbog, um zur Métro zu gehen, erspähte ich Marie-Françoise. Ich ging schnell, fast lief ich hinter ihr her; als ich sie eingeholt hatte, begrüßte ich sie kurz und fragte ohne Umschweife: »Glaubst du, dass unsere Kollegen zu Recht so ruhig sind? Glaubst du, dass wir wirklich sicher sind?«

»Ah!«, rief sie mit einem bösen, gnomenhaften Grinsen aus, das sie noch unansehnlicher machte, und zündete sich eine Gitanes an. »Ich habe mich schon gefragt, ob mal irgendjemand aufwachen würde in dieser Scheiß-Uni. Nein, wir sind ganz und gar nicht sicher, das kannst du mir glauben, und ich weiß sehr gut, wovon ich rede ...«

Sie ließ ein paar Sekunden verstreichen, bevor sie erklärte: »Mein Mann arbeitet bei der DGSI, dem Inlandsgeheimdienst ...« Ich starrte sie verblüfft an. Es war das erste Mal seit zehn Jahren, dass ich sie traf und mir bewusst wurde, dass sie einmal eine Frau gewesen war, dass sie selbst jetzt in gewisser Weise noch eine war, dass es einen Mann gab, der diese untersetzte, gedrungene, fast froschartige Kreatur einmal begehrt hatte. Zum Glück deutete sie meinen Gesichtsausdruck falsch: »Ich weiß ...«, sagte sie voller Genugtuung, »darüber wundern sich immer alle. Aber du weißt schon, was das für ein Dienst ist?«

»Ein Geheimdienst, ein bisschen wie die DST?«

»Die DST gibt es nicht mehr. Man hat sie mit dem zentralen Nachrichtendienst zusammengelegt, daraus wurde dann die DCRI, aus der dann die DGSI hervorgegangen ist.«

»Dein Mann ist also so eine Art Spion?«

»Nicht wirklich, die Spione gehören eher der DGSE an, dem Auslandsnachrichtendienst, sie unterstehen dem Verteidigungsministerium. Die DGSI untersteht dem Innenministerium.«

»Eine Art politischer Polizei also?«

Wieder lächelte sie, aber sanfter, und das stand ihr etwas besser. »Offiziell mögen sie den Begriff nicht so, aber ja, das trifft es einigermaßen. Sie überwachen dort die Extremisten, diejenigen, die in den Terrorismus abrutschen könnten, das ist eine ihrer Hauptaufgaben. Komm doch mal bei mir zu Hause vorbei, mein Mann kann dir das alles erklären, so richtig weiß ich es auch nicht, ständig ändern sie da was, je nachdem, wie sich die Dinge entwickeln. Auf jeden Fall wird es nach den Wahlen mächtig rumsen, und zwar direkt bei uns an der Uni.«

Die beiden wohnten am Square Vermenouze, fünf Minuten zu Fuß von Censier entfernt. Ihr Mann entsprach überhaupt nicht dem Bild eines Geheimdienstmitarbeiters, wie ich es im Kopf hatte (wen stellte ich mir eigentlich vor? Wahrscheinlich eine Art Korse, eine Mischung aus Gauner und Schnapshändler). Er lächelte und wirkte adrett, sein Schädel schien wie poliert, er trug eine karierte Hausjacke, bei der Arbeit stellte ich ihn mir mit Fliege und vielleicht Weste vor – alles an ihm strömte eine altmodische Eleganz aus. Er machte auf mich den Eindruck eines Mannes von außerordentlicher, fast anormaler geistiger Regheit. Vermutlich war er der einzige Ehemalige von der ENS in der Rue d'Ulm, der nach seinem Staatsexamen die Aufnahmeprüfung für die Nationale Polizeihochschule geschafft hatte. »Gleich nachdem ich zum Kommissar befördert worden war«, erklärte er und schenkte mir einen Porto ein, »habe ich meine Versetzung zum Nachrichtendienst beantragt. Es war für mich wie eine Berufung ...«, schob er mit einem kleinen Lächeln nach, als wäre sein Faible für den Geheimdienst nur eine harmlose Marotte.

71

Er ließ einen Moment verstreichen, nippte einmal an seinem Porto, dann noch einmal, und fuhr fort:

»Die Verhandlungen zwischen den Sozialisten und der Bruderschaft der Muslime gestalten sich sehr viel schwieriger als angenommen, obwohl die Muslime bereit sind, den Linken mehr als die Hälfte der Ministerien zu geben, inklusive der Schlüsselministerien, also des Innen- und Finanzministeriums. In Sachen Wirtschaft und Steuerpolitik gibt es kaum Divergenzen, auch nicht in der Sicherheitspolitik – die Bruderschaft hat im Gegensatz zu ihren sozialistischen Partnern sehr wohl die Mittel, um Ordnung in die Städte zu bringen. Es gibt ein paar Unstimmigkeiten in der Außenpolitik, sie wünschen sich von Frankreich eine deutlichere Verurteilung Israels, aber da werden sie sich schon mit den Linken einigen. Die wirklichen Schwierigkeiten und Stolpersteine sind die Verhandlungen über das Bildungsministerium. Für die Sozialisten ist der Bildungssektor schon aus alter Tradition wichtig, in der Lehrerschaft hat man die Sozialistische Partei nie aufgegeben, man hat bis zum Letzten zu ihr gestanden. Aber jetzt haben sie es mit einem mindestens ebenso motivierten Verhandlungsgegner zu tun, der unter keinen Umständen nachgeben wird. Die Bruderschaft der Muslime ist eine besondere Partei, wissen Sie. Sie interessiert sich nicht für die üblichen politischen Streitereien, und vor allem ist die Wirtschaft für sie nicht der Kern aller Dinge. Für sie sind Demografie und Bildung wesentlich. Die Bevölkerungsgruppe mit der höchsten Geburtenrate, diejenige, die ihre Werte durchsetzen kann, gewinnt – so einfach ist das in deren Augen. Wirtschaft, Geopolitik – das ist nur Augenwischerei. Wer die Kinder unter Kontrolle hat, der hat die Zukunft unter Kontrolle und Schluss. Der entscheidende Punkt, den sie

sich nicht nehmen lassen werden, ist die Erziehung der Kinder.«

»Was wollen sie erreichen?«

»Nach dem Konzept der Bruderschaft muss jedes französische Kind von Anfang bis Ende seiner Schulzeit in den Genuss
einer islamischen Erziehung kommen. Islamischer Unterricht
unterscheidet sich in jeder Hinsicht sehr stark von einem laizistischen, er kann beispielsweise unter keinen Umständen
gemischtklassig sein; überhaupt sollen nicht alle Schulfor-
men für Mädchen zugänglich sein. Im Grunde wünschen die
Muslimbrüder sich, dass die Mehrheit der Mädchen nach der
Grundschule eine Hauswirtschaftsschule besucht und so
schnell wie möglich heiratet; nur eine kleine Minderheit darf
vor der Heirat Literatur oder Kunst studieren. Das ist ihre Vorstellung von einer idealen Gesellschaft. Darüber hinaus müssen die Lehrer muslimisch sein. In den Mensen müssen die
muslimischen Speisevorschriften berücksichtigt werden und
im Stundenplan die Gebetszeiten, fünfmal täglich. Aber vor
allem muss der Unterrichtsstoff selbst den Lehren des Koran
angepasst werden.«

»Glauben Sie, dass sie sich in den Verhandlungen durchsetzen können?«

»Es bleibt ihnen nichts anderes übrig. Wenn sie es nicht
schaffen, sich zu einigen, wird der Front National siegen –
diese Möglichkeit besteht übrigens auch, wenn sie sich einigen, Sie kennen die Umfragen so gut wie ich. Auch wenn
Copé gerade verkündet hat, sich zu enthalten, werden 85 Prozent der UMP-Wähler ihre Stimme dem Front National geben. Das wird eng, sehr eng. Wirklich *fifty-fifty*. Nein«, fuhr
er fort, »die letzte Möglichkeit, die der Bruderschaft der Muslime bleibt, ist, eine systematische Zweiteilung der Schulbil-

dung in Betracht zu ziehen. In Sachen Polygamie ist es übrigens schon zu einer Einigung gekommen. Die republikanische Ehe, also die Verbindung zwischen zwei Menschen, gleich welchen Geschlechts, bleibt unangetastet. Die unter Umständen polygame islamische Eheschließung hat keine zivilrechtlichen Auswirkungen, soll aber anerkannt werden und Vorzüge hinsichtlich Sozialversicherung und Steuern mit sich bringen.«

»Glauben Sie das wirklich? Das scheint mir ungeheuerlich.«

»Doch, doch, das hat man bei den Verhandlungen schon schriftlich festgehalten. Im Übrigen entspricht das ganz genau der Theorie der Minderheitsscharia, die schon lange von der Bruderschaft der Muslime vertreten wird. Mit der Bildung könnte es ganz ähnlich laufen. Die staatliche Schule bliebe, wie sie ist – nur mit sehr viel weniger Geld ausgestattet, denn der Bildungsetat würde mindestens gedrittelt werden, und diesmal könnten die Lehrer nicht mehr herausholen, eine Budgetkürzung stieße in der gegenwärtigen Wirtschaftslage auf breite Zustimmung. Gleichzeitig würde ein Netz muslimischer Privatschulen errichtet werden, die von der Gleichwertigkeit der Abschlüsse und außerdem von privaten Zuwendungen profitieren könnten. Öffentliche Schulen würden natürlich schnell zu Institutionen zweiter Klasse werden, und Eltern, die sich auch nur ein wenig um die Zukunft ihrer Kinder sorgen, würden sie vorzugsweise im muslimischen Schuldienst unterbringen.«

»Mit der Uni wäre es ähnlich«, klinkte seine Frau sich ein. »Auf die Sorbonne sind sie besonders wild. Saudi-Arabien ist bereit, die Uni mit nahezu unbegrenzten Mitteln auszustatten, wir werden eine der reichsten Universitäten der Welt sein.«

»Und Rediger soll Präsident werden?«, fragte ich, als mir unser früheres Gespräch einfiel.

»Sicher, der sitzt fester im Sattel als je zuvor, er vertritt seit mindestens zwanzig Jahren islamfreundliche Positionen.«

»Wenn mich nicht alles täuscht, ist er sogar konvertiert ...«, ergänzte ihr Mann.

Ich leerte mein Glas in einem Zug, er schenkte mir nach. Ja, es würde sich wohl einiges ändern.

»Ich nehme an, das ist alles furchtbar geheim«, fuhr ich nach kurzem Nachdenken fort. »Ich verstehe gar nicht, was Sie bewegt, mir das alles zu erzählen.«

»Unter normalen Umständen würde ich natürlich Stillschweigen bewahren, aber das alles ist bereits an die Öffentlichkeit gelangt – das ist es auch, was uns Sorgen macht. Alles, was ich Ihnen eben erzählt habe, und sogar mehr, konnte ich auch schon auf Blogs der Identitären nachlesen – auf denen, die wir hacken konnten.« Er schüttelte ungläubig den Kopf. »Das ist fast mehr, als sie herausbekommen hätten, wenn sie die sichersten Räume des Innenministeriums verwanzt hätten. Das Schlimmste ist, dass sie die Bombe nicht hochgehen lassen: Es gibt keine Pressemeldung, keine große Enthüllung für die breite Öffentlichkeit. Sie warten ganz einfach ab. Das hat es noch nie gegeben, die Situation ist beängstigend.«

Ich wollte etwas mehr über die identitäre Bewegung von ihm erfahren, aber er machte dicht. Ich vertraute ihm an, dass ich einen Kollegen an der Uni hätte, der den Identitären nahegestanden, sich aber von ihnen distanziert habe. »Ja, das sagen sie alle«, kommentierte er sarkastisch. Als ich ihn nach den Waffen fragte, die manche dieser Gruppen besitzen sollten, nippte er nur an seinem Porto und knurrte: »Ja, es gab Gerüchte über Gelder von russischen Milliardären, aber keine Beweise dafür.« Dann verstummte er endgültig. Kurz darauf verabschiedete ich mich.

Am nächsten Tag ging ich Richtung Universität, obwohl ich dort nichts zu tun hatte, und rief Lempereur an. Nach meiner Schätzung war das ungefähr die Zeit, zu der er von seinem Seminar kam. Ich bot ihm an, etwas trinken zu gehen. Er mochte die Cafés in der Nähe der Uni nicht besonders und schlug vor, sich im Delmas an der Place de la Contrescarpe zu treffen.

Während ich die Rue Mouffetard hinaufging, dachte ich an das, was Marie-Françoises Mann mir erzählt hatte. Wusste mein junger Kollege mehr, als er mir sagen wollte? War er doch noch in der Bewegung aktiv?

Mit seinen ledernen Clubsesseln, dem dunklen Parkett und den roten Vorhängen entsprach das Delmas ganz Lempereurs Stil. Niemals wäre er gegenüber in das Café La Contrescarpe mit seinen fürchterlichen Bücherwand-Imitaten gegangen. Ein Mann mit Geschmack. Lempereur bestellte ein Glas Champagner, ich begnügte mich mit einem Leffe vom Fass und etwas zum Knabbern. Plötzlich hatte ich die Zwischentöne, die Zurückhaltung satt und ging, ohne die Rückkehr des Kellners abzuwarten, zum Frontalangriff über: »Die politische Situation scheint sehr unsicher zu sein. Ganz ehrlich: Was würden Sie an meiner Stelle tun?«

Er lächelte ob meiner Unverblümtheit, antwortete aber ebenso offen: »Ich glaube, ich würde mir zuerst ein neues Bankkonto zulegen.«

»Warum ein neues Konto?« Ich merkte, dass ich beinahe

geschrien hatte, ich war sehr angespannt, ohne es wirklich zu merken. Der Kellner kam mit unseren Gläsern, und Lempereur überlegte einen Moment, ehe er antwortete: »Nun, es ist nicht sicher, ob die jüngsten Entwicklungen aufseiten der Sozialisten von deren Wählern geschätzt werden ...« In dem Moment verstand ich, dass er *alles wusste*, dass er noch immer aktiv in der Bewegung war, vielleicht sogar eine tragende Rolle spielte. Er kannte sie alle, diese geheimen Informationen, die bis in den Dunstkreis der Identitären durchgesickert waren, vielleicht war er sogar derjenige gewesen, der beschlossen hatte, sie bis jetzt geheim zu halten.

»Unter diesen Umständen«, erklärte er weiter, »wäre ein Sieg des Front National ganz und gar wahrscheinlich. Der wiederum muss den Austritt aus der EU und aus dem Euro vorantreiben – er *muss*, denn das hat der Front National seinen Wählern versprochen, die in der Mehrheit Souveränisten sind. Auf lange Sicht wird sich das auf die französische Wirtschaft vielleicht sehr günstig auswirken, aber zunächst werden wir handfeste Finanzkrisen erleben. Und es ist nicht gesagt, dass die französischen Banken, selbst die etabliertesten, das überleben. Ich würde Ihnen darum empfehlen, ein Konto bei einer ausländischen Bank zu eröffnen, genauer gesagt bei einer englischen, bei Barclays oder HSBC.«

»Und das ist alles?«

»Das ist schon viel. Ansonsten ... gibt es einen Ort außerhalb von Paris, an den Sie sich für eine Weile zurückziehen könnten?«

»Nein, eigentlich nicht.«

»Ich würde Ihnen trotzdem raten, sich auf den Weg zu machen, ohne lange abzuwarten. Suchen Sie sich ein kleines Hotel auf dem Land. Sie wohnen in Chinatown, nicht wahr?

Es ist unwahrscheinlich, dass es dort zu Plünderungen oder schweren Zusammenstößen kommen wird. Trotzdem würde ich an Ihrer Stelle gehen. Nehmen Sie Urlaub, warten Sie ab, bis die Lage sich geklärt hat.«

»Ich fühle mich ein bisschen wie eine Ratte auf einem sinkenden Schiff.«

»Ratten sind sehr schlaue Tiere«, antwortete er ruhig, fast belustigt. »Sie werden die Menschen höchstwahrscheinlich überleben – ihr soziales Netz ist jedenfalls um einiges stabiler.«

»Das Studienjahr ist noch nicht ganz um, ich habe noch zwei Wochen lang Seminare.«

»Ha!« Jetzt lächelte er breit, fast lachte er. »Es kann noch alles Mögliche passieren, die Situation ist alles andere als vorhersehbar; aber was mir so gut wie unmöglich erscheint, ist, dass das Studienjahr unter normalen Bedingungen zu Ende geht!«

Dann schwieg er und trank langsam seinen Champagner aus, ich begriff, dass er mir nicht mehr sagen würde. Ein leicht verächtliches Lächeln umspielte seine Lippen, und trotzdem begann er mir merkwürdigerweise sympathisch zu werden. Ich bestellte ein zweites Bier, diesmal eines mit Himbeeraroma. Ich hatte nicht die geringste Lust, nach Hause zu gehen, nichts und niemand wartete dort auf mich. Ich fragte mich, ob er wohl eine Lebensgefährtin oder eine Freundin hatte – wahrscheinlich ja. Er war eine Art *graue Eminenz*, die Führungsfigur einer politischen Bewegung, die mehr oder weniger im Untergrund agierte. Man weiß ja, dass es Frauen gibt, die so etwas anzieht. Aber es gibt auch Frauen, die auf Huysmans-Kenner fliegen. Ich habe sogar einmal mit einer jungen Frau gesprochen – einer jungen, anziehenden Frau –, die von Jean-François Copé träumte; ich habe ein paar Tage gebraucht, um mich davon zu erholen. Auf was man heutzutage bei den Frauen nicht alles trifft.

Am nächsten Tag eröffnete ich in der Barclays-Niederlassung in der Avenue des Gobelins ein Konto. Der Transfer der Gelder dauere nur einen Werktag, informierte mich die Mitarbeiterin. Zu meiner großen Überraschung erhielt ich fast unverzüglich eine Kreditkarte.

Ich beschloss, zu Fuß nach Hause zu gehen, die Formalitäten für den Bankwechsel hatte ich mechanisch, fast reflexhaft erledigt; jetzt wollte ich nachdenken. Als ich die Place d'Italie erreichte, überwältigte mich plötzlich die Vorstellung, dass alles verschwinden könnte. Die kleine Schwarze mit den Locken und dem knackigen Arsch in den engen Jeans, die auf den 21er-Bus wartete, die würde sicher verschwinden – verschwinden oder zumindest einer ernst zu nehmenden Resozialisierung unterzogen werden. Auf dem Vorplatz des Einkaufszentrums Italie 2 standen wie üblich Aktivisten, heute von Greenpeace – auch die würden verschwinden. Als ein junger Bärtiger mit halblangem, dunklem Haar und einem Packen Prospekte auf mich zukam, blinzelte ich, und es war, als wäre er bereits verschwunden; ich ging an ihm vorbei, ohne ihn zu sehen, und trat durch die gläsernen Türen, die in das Erdgeschoss der Ladengalerie führten.

Drinnen war das Bild weniger einheitlich. *Werken Schenken Basteln* war nicht angreifbar, die Tage von *Jennyfer* hingegen wären wohl gezählt, dort gab es nichts, was sich für eine junge Muslima gehörte. *Secret Stories* dagegen müsste sich überhaupt keine Sorgen machen, dort verkaufte man Markendessous zu Outlet-Preisen: Der Erfolg vergleichbarer Geschäfte in den Einkaufspassagen von Riad und Abu Dhabi war nicht zu leugnen, weder Chantal Thomass noch La Perla hätten von einer islamischen Regierung irgendetwas zu befürchten gehabt. Während die reichen Araberinnen tagsüber die undurchdringliche schwarze Burka trugen, verwandelten sie sich abends in schillernde Paradiesvögel: Mieder, transparente BHs, Strings mit bunter Spitze und Schmucksteinen, also genau das Gegenteil der westlichen Frauen, die sich tagsüber sexy und elegant kleideten, weil ihr sozialer Status auf dem Spiel stand, abends aber zusammensanken, in unförmige Freizeitklamotten stiegen und beim Gedanken an Verführungsspielchen nur müde abwinkten. Vor dem Stand von *Rapid Juice* (wo es immer ausgefallenere Kompositionen gab: Kokos-Guave-Passionsfrucht, Mango-Litschi-Guarana, mehr als zehn verschiedene Säfte von schier unglaublichem Vitamingehalt) musste ich plötzlich an Bruno Deslandes denken. Ich hatte ihn seit vielen Jahren nicht gesehen, auch nie an ihn gedacht. Er war zur selben Zeit wie ich Doktorand gewesen, man könnte sogar sagen, wir hatten freundschaftliche Beziehungen unterhalten. Er hatte über Laforgue gearbeitet, und seine Dissertation war respektabel gewesen; dennoch hatte er das Thema nicht weiter verfolgt, sondern sich gleich danach für eine Ausbildung zum Steuerprüfer beworben. Später heiratete er Annelise, ein Mädchen, das er, ich weiß nicht, wo, kennengelernt hatte, wahrscheinlich auf irgendeiner Studentenparty. Sie arbeitete im Marketing eines Mobilfunkunternehmens und verdiente sehr viel mehr als er, dafür hatte er, wie man so sagt, Jobsicherheit. Sie hatten ein kleines Haus in Montigny-le-Bretonneux gekauft und schon zwei Kinder bekommen, einen Jungen und ein Mädchen. Von meinen ehemaligen Mitstreitern war Bruno der einzige, der ein halbwegs normales Familienleben führte; die anderen krebsten irgendwo zwischen ein bisschen Meetic, ein bisschen Speeddating und viel Einsamkeit herum. Ich hatte ihn zufällig im RER getroffen, und er hatte mich für den darauffolgenden Freitagabend zum Grillen eingeladen – Ende Juni war das gewesen –, er habe einen Garten, es kämen ein paar Nachbarn, »niemand von der Uni«, wie er mir versicherte.

Grillen an einem Freitagabend war keine gute Idee, sagte ich mir, als ich im Garten stand und seine Frau zur Begrüßung auf die Wange küsste; sie hatte den ganzen Tag gearbeitet und war völlig erledigt, außerdem hatte sie sich mit den Wiederholungen von *Das perfekte Dinner* auf M 6 ganz kirre gemacht und viel zu komplizierte Gerichte geplant. Schon das Morchel-Soufflé war hoffnungslos, aber als klar war, dass auch die Guacamole nichts werden würde, dachte ich, sie würde in Tränen ausbrechen; da fing ihr dreijähriger Sohn zu brüllen an, und Bruno, der mit dem Eintreffen der ersten Gäste begonnen hatte, sich zuzuschütten, war nicht mehr fähig, die Würstchen umzudrehen, also kam ich ihr zu Hilfe, und sie warf mir aus ihrer tiefen Verzweiflung heraus einen grenzenlos dankbaren Blick zu.

War doch schwieriger, als ich dachte, die Sache mit dem Grillen – die Lammrippchen waren im Nu verkohlt und wahrscheinlich krebserregend, der Grill war wohl zu heiß, aber ich kannte mich nicht aus damit, und wenn ich jetzt anfing, daran herumzuwerkeln, explodierte womöglich die Gasflasche. Wir standen vor einem Berg verkohlter Fleischstücke, sie und ich, die anderen leerten Rosé-Flaschen, ohne uns die geringste Beachtung zu schenken. Erleichtert bemerkte ich das Gewitter, schräg und eiskalt fielen die ersten Tropfen auf uns herab, man zog sich augenblicklich in den Salon zurück, es würde wohl doch nur ein kaltes Buffet geben. Als Annelise sich auf ihr Sofa plumpsen ließ, nicht ohne dem Taboulé feindliche Blicke zuzuwerfen, dachte ich über ihr Leben nach und über das der westlichen Frauen im Allgemeinen. Morgens föhnte sie sich wahrscheinlich die Haare und kleidete sich sorgfältig so, wie es ihrer Stellung würdig war, in ihrem Fall wohl eher elegant als sexy – die Dosierung war eine komplizierte Angelegenheit. Es musste sie jedenfalls viel Zeit kosten, ehe sie dann die Kinder in den Kindergarten brachte, den Tag mit Mails, am Telefon und in verschiedenen Meetings verbrachte, gegen einundzwanzig Uhr erschöpft nach Hause kam (abends holte er die Kinder ab und aß mit ihnen, er hatte seine Beamtenstunden), zusammensank, in Sweatshirt und Jogginghose stieg und sich in diesem Aufzug ihrem Herrn und Meister präsentierte, der wiederum das Gefühl haben musste, unbedingt das Gefühl haben musste, verarscht worden zu sein, und auch sie selbst hatte das Gefühl, verarscht worden zu sein und dass es mit den Jahren nicht besser werden würde, die Kinder würden wachsen, und die Verantwortlichkeiten im Job würden ganz automatisch zunehmen, ganz egal, wie schlaff die Haut schon war.

Ich ging als einer der Letzten, half Annelise sogar noch beim Aufräumen, ich hatte nicht die geringste Absicht, mit ihr ein Techtelmechtel zu beginnen, obwohl das möglich gewesen wäre, in ihrer Situation wäre alles möglich gewesen. Ich wollte ihr nur beistehen, irgendwie sinnlos beistehen.

Bruno und Annelise hatten sich inzwischen mit Sicherheit schon scheiden lassen, so läuft das doch heute; vor hundert

Jahren, zu Huysmans' Zeiten, wären sie zusammen geblieben und letztlich vielleicht gar nicht so unglücklich gewesen. Zu Hause angekommen, schenkte ich mir ein großes Glas Wein ein und tauchte in *Trugbilder* ab, den ich als einen der besten Romane von Huysmans in Erinnerung hatte. Das Vergnügen bei der Lektüre war geheimnisvollerweise so lebendig wie vor zwanzig Jahren. Das lauwarme Glück alter Paare wurde vielleicht nie sanfter beschrieben: »Jeanne und André kannten bald nur noch unschuldige Zärtlichkeiten, eine mütterliche Zufriedenheit, manchmal zusammen zu schlafen, sich einfach nebeneinander auszustrecken, um beieinander zu sein und sich zu unterhalten, ehe sie sich Rücken an Rücken zum Einschlafen hinlegten.« Das war schön, aber war es möglich? War so etwas heutzutage vorstellbar? In jedem Fall gab es einen Zusammenhang mit den kulinarischen Freuden: »Die Esslust hatte sich bei ihnen im Gefolge einer zunehmenden Gleichgültigkeit der Sinne wie ein neuer Reiz eingeschlichen, vergleichbar der Leidenschaft von Priestern, die, von der Fleischeslust ausgeschlossen, vor delikaten Gerichten und altem Wein wiehern.« In einer Zeit, in der die Frau selbst ihr Gemüse einkaufte und putzte, das Fleisch vorbereitete und das Ragout stundenlang köcheln ließ, konnte eine zärtliche, nährende Bindung entstehen. Die Entwicklungen in der Haltbarmachung von Nahrung hatten dieses Gefühl, das allerdings, wie Huysmans offen zugab, nur ein schwacher Trost für den Verlust der körperlichen Freuden war, verdrängt. Huysmans selbst hatte sein Leben nicht mit einer dieser »Kochtopf-Frauen« geteilt – laut Baudelaire die einzigen, die neben den »Dirnen« einem Literaten nach seinem Geschmack sein können. Eine Beobachtung, die umso treffender ist, da aus einer »Dirne« mit der Zeit sehr wohl eine »Kochtopf-Frau« werden kann, was sogar ihr geheimer Wunsch ist und ihrer Natur entspricht. Stattdessen suchte Huysmans, nach einer Zeit (verhältnismäßiger) »Ausschweifung«, Halt im Klosterleben – und dort verlief der Graben zwischen uns. Ich langte nach *Unterwegs*, versuchte einige Seiten zu lesen, griff wieder nach *Trugbilder*, aber nein, eine spirituelle Neigung konnte ich an mir so gut wie nicht erkennen, was schade war, denn das Klosterleben gab es noch, unverändert seit Hunderten von Jahren, doch wo waren die Kochtopf-Frauen? Zu Huysmans' Zeiten hatte es sie sicher noch gegeben, nur hatte sein literarisches Umfeld ihm keine Gelegenheit geboten, sie zu treffen. Meine Fakultät war dieser Sache auch nicht zuträglicher, um ehrlich zu sein. Hätte Myriam sich mit den Jahren zu einer Kochtopf-Frau entwickelt? Das fragte ich mich gerade, als mein Handy klingelte. Seltsamerweise war sie es. Überrascht stammelte ich etwas, ich hatte überhaupt nicht mit ihrem Anruf gerechnet. Ich sah auf den Wecker: Es war schon zehn Uhr abends, ich war dermaßen in meine Bücher vertieft gewesen, dass ich vergessen hatte zu essen. Mir fiel allerdings auf, dass ich die zweite Flasche Wein beinahe ausgetrunken hatte.

»Wir könnten …« Sie zögerte. »Ich dachte, vielleicht könnten wir uns morgen Abend sehen.«

»Ja …?«

»Morgen ist dein Geburtstag. Hast du es vielleicht vergessen?«

»Ja. Ja, das hatte ich ehrlich gesagt völlig vergessen.«

»Außerdem …« – sie zögerte wieder – »… habe ich dir noch etwas anderes zu sagen. Also, es wäre gut, wenn wir uns sehen könnten.«

Ich erwachte um vier Uhr morgens, nach Myriams Anruf hatte ich *Trugbilder* zu Ende gelesen, das Buch war wirklich ein Meisterwerk, ich hatte nur wenig mehr als drei Stunden geschlafen. Die Frau, nach der Huysmans sein Leben lang suchte, hatte er schon im Alter von siebenundzwanzig oder achtundzwanzig Jahren in seinem ersten Roman *Marthe* beschrieben, der 1876 in Brüssel erschienen war: eine Kochtopf-Frau, die aber, wie er ausführte, die Fähigkeit haben sollte, in bestimmten Augenblicken zur Dirne zu werden. Das klingt zunächst nicht weiter kompliziert, dass eine Frau zur Dirne wird, jedenfalls weniger kompliziert, als eine Sauce béarnaise zustande zu bringen. Und doch suchte er diese Frau vergeblich. Und ich war bisher nicht erfolgreicher gewesen. An sich bedeutete es mir nichts, vierundvierzig zu werden, es war ein Geburtstag wie jeder andere. Aber Huysmans hatte mit vierundvierzig zum Glauben zurückgefunden. Vom 12. bis zum 20. Juli 1892 war er erstmals im Trappistenkloster von Igny in der Marne. Am 14. Juli ging er, nach enormen Zweifeln, die er in *Unterwegs* peinlichst genau beschreibt, zur Beichte. Am 15. Juli empfing er zum ersten Mal seit seiner Kindheit die Kommunion.

Während der Arbeit an meiner Dissertation über Huysmans hatte ich eine Woche im Kloster von Ligugé verbracht, wo Huysmans einige Jahre später Oblate geworden war, und eine Woche im Kloster von Igny. Obwohl Letzteres im Ersten

Weltkrieg völlig zerstört worden war, war der Aufenthalt dort hilfreich für mich. Ausstattung und Möbel waren natürlich modern, hatten aber noch etwas von der Schlichtheit, der Kargheit, von der Huysmans so beeindruckt gewesen war; auch am Tagesrhythmus mit den zahlreichen Gebeten und täglichen Messen, vom Angelus um vier Uhr morgens bis zum Salve Regina am Abend, hatte sich nichts geändert. Beim Essen wurde geschwiegen, was eine sehr erholsame Abwechslung zur Mensa der Universität darstellte. Ich erinnere mich auch, dass die Nonnen Schokolade und Macarons herstellten; ihre Produkte wurden im *Petit Futé*, einem Reiseführer, empfohlen und in ganz Frankreich verschickt.

Es fiel mir nicht schwer, nachzuvollziehen, dass sich jemand vom Klosterleben angezogen fühlte, auch wenn sich mein Standpunkt, wie mir bewusst war, sehr von dem Huysmans' unterschied. Seinen ausgestellten Ekel vor der fleischlichen Sinneslust konnte ich weder nachfühlen noch begreifen. Mein Körper war die Quelle diverser schmerzhafter Leiden – Migräne, Hautkrankheiten, Zahnschmerzen, Hämorrhoiden –, die sich ständig abwechselten und mir kaum Ruhe ließen; dabei war ich erst vierundvierzig, wie sollte das mit fünfzig, sechzig oder mehr werden? Ich würde nur noch aus einem Nebeneinander langsam zerfallender Organe bestehen, und mein Leben wäre eine endlose Qual, trist, freudlos, armselig. Mein Schwanz war im Grunde das einzige Organ, das sich mir nie durch Schmerzen bemerkbar gemacht hatte, sondern nur durch rauschhaften Genuss. Bescheiden, aber robust, hatte er mir stets treu gedient – das heißt, vielleicht war es sogar umgekehrt (der Gedanke ist nicht abwegig) und ich diente ihm –, doch sein Regiment war ein sanftes: Nie befahl er mir etwas, gelegentlich ermunterte er mich nur in aller Bescheidenheit, ohne Groll und Wut, ein geselligeres Leben zu führen. Heute Abend, das wusste ich, würde er sich für Myriam einsetzen, er hatte zu Myriam immer ein gutes Verhältnis gehabt, Myriam hatte ihn immer mit Zuneigung und Respekt behandelt, was mir eine große Freude gewesen war. Und Grund zur Freude hatte ich für gewöhnlich wenig, eigentlich nur noch bei diesen Gelegenheiten. Mein Interesse für das Geistesleben war sehr abgeflaut, meine gesellschaftliche Existenz war nicht zufriedenstellender als meine körperliche, die eine wie die andere war eine Abfolge kleiner Widrigkeiten – ein verstopftes Waschbecken, eine nicht funktionierende Internetverbindung, Strafpunkte für schlechtes Fahren, betrügerische Putzfrauen, Fehler in der Steuererklärung –, die mich ohne Unterlass quälten und nie zur Ruhe kommen ließen. Ich stellte mir vor, dass man im Kloster den meisten dieser Sorgen entkäme. Man legte die Last seines eigenen Lebens ab. Zwar entsagte man auch der Freude, doch diese Entscheidung war tragbar. Wie schade, sagte ich mir bei meiner Lektüre, dass Huysmans in *Unterwegs* seinen Ekel über seine alte Lasterhaftigkeit so ausgestellt hatte; vielleicht war er da nicht ganz ehrlich gewesen. Ihn reizte am Klosterleben, wie ich vermutete, nicht so sehr der Umstand, dass man der Versuchung entging, sich Lust zu verschaffen; vielmehr reizte ihn wohl die Hoffnung, sich von der ermüdenden und trostlosen Abfolge der kleinen Alltagssorgen zu befreien, von allem, was er in *Stromabwärts* so meisterhaft beschrieben hatte. Im Kloster gab es zumindest ein Dach über dem Kopf und eine Mahlzeit – und das ewige Leben im besten Fall noch mit dazu.

Myriam klingelte gegen neunzehn Uhr bei mir. »Herzlichen Glückwunsch, François«, sagte sie noch in der Tür mit leiser

Stimme, dann eilte sie zu mir und küsste mich auf den Mund, ein langer, lustvoller, sinnlicher Kuss, der unsere Lippen und Zungen vereinigte. Als wir ins Wohnzimmer gingen, fiel mir auf, dass sie noch aufreizender gekleidet war als beim letzten Mal. Sie trug wieder einen schwarzen Mini, noch kürzer diesmal, und Strümpfe; als sie sich auf das Sofa setzte, blitzten die Klammern von schwarzen Strapsen auf sehr weißer Haut hervor. Ihre gleichfalls schwarze Bluse war komplett durchsichtig, man sah genau ihre sich bewegenden Brüste, meine Finger erinnerten sich an die Berührung ihrer Brustwarzen, sie lächelte unentschlossen, etwas Ungewisses und Fatales lag in diesem Moment.

»Hast du mir ein Geschenk mitgebracht?«, fragte ich gewollt scherzhaft, im Versuch, die Stimmung zu lösen.

»Nein«, antwortete sie ernst, »ich habe nichts gefunden, das mir gefiel.«

Kurzes Schweigen, dann, mit einem Mal, spreizte sie ihre Schenkel, sie trug kein Höschen, und der Rock war so kurz, dass man die Spalte ihrer rasierten, unschuldigen Möse sah. »Komm, ich blas dir einen«, sagte sie, »ich blas dir richtig schön einen, komm, setz dich aufs Sofa.«

Ich gehorchte, ließ sie mich ausziehen. Sie hockte sich vor mich und leckte mir zuerst lange und zärtlich die Rosette, dann nahm sie mich bei der Hand und ließ mich aufstehen. Ich lehnte mich gegen die Wand. Wieder hockte sie sich hin und leckte mir die Eier, während sie mich in kurzen, schnellen Bewegungen wichste.

»Sag mir, wann ich deinen Schwanz nehmen soll …«, sagte sie und unterbrach sich kurz. Ich wartete noch, bis die Lust unerträglich war, und sagte dann: »Jetzt.«

Ich sah ihr in die Augen, genau als ihre Zunge mein Glied

berührte, es machte mich an, ihr dabei zuzusehen. Sie war in einem merkwürdigen Zustand, einer Mischung aus Konzentration und Rausch, ihre Zunge glitt über meine Eichel, mal schnell, dann wieder langsam und sorgfältig. Ihre linke Hand hielt meinen Schwanz an der Wurzel umklammert, während sie mit den Fingern ihrer rechten Hand trommelnd über meine Eier fuhr, Wellen der Lust durchströmten mich, ich löste mich auf, konnte mich kaum aufrecht halten, war kurz davor, in Ohnmacht zu fallen. Als ich schreiend zu explodieren drohte, brachte ich gerade noch die Kraft auf, sie anzuflehen: »Hör auf ... hör auf ...« Ich erkannte meine Stimme kaum wieder, sie klang verzerrt, war kaum zu hören.

»Willst du nicht in meinem Mund kommen?«

»Nicht jetzt.«

»Na gut ... Ich hoffe, das soll heißen, dass du mich nachher noch vögeln willst. Dann essen wir jetzt etwas, oder?«

Dieses Mal hatte ich das Sushi im Voraus bestellt, zusammen mit zwei Flaschen Champagner stand es seit dem Nachmittag im Kühlschrank.

»Weißt du, François«, sagte sie nach einem ersten Schluck, »ich bin weder eine Nutte noch bin ich nymphoman. Wenn ich dir einen blase, dann weil ich dich liebe, weil ich dich wirklich liebe, weißt du das?«

Ja, ich wusste es. Ich wusste auch, dass da noch etwas anderes war, das sie mir nicht sagen konnte. Ich sah sie lange an und dachte vergeblich darüber nach, wie ich das ansprechen sollte. Sie leerte ihr Glas, seufzte und schenkte sich nach, dann erzählte sie: »Meine Eltern haben beschlossen, Frankreich zu verlassen.«

Das verschlug mir die Sprache. Sie leerte das zweite Glas und schenkte sich ein drittes ein, dann sprach sie weiter.

»Sie wandern nach Israel aus. Unser Flug nach Tel Aviv geht nächsten Mittwoch. Sie wollen nicht einmal die zweite Runde der Präsidentschaftswahlen abwarten. Es ist total irre, sie haben alles ohne ein Wort hinter unserem Rücken organisiert: Sie haben ein Konto in Israel eröffnet und irgendwie eine Wohnung gefunden, mein Vater hat sich seine Rente auszahlen lassen, sie haben das Haus zum Verkauf angeboten, und alles, ohne uns etwas zu sagen. Bei meinem kleinen Bruder und meiner kleinen Schwester verstehe ich das, die sind vielleicht ein bisschen jung, aber ich bin zweiundzwanzig, und sie stellen mich vor vollendete Tatsachen! Sie zwingen mich nicht, mitzugehen; wenn ich wirklich wollte, würden sie mir in Paris ein Zimmer mieten. Aber es sind ja bald Semesterferien, und ich habe das Gefühl, ich kann sie nicht alleine lassen, nicht jetzt, sie würden sich zu große Sorgen machen. Mir war das erst nicht aufgefallen, aber seit einigen Monaten treffen sie andere Leute, ausschließlich Juden. Sie haben einige Abende mit denen verbracht, sie sind nicht die Einzigen, die gehen, da sind noch mindestens vier oder fünf Freunde, die alles aufgelöst haben. Ich habe eine ganze Nacht mit ihnen diskutiert, aber sie sind fest entschlossen, sie sind überzeugt davon, dass mit den Juden in Frankreich etwas Schlimmes passieren wird. Komisch, warum fällt ihnen das jetzt ein, nach fünfzig Jahren, ich habe ihnen gesagt, das ist total bescheuert, der Front National ist schon lange nicht mehr antisemitisch!«

»So lange ist das auch noch nicht her. Du bist zu jung, um ihn zu kennen, aber Jean-Marie Le Pen, der Vater, war noch einer vom alten Schlag. Er war ein Trottel, völlig ungebildet, sicher hat er weder Drumont noch Maurras gelesen, aber ich denke, es wird Teil seines geistigen Horizonts gewesen sein. Für seine Tochter spielt das alles natürlich keine Rolle mehr.

Aber selbst wenn der Moslem durchkommt, glaube ich nicht, dass du viel zu befürchten hast. Immerhin muss er sich mit den Sozialisten verbünden, er kann nicht machen, was er will.«

»Also, was das angeht ...« – sie schüttelte zweifelnd den Kopf – »... was das angeht, bin ich weniger optimistisch als du. Wenn eine muslimische Partei an die Macht kommt, ist das für die Juden nie gut, mir fällt kein Gegenbeispiel ein ...«

Ich schwieg. Ich kannte mich mit Geschichte nicht besonders gut aus, in der Schule hatte ich nicht aufgepasst, und auch später hatte ich nie ein Geschichtsbuch aufgeschlagen, geschweige denn zu Ende gelesen.

Wieder schenkte sie sich nach. Sie machte es genau richtig, angesichts der Umstände konnte ein kleiner Schwips nicht schaden, zumal der Champagner gut war.

»Mein Bruder und meine Schwester können dort weiter zur Schule gehen, ich könnte in Tel Aviv auch weiter studieren, meine Leistungen würden dort anerkannt. Aber was soll ich denn in Israel machen? Ich spreche kein Wort Hebräisch. Meine Heimat ist Frankreich.«

Ihre Stimme veränderte sich leicht, ich merkte, dass sie kurz davor war, in Tränen auszubrechen. »Ich liebe Frankreich!«, sagte sie mit erstickter Stimme. »Ich liebe, ich weiß nicht, ich liebe Käse!«

»Ich hab welchen!« Wie ein Clown sprang ich auf, um die Atmosphäre aufzulockern, und suchte im Kühlschrank herum – stimmt, ich hatte Saint-Marcellin, Comté und Bleu des Causses gekauft. Dazu öffnete ich eine Flasche Weißwein. Sie achtete gar nicht darauf.

»Und außerdem, außerdem will ich nicht, dass das mit uns beiden aufhört«, sagte sie und begann zu weinen. Ich stand auf, schloss sie in die Arme. Ich hatte ihr nichts Sinnvolles zu entgegnen. Ich führte sie ins Schlafzimmer und umarmte sie wieder. Sie weinte leise weiter.

Gegen vier Uhr morgens wachte ich auf. Es war Vollmond, man konnte ihn im Zimmer sehr gut sehen. Myriam lag auf dem Bauch, nur mit einem T-Shirt bekleidet. Draußen auf dem Boulevard war kaum Verkehr. Nach zwei, drei Minuten kam ein Lieferwagen, ein Renault Trafic, langsam angerollt und hielt beim Hochhaus. Zwei Chinesen stiegen aus und rauchten eine Zigarette; sie schienen die Gegend zu erkunden. Dann stiegen sie wieder ein und fuhren in Richtung Porte d'Italie davon. Ich legte mich wieder aufs Bett und streichelte ihren Hintern. Sie drückte sich an mich, ohne aufzuwachen.

Ich rollte sie auf den Rücken, schob ihre Schenkel auseinander und streichelte sie. Sie war fast augenblicklich nass, und ich drang in sie ein. Sie hatte diese einfache Stellung immer gemocht. Ich drückte ihre Schenkel nach oben, um tiefer in sie zu dringen, und begann, mich hin und her zu bewegen. Man sagt, der weibliche Orgasmus sei komplex, geheimnisvoll; aber was mich anging, so war mir der Mechanismus meines eigenen Höhepunkts ein noch viel größeres Geheimnis. Ich spürte, dass ich mich dieses Mal so lange wie nötig würde kontrollieren, die Lust nach Belieben würde steigern können. Mein Unterleib bewegte sich weich und geschmeidig, mühelos, nach einigen Minuten stöhnte sie erst, dann schrie sie, und ich penetrierte sie weiter, selbst, als sie begann, meinen Schwanz mit ihrer Möse fest zu packen, ich atmete langsam, ohne Anstrengung, ich hatte das Gefühl, unendlich zu sein, dann stöhnte sie einmal lange auf, ich bedeckte ihren Körper mit meinem, nahm sie fest in die Arme, und sie sagte immer wieder: »Mein Schatz ... mein Schatz ...«, und weinte.

Sonntag, 22. Mai

Um acht Uhr erwachte ich, setzte einen Kaffee auf, legte mich wieder hin. Der Rhythmus von Myriams gleichmäßigem Atem begleitete das leise Geräusch der Kaffeemaschine. Pausbäckige kleine Kumuluswolken schwebten im Blau. Sie waren für mich schon immer die Wolken des Glücks gewesen – Wolken, deren glänzendes Weiß nur da war, um das Himmelblau besser zur Geltung zu bringen, Wolken, wie Kinder sie malten, wenn sie ihr allerschönstes Landhaus zeichneten, mit einem rauchenden Schornstein, einer Wiese und Blumen. Keine Ahnung, was ich mir dabei dachte, iTélé einzuschalten, nachdem ich mir einen Kaffee eingeschenkt hatte. Der Ton war sehr laut eingestellt, und ich brauchte eine Weile, um die Fernbedienung zu finden und die Lautlos-Taste zu drücken. Zu spät, Myriam war aufgewacht. Sie ging zum Wohnzimmersofa und schmiegte sich, noch immer nur im T-Shirt, hinein. Unser kurzer Augenblick des Friedens war vorbei, ich stellte wieder lauter. Die Informationen über die geheimen Verhandlungen zwischen der Sozialistischen Partei und der Bruderschaft der Muslime waren während der Nacht im Netz aufgetaucht. Ob auf iTélé, BFM oder LCI, es gab nur dieses eine Thema als Dauersondersendung. Manuel Valls hatte sich noch nicht zu Wort gemeldet, aber für elf Uhr war eine Pressekonferenz von Mohammed Ben Abbes angesetzt.

Wohlgenährt und heiter, den Journalisten gegenüber um keine Antwort verlegen, ließ der Kandidat der Bruderschaft einen regelrecht vergessen, dass er einst zu den jüngsten Absolventen der École Polytechnique gehört hatte, bevor er an die École Nationale d'Administration gegangen war, die er, wie auch Laurent Wauquiez, als Mitglied der Promotion Nelson Mandela abgeschlossen hatte. Er wirkte eher wie einer dieser guten alten tunesischen Händler um die Ecke – was sein Vater übrigens tatsächlich gewesen war, auch wenn dessen Laden in Neuilly-sur-Seine und nicht im achtzehnten Arrondissement oder gar in Bezons oder Argenteuil lag.

Mehr als jeder andere, so rief er seinem Publikum jetzt ins Gedächtnis, habe er von der republikanischen Meritokratie profitiert; weniger als jeder andere wolle er ein System untergraben, dem er alles zu verdanken habe, bis hin zu der höchsten Ehre, sich dem französischen Volk zur Wahl stellen zu dürfen. Er erzählte von der kleinen Wohnung über dem Laden, wo er seine Hausaufgaben gemacht habe; er ließ kurz seinen Vater auferstehen – nur so viel, dass es berührend war. Ich fand ihn wirklich großartig.

Aber, fuhr er fort, die Zeiten hätten sich geändert, das müsse man einsehen. Immer häufiger wünschten Familien – jüdische, christliche, muslimische – sich für ihre Kinder eine Erziehung, die sich nicht auf die reine Wissensvermittlung beschränke, sondern eine spirituelle Bildung im Sinne ihrer Traditionen gewährleiste. Die Rückkehr zur Religion sei eine tiefgreifende Entwicklung, die sich durch die gesamte Gesellschaft ziehe, die Nationale Erziehung müsse dem Rechnung tragen. Im Grunde gehe es nur darum, den Rahmen der republikanisch geprägten Schulen zu erweitern und sie dafür zu rüsten, in Einklang und Harmonie mit den großen spirituellen Traditionen unseres Landes zu leben – mit der muslimischen, jüdischen, christlichen.

Zehn Minuten lang sprach er sanft und schnurrend weiter, bevor die Journalisten Fragen stellen durften. Ich hatte schon lange bemerkt, dass selbst die verbissensten, streitlustigsten Journalisten in der Gegenwart Mohammed Ben Abbes' wie hypnotisiert, wie aufgeweicht wirkten. Dabei hätte man, schien mir, durchaus kritische Fragen stellen können: nach der Abschaffung der Koedukation etwa. Oder nach der Tatsache, dass die Lehrer sich zum Islam bekennen sollten. Aber war das bei den Katholiken nicht ähnlich? Musste man nicht getauft sein, um an einer christlichen Schule zu unterrichten? Während ich darüber nachdachte, wurde mir klar, wie wenig ich wusste, und als die Pressekonferenz zu Ende ging, begriff ich, dass ich genau dort war, wo Ben Abbes mich haben wollte: Es gab ein paar Zweifel allgemeiner Art, aber vor allem das Gefühl, dass da nichts war, worüber man sich aufregen müsse, nichts wirklich Neues.

Um halb eins ging Marine Le Pen zum Angriff über. Sie wirkte wach und frisch zurechtgemacht und wurde aus einer leichten Froschperspektive vor dem Pariser Rathaus gefilmt, man konnte fast sagen, sie war hübsch – jedenfalls im Vergleich zu ihren vorherigen Auftritten. Nach der Wende von 2017 musste sie gedacht haben, man habe als Frau wie Angela Merkel auszusehen, um an den Gipfel der Macht zu gelangen, und so ahmte sie die Respekt gebietende Ehrwürdigkeit der deutschen Bundeskanzlerin bis hin zu ihrer Frisur und dem Schnitt ihrer Blazer nach. An diesem Morgen im Mai aber sprühte sie nur so vor revolutionärem Elan, der an die Ursprünge der Bewegung erinnerte. Seit einiger Zeit hielt sich das Gerücht, dass manche ihrer Reden von Renaud Camus geschrieben würden – unter dem wachsamen Auge von Florian

Philippot. Ich weiß nicht, ob das Gerücht der Wahrheit entsprach, aber sie hatte sich in jedem Fall bemerkenswert weiterentwickelt. Ich war sofort eingenommen von dem republikanischen, ja sogar antiklerikalen Charakter ihrer Rede. Sie ging weit über die Referenz auf Jules Ferry hinaus, ging bis zu Condorcet zurück, dessen denkwürdige Rede vor der gesetzgebenden Nationalversammlung 1792 sie zitierte, jene Rede, in der er von den Ägyptern, den Indios gesprochen hatte, die »in ihrem menschlichen Geiste so weit entwickelt waren und aber in die blödsinnigste, abgründigste Unwissenheit zurückfielen, als die religiöse Macht sich das Recht herausnahm, die Menschen erziehen zu wollen«.

»Ich dachte, sie ist Katholikin«, warf Myriam ein.

»Keine Ahnung, aber ihre Wähler sind es jedenfalls nicht, bei den Katholiken ist dem Front National nie der Durchbruch gelungen, sie sind zu solidarisch und zu aktiv in der Dritten Welt. Also passt sie sich an.«

Myriam sah auf die Uhr und machte eine verdrossene Geste.

»François, ich muss los. Ich habe meinen Eltern versprochen, mit ihnen zu Mittag zu essen.«

»Wissen sie, dass du hier bist?«

»Ja, ja, sie machen sich keine Sorgen, aber sie werden mit dem Essen auf mich warten.«

Ich war einmal bei ihren Eltern gewesen, ganz am Anfang unserer Beziehung. Sie wohnten in einem Haus in der Cité des Fleurs, hinter der Métro-Station Brochant. Es gab eine Garage, ein Atelier, man hatte den Eindruck, in einer kleinen Stadt zu sein – irgendwo, nur nicht in Paris. Ich erinnere mich, dass wir im Garten auf der Wiese aßen, es war die Zeit der Osterglocken. Sie waren freundlich zu mir gewesen, offen und herzlich; andererseits schienen sie mir auch nicht zu viel Bedeutung beizumessen, was mir noch besser gefiel. In dem Moment, als ihr Vater eine Flasche Châteauneuf-du-Pape entkorkte, ging mir plötzlich auf, dass Myriam mit über zwanzig Jahren noch jeden Abend mit ihren Eltern aß, ihrem Bruder bei den Hausaufgaben half, mit ihrer kleinen Schwester shoppen ging. Sie waren als Familie zusammengeschweißt, sie waren eine Sippe. Und im Vergleich zu allem, was ich gekannt hatte, war das derart unglaublich, dass ich mich sehr beherrschen musste, nicht in Tränen auszubrechen.

Ich schaltete auf stumm. Marine Le Pens Bewegungen wurden lebendiger, sie ballte die Fäuste in der Luft, dann plötzlich breitete sie heftig die Arme aus. Natürlich würde Myriam mit ihren Eltern nach Israel gehen, sie konnte nicht anders.

»Ich hoffe wirklich, dass ich bald wiederkommen kann, weißt du …«, sagte sie zu mir, als hätte sie meine Gedanken gelesen. »Ich bleibe nur ein paar Monate dort, bis sich in Frankreich die Dinge geklärt haben.« Ich fand ihren Optimismus übertrieben, sagte aber nichts.

Sie zog ihren Rock an. »Bei dem, was jetzt hier passiert, werden sie jubilieren, das muss ich mir jetzt die ganze Zeit beim Essen anhören. ›Haben wir es dir nicht gesagt, Töchterchen?‹ Nun ja, sie meinen es gut, sie denken, das sei das Beste für mich, ich weiß.«

»Ja, sie meinen es wirklich gut.«

»Und du, was wirst du machen? Was glaubst du denn, wie es an der Uni wird?«

Ich begleitete sie zur Tür. Ich hatte keinen blassen Schimmer und es war mir außerdem völlig egal. Ich küsste Myriam sanft auf den Mund und antwortete dann: »Für mich gibt es kein Israel.« Ein armseliger Gedanke, aber treffend. Dann verschwand sie im Fahrstuhl.

Einige Stunden vergingen. Die Sonne ging gerade zwischen den Hochhäusern unter, als ich meiner selbst und meiner allgemeinen Lage wieder gewahr wurde. Mein Geist hatte sich in wabernde und dunkle Nebel verirrt, ich war zum Sterben traurig. Die Sätze von Huysmans aus *Trugbilder* wollten mir nicht aus dem Sinn, sie quälten mich, mir wurde schmerzlich bewusst, dass ich Myriam nicht einmal angeboten hatte, zu mir zu ziehen und mit mir zusammenzuleben. Aber gleich darauf machte ich mir klar, dass darin gar nicht das Problem lag, vielmehr waren ihre Eltern unter allen Umständen bereit, ihr eine Bleibe zu bezahlen, und meine Wohnung hatte nur zwei Zimmer, zwei große zwar, aber eben nur zwei, ein Zusammenleben hätte sicher bald zum Verlust unseres sexuellen Begehrens geführt, und wir waren noch zu jung, um das zu überstehen.

In früheren Zeiten gründeten die Menschen Familien, das heißt, sie vermehrten sich, dann schufteten sie noch ein paar Jahre, nur bis die Kinder das Erwachsenenalter erreicht hatten, und kehrten schließlich heim zu ihrem Schöpfer. Heutzutage ist es vernünftiger, als Paar nicht zusammenzuziehen, bis man die fünfzig oder sechzig erreicht hat, wenn der alternde und schmerzgeplagte Körper sich nach Vertrautem sehnt, nach Beschwichtigung und Unschuld; dann, wenn die Landküche, wie sie beispielsweise in *Escapades de Petitrenaud* zelebriert wird, wichtiger wird als jede andere Lust. Ich spielte einige Zeit mit dem Gedanken an einen Artikel für das *Journal des dix-neuvièmistes*, in dem ich darlegen wollte, dass

Huysmans' traurige Schlussfolgerungen nach einer langen und stumpfsinnigen Periode der experimentell-modernen Küche wieder aktuell waren; aktueller denn je, wie man an der Zunahme erfolgreicher Kochsendungen, insbesondere zum Thema Landküche, auf allen Kanälen unschwer erkennen konnte. Doch dann merkte ich, dass ich weder die Energie noch die Lust hatte, einen Beitrag zu schreiben, und sei es auch nur für einen so kleinen Leserkreis wie den des *Journal des dix-neuvièmistes*. Gleichzeitig stellte ich mit ungläubiger Teilnahmslosigkeit fest, dass der Fernseher noch eingeschaltet war und das Programm von iTélé lief. Ich schaltete den Ton ein: Marine Le Pens Rede war längst vorbei, aber noch immer Thema aller Kommentare. Ich erfuhr, dass die Leitfigur der Nationalen für Mittwoch zu einer großen Demonstration aufgerufen hatte, die über die Champs-Élysées ziehen sollte. Marine Le Pen hatte nicht vor, bei der Polizeipräfektur eine Genehmigung einzuholen, und warnte die Behörden bereits im Voraus, dass die Demonstration auch im Falle eines Verbots stattfinden werde – »komme, was da wolle«. Sie hatte ihre Rede mit einem Zitat aus der Erklärung der Menschen- und Bürgerrechte von 1793 beendet: »Wenn die Regierung die Rechte des Volkes verletzt, ist für das Volk und jeden Teil des Volkes der Aufstand das heiligste seiner Rechte und die unerlässlichste seiner Pflichten.« Das Wort »Aufstand« hatte natürlich für reichlich Kommentare gesorgt und sogar ganz unerwartet dazu geführt, dass François Hollande sein langes Schweigen unterbrach. Am Ende seiner zwei verheerenden, jeweils fünf Jahre dauernden Amtszeiten – wobei er seine Wiederwahl einzig der armseligen Strategie verdankte, die Machtergreifung des Front National zu verhindern – hatte der scheidende Präsident nahezu gänzlich darauf verzichtet, sich zu äußern, und die meisten Medien schienen seine Existenz vergessen zu haben. Als er sich vor dem Élysée-Palast der kleinen Gruppe von etwa zehn anwesenden Journalisten stellte, sprach er von sich als dem »letzten Bollwerk der republikanischen Ordnung«, was für einige kurze, aber sehr hörbare Lacher sorgte. Rund zehn Minuten später gab der Premierminister eine Erklärung ab. Er war rot angelaufen, die Adern auf seiner Stirn traten hervor, er wirkte wie kurz vor einem Wutanfall und drohte allen, die mit den Gesetzen der Demokratie brächen, dass man sie entsprechend wie Gesetzlose behandeln werde. Mohammed Ben Abbes war letztlich der Einzige, der nicht den Kopf verlor; er verteidigte das Recht auf Versammlungsfreiheit und bot Marine Le Pen an, über den Laizismus zu diskutieren – nach Meinung eines Großteils der Kommentatoren ein kluger Schachzug, denn es war so gut wie ausgeschlossen, dass sie die Herausforderung annahm, was ihm wiederum mit wenig Aufwand das Image eines vernünftigen und gesprächsbereiten Mannes verlieh.

Irgendwann hatte ich keine Lust mehr und zappte mich durch Doku-Soaps über Fettleibige, bevor ich endlich ganz ausschaltete. Dass Politik in meinem Leben eine Rolle spielen könnte, verwirrte und ekelte mich ein bisschen. Mir war aber bereits klar geworden, dass der sich seit Jahren verbreiternde, inzwischen bodenlose Graben zwischen dem Volk und jenen, die in seinem Namen sprachen – also Politikern und Journalisten –, notwendigerweise zu etwas Chaotischem, Gewalttätigem und Unvorhersehbarem führen musste. Frankreich bewegte sich, wie die anderen Länder Westeuropas auch, auf einen Bürgerkrieg zu, das lag auf der Hand. Dennoch war ich in diesen letzten Tagen zu der Überzeugung gelangt, dass die riesige Mehrheit der Franzosen mutlos und apathisch verharren würde, wohl, weil ich selbst mutlos und apathisch war. Ich täuschte mich.

Myriam meldete sich erst Dienstagabend um kurz nach elf Uhr wieder. Sie klang gut, so als hätte sie wieder Zuversicht gewonnen. Ihrer Meinung nach würden die Dinge in Frankreich schnell wieder ins Lot kommen – ich für meinen Teil bezweifelte das. Sie redete sich sogar ein, dass Nicolas Sarkozy auf die politische Bühne zurückkehren wolle und wie ein Retter empfangen werden würde. Mir erschien das sehr unwahrscheinlich, aber ich wollte sie ihrer Illusion nicht berauben: Mein Eindruck war, dass Sarkozy im Grunde aufgegeben und nach 2017 einen Schlussstrich unter diese Phase seines Lebens gezogen hatte.

Ihr Flugzeug ging früh am nächsten Morgen. Wir könnten uns vor ihrer Abreise also nicht mehr treffen, sie habe noch viel zu tun, angefangen beim Kofferpacken, es sei nicht einfach, in dreißig Kilo Gepäck ein Leben unterzubringen. Ich hatte nichts anderes erwartet, trotzdem spürte ich beim Auflegen einen Stich im Herzen. Ich wusste, dass ich von nun an sehr allein sein würde.

Mittwoch, 25. Mai

Dennoch war mir am nächsten Morgen in der Métro, auf dem Weg zur Universität, beinahe fröhlich zumute, die politischen Ereignisse der letzten Tage und Myriams Abreise kamen mir vor wie ein böser Traum – ein Fehler, der prompt bestraft wurde. In der Rue de Santeuil angekommen, sah ich mit großer Überraschung, dass die Tore zu den Universitätsgebäuden fest verriegelt waren, obwohl die Wachleute normalerweise um Viertel vor acht aufschlossen. Mehrere Studenten warteten vor dem Eingang, einige von ihnen kannte ich aus meinen Kursen für die zweite Jahrgangsstufe.

Erst um halb neun ließ sich ein Wachmann blicken, er kam gerade aus dem Verwaltungssekretariat und stellte sich jetzt hinter den Toren auf, um uns mitzuteilen, dass die Uni den ganzen Tag und bis auf weitere Anordnung geschlossen bleiben werde. Mehr könne er uns nicht sagen. Wir sollten nach Hause gehen, man werde uns »gesondert informieren«. Der Wachmann war ein Schwarzer, ein Senegalese, wenn ich mich recht erinnerte, den ich seit Jahren kannte und mochte. Er hielt mich zurück, als ich gerade gehen wollte, und erzählte mir, dass die Lage den kursierenden Gerüchten zufolge schlimm sei, wirklich schlimm, und dass es ihn wundern würde, wenn die Universität in den nächsten Wochen ihren Betrieb wieder aufnähme.

Vielleicht wusste Marie-Françoise etwas. Im Laufe des Vormittags versuchte ich mehrmals erfolglos, sie zu erreichen. Nicht wissend, was ich noch tun könnte, schaltete ich iTélé ein. Die vom Front National organisierte Demonstration war schon gut besucht: Die Place de la Concorde und der Jardin des Tuileries waren schwarz vor Menschen. Laut Organisatoren waren zwei Millionen gekommen, die Polizei sprach von dreihunderttausend. Wie auch immer, noch nie hatte ich so einen Menschenauflauf gesehen.

Eine Ambosswolke erstreckte sich von Sacré-Cœur bis zur Oper über den Norden von Paris, ihre Flanken waren dunkelgrau, von rußigem Braun durchzogen. Meine Augen wanderten zurück zum Bildschirm, auf dem die Masse sich weiter ansammelte. Die Gewitterwolke schien langsam nach Süden abzuziehen. Sollte das Unwetter über den Tuilerien losbrechen, wäre der Ablauf der Demonstration ernsthaft gefährdet.

Pünktlich um vierzehn Uhr schob sich der von Marine Le Pen angeführte Menschenzug über die Champs-Élysées in Richtung Triumphbogen, wo sie um fünfzehn Uhr eine Rede halten wollte. Ich drehte den Ton ab, sah mir die Bilder aber weiter an. Ein riesiges Transparent, das über die ganze Breite der Avenue reichte, trug die Aufschrift *Wir sind das französische Volk*. Auf vielen kleineren Schildern in der Menge stand, etwas einfacher, *Das ist unsere Heimat* – das war der ausdrucksstarke, aber zugleich von unnötiger Aggressivität befreite Slogan der rechten Aktivisten bei ihren Versammlungen geworden. Noch immer drohte das Gewitter. Die riesige Wolke hing jetzt unbeweglich über der Menge. Nach ein paar Minuten hatte ich keine Lust mehr und vertiefte mich in *Zuflucht*.

Kurz nach achtzehn Uhr rief mich Marie-Françoise zurück; viel wusste sie nicht, der Nationale Hochschulrat habe sich zwar am Vorabend versammelt, aber es seien keine Informationen durchgesickert. Sicher wisse sie nur, dass die Uni nicht vor Ende der Wahlen öffnen werde, wohl auch nicht mehr vor dem neuen Semester – die Examen könnten sehr wohl auch erst im September stattfinden. Ganz allgemein scheine ihr die Lage ernst zu sein. Ihr Mann sei sichtlich beunruhigt, seit Beginn der Woche arbeite er vierzehn Stunden täglich in seinem Büro beim Geheimdienst, gestern habe er sogar dort geschlafen. Sie legte auf, nicht ohne mir zu versprechen, sich zu melden, sobald sie mehr erfahre.

Ich hatte nichts mehr zu essen, aber auch keine Lust, im Géant Casino einzukaufen, der frühe Abend war eine schlechte Uhrzeit, um in diesem quirligen Viertel seine Einkäufe zu erledigen; aber ich war hungrig und hatte Appetit auf Kalbsragout, Hecht mit Kerbel, Moussaka nach Berberart. Auf den schalen Geschmack der Mikrowellengerichte war Verlass, obwohl sie immer fröhlich bunt verpackt waren; im Vergleich zu den trostlosen Misslichkeiten von Huysmans' Helden waren sie trotzdem ein Fortschritt – sie hatten nichts Feindseliges an sich, und das Gefühl, Teil eines enttäuschenden, aber für alle gleich verlaufenden kollektiven Experiments zu sein, konnte dazu führen, dass man sich damit abfand.

Merkwürdigerweise war der Supermarkt fast leer; in einem Anfall von Begeisterung und mit dem Beigeschmack von Angst füllte ich schnell meinen Einkaufswagen. Ohne ersichtlichen Grund schoss mir das Wort »Sperrstunde« durch den Kopf. Einige der hinter ihren verlassenen Kassen wie aufgereiht dastehenden Kassiererinnen hörten Radio. Die Demonstration war noch im Gang, bisher habe man keine Opfer zu beklagen. Das kommt später, wenn die Demo sich auflöst, dachte ich bei mir.

Der Regen platzte heftig los, als ich gerade das Einkaufszentrum verließ. Zu Hause angekommen, wärmte ich mir Rinderzunge mit Madeira-Sauce auf – gummiartig, aber geschmacklich in Ordnung – und schaltete den Fernseher wieder ein. Die Zusammenstöße hatten begonnen, man sah Gruppen maskierter Männer umherjagen, mit Sturmgewehren und Maschinenpistolen bewaffnet. Ladenfenster waren zu Bruch gegangen, hier und dort brannte ein Auto, aber durch den strömenden Regen waren die Aufnahmen von sehr schlechter Qualität und es war schwierig, sich ein Bild von den Kräfteverhältnissen zu machen.

III

Gegen vier Uhr morgens stand ich auf, klar im Kopf, mit wachem Geist. Sorgfältig und ohne Eile packte ich meinen Koffer – ein paar Dinge für die Reiseapotheke, Wäsche zum Wechseln für einen Monat, ich fand sogar meine unbenutzten amerikanischen Hightech-Wanderschuhe wieder, die ich ein Jahr zuvor gekauft hatte, weil ich mir vorgenommen hatte, regelmäßig wandern zu gehen. Außerdem packte ich noch meinen Laptop, ein paar Proteinriegel, einen elektrischen Wasserkocher und löslichen Kaffee ein. Um halb sechs war ich zur Abreise bereit. Mein Auto sprang ohne Probleme an, die Ausfallstraßen waren frei. Um sechs Uhr war ich schon bei Rambouillet. Ich hatte keinen Plan, kein genaues Ziel, nur das sehr vage Gefühl, dass es gut wäre, mich in Richtung Südwesten zu orientieren; sollte es in Frankreich zu einem Bürgerkrieg kommen, würde er den Südwesten nicht so schnell erreichen. Außer dass man dort Enten-Confit aß, wusste ich so gut wie nichts über diese Gegend. Und Enten-Confit und Bürgerkrieg, das passte nicht zusammen. Aber vielleicht täuschte ich mich auch.

Überhaupt kannte ich wenig von Frankreich. Nach meiner Kindheit und Jugend in Maisons-Laffitte, der bürgerlichen Vorstadt *par excellence*, war ich nach Paris gegangen und immer dort geblieben. Nie hatte ich dieses Land bereist, dessen Bürger ich war, wenn auch bislang eher in der Theorie. Ich hatte es allerdings schon einmal vorgehabt, wie der VW Touareg bewies, den ich zusammen mit den Wanderschuhen gekauft hatte. Ein spritziges Auto, angetrieben von einem 4,2-Liter-V8-Dieselmotor mit Common-Rail-Direkteinspritzung, das über 240 km/h schaffte. Es war für lange Autobahnfahrten ausgelegt und würde auch im Gelände bestehen. Ich musste damals von Wochenenden und Ausflügen auf Waldwegen geträumt haben. Letztlich hatte ich aber nichts von alldem umgesetzt, sondern mich damit zufriedengegeben, regelmäßig sonntags gemütlich zum antiquarischen Buchmarkt am Park Georges Brassens zu fahren. Manche Sonntage konnte ich glücklicherweise auch einfach durchvögeln – meistens mit Myriam. Mein Leben wäre öde und freudlos gewesen, wenn ich nicht von Zeit zu Zeit mit ihr gevögelt hätte. Ich hielt am Rasthof Mille Étangs, gleich hinter der Ausfahrt Châteauroux. Ich kaufte mir in der Croissanterie einen Double-Chocolate-Cookie und einen großen Kaffee, dann stieg ich wieder ins Auto und frühstückte hinter dem Lenkrad, an meine Vergangenheit oder an nichts denkend. Der Parkplatz beherrschte die bis auf ein paar Charolais-Kühe verlassen liegende Landschaft. Es war nun schon heller Tag, aber noch immer waberten Nebelschwaden über die Weiden weiter unten. Die Landschaft war hügelig, ganz hübsch, aber es war kein See zu sehen und übrigens auch kein Fluss. An die Zukunft zu denken erschien mir unklug.

Ich schaltete das Autoradio ein. Die Wahlen waren in vollem Gange, bislang lief alles normal ab, François Hollande hatte schon in seiner Hochburg im Département Corrèze gewählt. Die Wahlbeteiligung war, soweit man das zu so früher Stunde abschätzen konnte, hoch, höher als bei den letzten beiden Präsidentschaftswahlen. Die Wahlanalytiker sahen in der hohen

Beteiligung eine Begünstigung der Regierungsparteien zu Ungunsten der extremen Parteien. Andere Analytiker, auf deren Meinung man mindestens ebenso viel gab, meinten genau das Gegenteil. Im Grunde konnte man aus der Wahlbeteiligung derzeit keine Schlüsse ziehen; es war zu früh, um Radio zu hören. Ich schaltete aus und fuhr weiter.

Erst kurz danach bemerkte ich, dass mein Tank zu drei Vierteln leer war. Ich hätte an der Raststätte tanken sollen. Mir fiel auf, dass die Autobahn ungewöhnlich schwach befahren war. Sonntagmorgens ist nie viel los, da atmet die Gesellschaft auf und durch, die Leute geben sich der kurzen Täuschung hin, das Leben eines Individuums zu führen. Trotzdem, ich war jetzt schon rund hundert Kilometer gefahren, ohne ein anderes Auto überholt oder gesehen zu haben. Einzig einen bulgarischen Laster, dessen Fahrer schlaftrunken zwischen der rechten Fahrspur und dem Nothaltestreifen hin und her schlingerte, hatte ich umfahren. Alles war ruhig, ich fuhr an zweifarbigen Windsäcken vorbei, die sich in der sanften Brise bewegten. Die Sonne schien über die Weiden und Wälder wie eine treue Angestellte. Ich schaltete das Radio wieder ein, diesmal umsonst: Auf allen Sendern, die ich auf dem Gerät einprogrammiert hatte, von France Info über Europe 1 bis zu Radio Monte Carlo und RTL, war nur undeutliches Rauschen zu hören. Es war etwas im Gange in Frankreich. Das wusste ich sicher. Ich hätte einfach weiter mit 200 km/h über die französischen Autobahnen brausen können, und vielleicht war das die richtige Lösung, in diesem Land schien nichts mehr zu funktionieren, die Radarfallen womöglich auch nicht. Bei der Geschwindigkeit, dachte ich mir, könnte ich gegen sechzehn Uhr am Grenzübergang Jonquet sein, in Spanien sähe dann alles wieder anders aus, der Bürgerkrieg wäre weit weg, es war einen Versuch wert. Nur dass ich kein Benzin mehr hatte, ja, dieses Problem musste ich schnellstens, bei der nächsten Gelegenheit lösen.

Die nächste Raststätte war Pech-Montat. Sie wirkte auf den Infotafeln nicht sehr einladend: kein Restaurant, keine lokalen Produkte, schlicht und einfach eine Tankstelle. Fünfzig Kilometer später kam der *Jardin des Causses du Lot*, aber so lange konnte ich nicht warten. Ich berappelte mich und sagte mir, dass ich gut in Pech-Montat tanken könne, dafür würde ich in Causses du Lot dann einen Versorgungsstopp einplanen, um Gänseleber, Cabécou und Cahors zu kaufen, die ich dann am selben Abend in einem Hotel an der Costa Brava genießen würde. Ein rundum guter Plan, ein sinnvoller Plan, einer, der sich umsetzen ließ.

Der Parkplatz war menschenleer, und ich bemerkte sofort, dass irgendetwas faul war. Ich bremste den Wagen abrupt ab und fuhr sehr vorsichtig zur Tankstelle vor. Das Ladenfenster war zersprungen, abertausende Glassplitter lagen auf dem Asphalt. Ich stieg aus und näherte mich dem Gebäude: Der Kühlschrank mit den Getränken war ebenfalls zertrümmert, die Regale mit den Zeitungen umgekippt. Die Kassiererin entdeckte ich in einer Blutlache auf dem Boden, sie hatte die Arme, um sich zu schützen, sinnlos vor die Brust gepresst. Totale Stille. Ich ging zu den Zapfsäulen, aber sie funktionierten nicht, vermutlich wurden sie von der Kasse aus gesteuert. Ich lief zurück, stieg widerwillig über die Leiche, entdeckte aber nichts, was dazu dienen konnte, die Pumpen wieder in Gang zu bringen. Nach kurzem Zögern nahm ich mir ein Thunfisch-Sandwich mit Salat, ein alkoholfreies Bier und den Michelin-Hotelführer aus dem Regal.

111

Von den empfohlenen Hotels der Region war das *Relais du Haut-Quercy* in Martel das nächstgelegene. Ich musste nur ein paar Kilometer der D 840 folgen. Als ich die Ausfahrt ansteuerte, nahm ich flüchtig zwei hingestreckte Körper auf dem Lkw-Parkplatz wahr. Ich stieg nochmals aus, näherte mich: In der Tat, zwei junge Nordafrikaner in typischer Vorstadt-Kluft, erschlagen. Sie hatten wenig Blut verloren, waren aber ganz unzweifelhaft tot. Der eine hielt noch eine Maschinenpistole in der Hand. Was war hier wohl passiert? Auf gut Glück versuchte ich noch einmal, einen Radiosender zu empfangen, aber wieder war nur undeutliches Rauschen zu hören.

Ich erreichte Martel ohne Probleme eine Viertelstunde später, die Landstraße führte durch eine liebliche, bewaldete Landschaft. Noch immer hatte ich kein anderes Auto gesichtet und begann mir ernsthaft Fragen zu stellen. Dann sagte ich mir, dass die Leute sich wahrscheinlich zu Hause verbarrikadierten, aus demselben Grund, der mich dazu bewogen hatte, Paris zu verlassen: der Vorahnung einer unmittelbar bevorstehenden Katastrophe.

Das *Relais du Haut-Quercy* war ein großes, zweistöckiges Gebäude aus weißem Kalkstein etwas außerhalb des Dorfes. Ich ging durch das leicht quietschende Tor, durchquerte einen kiesbedeckten Hof und stieg die Treppe zum Empfang hoch. Es war niemand dort. Hinter dem Tresen waren an einer Tafel die Zimmerschlüssel angehängt, kein Schlüssel fehlte. Ich rief mehrmals laut, aber es kam keine Antwort. Ich ging wieder hinaus: Auf der Rückseite des Gebäudes befand sich eine von Rosensträuchern umgebene Terrasse mit kunstvoll verzierten Metallstühlen und kleinen runden Tischen, an denen wohl üblicherweise gefrühstückt wurde. Etwa fünfzig Meter weit folgte ich einem mit Kastanienbäumen gesäumten Weg, der auf eine oberhalb liegende Wiese führte, wo Liegestühle und Sonnenschirme auf künftige Gäste warteten. Einige Minuten lang betrachtete ich die hügelige und friedliche Landschaft, dann kehrte ich zurück zum Hotel. Bei der Terrasse kam mir eine blonde Frau mit einem breiten Tuch in den Haaren entgegen, sie war um die vierzig und trug ein graues Wollkleid. Sie schreckte auf, als sie mich erblickte. »Das Restaurant ist geschlossen«, sagte sie abwehrend. Ich erwiderte, ich suche nur ein Zimmer. »Wir machen auch kein Frühstück«, fügte sie noch hinzu, bevor sie mir sichtlich widerwillig ein Zimmer anbot.

Sie begleitete mich in die erste Etage, öffnete eine Tür und hielt mir einen winzigen Zettel hin: »Das Tor ist ab zweiundzwanzig Uhr abgeschlossen, danach brauchen Sie den Code«, erklärte sie und entfernte sich ohne ein weiteres Wort.

Mit geöffneten Fensterläden wirkte das Zimmer gar nicht unfreundlich – bis auf die fahlroten Tapeten mit den Jagdszenen. Vergeblich versuchte ich, ein wenig fernzusehen. Ich konnte keinen einzigen Sender empfangen, nur ein verrauschtes Bild aus Millionen von Pixeln. Das Internet funktionierte nicht besser. Es gab mehrere Netze, die mit »Bbox« oder »SFR« begannen – vermutlich von den Dorfbewohnern –, aber nirgends stand etwas von *Relais du Haut-Quercy*. In einer Schublade entdeckte ich eine Broschüre für die Gäste mit Informationen über touristische Sehenswürdigkeiten des Dorfes und die Gastronomie des Quercy; nichts zum Thema Internet. Das Surfen im Internet gehörte offensichtlich nicht zu den Hauptbeschäftigungen der Hotelgäste.

Ich räumte meine Sachen weg, hängte ein paar Kleidungsstücke auf, die ich auf Kleiderbügeln mitgebracht hatte, schloss meinen Wasserkocher und die elektrische Zahnbürste an und schaltete mein Handy ein, um festzustellen, dass keine Nachrichten für mich eingegangen waren.

Schließlich fragte ich mich, was ich eigentlich hier machte. Eine sehr allgemeine Frage, die sich jeder Mensch an jedem Ort in jedem Moment seines Lebens stellen kann. Als Alleinreisender setzt sie einem, das muss man sich eingestehen, besonders zu. Mit Myriam an meiner Seite hätte ich natürlich auch keinen besseren Grund gehabt, in Martel zu sein, aber ich hätte mir die Frage so nie gestellt. Ein Paar hat seine eigene autonome und geschlossene Welt, die sich durch eine andere, größere Welt bewegt, ohne von ihr berührt zu werden; aber ich war allein, voller Unsicherheiten, ich musste meinen Mut zusammennehmen, um mich mit der Broschüre in der Jackentasche hinaus ins Dorf zu wagen.

In der Mitte der Place des Consuls stand ein offensichtlich sehr altes Kornlager; ich kannte mich mit Architektur so gut wie gar nicht aus, aber die aus einem schönen hellen Stein gebauten Häuser, die es umgaben, hatten mit Sicherheit schon einige Jahrhunderte überdauert. Ich hatte Gebäude dieser Art im Fernsehen gesehen, meistens in Sendungen mit Stéphane Bern, und diese hier waren genauso schön, sogar schöner. Eines der Häuser war sehr groß, fast ein Palast, mit Arkaden aus Spitzbogen und Türmchen; als ich näher kam, konnte ich sehen, dass das Hôtel de la Raymondie zwischen 1280 und 1350 errichtet worden und ursprünglich eine Festung in Besitz der Vicomtes de Turenne gewesen war.

Mit dem übrigen Dorf war es ähnlich. Ich ließ mich durch pittoreske und verlassene Gassen treiben, bis ich zur Kirche Saint-Maur kam, einem massiven Bau mit wenigen Fenstern. Es handelte sich um eine Wehrkirche, errichtet, um den Angriffen der Ungläubigen standzuhalten, von denen es in dieser Region viele gab, wie ich aus der Broschüre erfuhr.

Die D840, die sich durch das Dorf zog, führte weiter in Richtung Rocamadour. Ich hatte schon von Rocamadour gehört, es war eine bekannte touristische Sehenswürdigkeit mit vielen Sternchen im Michelin-Führer, ich fragte mich, ob ich Rocamadour nicht sogar schon einmal in einer Sendung von Stéphane Bern *gesehen* hatte, aber es waren doch immerhin zwanzig Kilometer bis dorthin; ich entschied mich für eine kleinere und kurvenreiche Landstraße, die nach Saint-Denis-lès-Martel führte. Hundert Meter weiter stieß ich auf eine winzige gestrichene Bretterbude, wo man Fahrscheine für eine Touristen-Bahn mit Dampflok kaufen konnte, die durch das Dordogne-Tal fuhr. Das klang interessant. Trotzdem wäre es zu zweit schöner gewesen, sagte ich mir in einer Stimmung genüsslicher Düsternis. Ohnehin war in der Bude niemand. Myriam war seit einigen Tagen in Tel Aviv, sicher hatte sie schon Zeit gefunden, sich nach den Immatrikulationsbedingungen an der Universität zu erkundigen, vielleicht hatte sie schon alle nötigen Unterlagen besorgt, oder sie war einfach an den Strand gegangen. Den hatte sie immer gemocht, wir waren nie zusammen in die Ferien gefahren, sagte ich mir, ich tat mich immer schwer damit, ein Reiseziel auszuwählen, etwas zu reservieren; ich behauptete immer, dass mir Paris im August so gut gefalle, aber die Wahrheit ist: Ich war einfach nicht in der Lage, es aus der Stadt herauszuschaffen.

Ein Feldweg führte rechts an den Gleisen entlang. Nach einem Kilometer sanften Anstiegs mitten durch üppig belaubten Wald kam ich an einen Aussichtspunkt samt Orientierungstafel. Das Piktogramm einer Faltkamera wies auf den touristischen Wert dieser Umgebung hin.

Unten im Tal floss die Dordogne, auf beiden Seiten von rund fünfzig Meter hohen Kalksteinfelsen eingefasst, und folgte auf obskure Weise ihrer geologischen Bestimmung. Diese Region war seit Urzeiten bewohnt, lehrte mich eine pädagogische Informationstafel; der Cro-Magnon-Mensch hatte den Neandertaler allmählich vertrieben, der sich nach Spanien zurückzog, bis er schließlich ganz verschwand.

Ich setzte mich an den Rand des Felsens und versuchte einigermaßen erfolglos, mich in die Betrachtung der Landschaft zu vertiefen. Nach einer halben Stunde holte ich das Telefon heraus und wählte Myriams Nummer. Sie wirkte überrascht, aber froh, mich zu hören. Alles gut, sagte sie, sie hätten eine schöne, helle Wohnung im Stadtzentrum; nein, um ihre Einschreibung an der Uni habe sie sich noch nicht gekümmert; wie es mir gehe. Gut, log ich, aber sie fehle mir ziemlich. Sie musste versprechen, mir so bald wie möglich eine sehr lange E-Mail zu schreiben, um mir alles zu berichten – erst später fiel mir ein, dass ich keine Internetverbindung hatte.

Das Geräusch von Küssen am Telefon hatte ich immer gehasst und mich deshalb nie dazu überwinden können, selbst in ganz jungen Jahren nicht, und nun, mit über vierzig, fand ich es schlichtweg lächerlich; trotzdem zwang ich mich dazu. Nachdem wir geendet hatten, überkam mich schreckliche Einsamkeit, ich spürte, dass ich nie wieder den Mut haben würde, Myriam anzurufen, das Gefühl der Nähe, das am Telefon entstand, war zu heftig, die Leere danach zu grausam.

Mein Versuch, mich für die natürlichen Schönheiten der Landschaft zu interessieren, war offenbar zum Scheitern verurteilt; ich probierte es trotzdem hartnäckig weiter, und als der Abend dämmerte, bewegte ich mich in Richtung Martel zurück. Der Cro-Magnon-Mensch jagte Mammuts und Rentiere. Der Mensch von heute hatte die Wahl zwischen einem Auchan und einem Leclerc, die sich beide in Souillac befanden. Die einzigen Geschäfte im Dorf waren eine – verriegelte – Bäckerei und ein Café an der Place des Consuls, das anscheinend ebenfalls geschlossen war, es standen keine Tische auf dem Platz. Dennoch fiel ein schwacher Lichtschein von dort nach draußen; ich drückte die Tür auf und trat ein.

Etwa vierzig Männer verfolgten in absolutem Stillschweigen eine BBC-News-Reportage, die auf einem hoch angebrachten Fernseher im hinteren Teil des Raumes lief. Niemand nahm Notiz von mir. Es waren offenbar Einheimische, fast alles Rentner, der Rest allem Anschein nach Handwerker. Ich hatte lange keine Gelegenheit mehr gehabt, Englisch zu reden, der Kommentator sprach zu schnell und ich verstand nicht viel; den anderen schien es ähnlich zu gehen. Die Bilder, die aus verschiedenen Ecken des Landes kamen, aus Mülhausen, Trappes, Stains, Aurillac, zeigten nichts Besonderes: Mehrzweckräume, Kindergärten, Turnhallen. Erst der Auftritt eines im gleißenden Scheinwerferlicht sehr blass wirkenden Manuel Valls auf dem Vorplatz des Hôtel Matignon brachte Aufklärung über die Fakten: Rund zwanzig Wahllokale in ganz Frankreich waren am frühen Nachmittag von bewaffneten Banden überfallen worden. Man habe keine Opfer zu beklagen, es seien aber Urnen entwendet worden. Bisher habe sich niemand dazu bekannt. Die Regierung habe unter diesen Umständen keine andere Möglichkeit, als die Wahlen abzubrechen. Später am Abend solle es eine Krisensitzung geben, der Regierungschef werde angemessene Maßnahmen ankündigen. Die Gesetze der Republik, so schloss er ziemlich geistlos, garantierten schließlich Recht und Ordnung.

Ich wachte um sechs Uhr auf und stellte fest, dass es wieder Fernsehempfang gab. Auf iTélé war das Bild schlecht, aber auf BFM tadellos. Alle Sendungen drehten sich um die Ereignisse am Vortag. Die Berichterstatter unterstrichen die extreme Anfälligkeit des demokratischen Verfahrens. Das Wahlgesetz war eindeutig: Das Abhandenkommen der Ergebnisse eines einzigen Wahllokals genügte, um die gesamte Wahl für ungültig zu erklären. Die Berichte betonten ebenfalls, dass es das erste Mal gewesen sei, dass eine Gruppierung sich diese Schwachstelle im Gesetz zunutze gemacht habe. Spät in der Nacht hatte der Premierminister angekündigt, ab dem kommenden Sonntag würden Neuwahlen organisiert werden, allerdings werde man sämtliche Wahllokale unter den Schutz der Armee stellen.

Über die politischen Konsequenzen der Ereignisse waren die Kommentatoren dieses Mal uneins. Ich verbrachte einen guten Teil des Vormittags damit, die Kontroversen zu verfolgen, ehe ich mit einem Buch in der Hand in den Park ging. Politische Konflikte hatte es auch zu Huysmans' Zeiten gegeben. Damals hatten die ersten anarchistischen Attentate stattgefunden; außerdem war es die Zeit der mit für heutige Verhältnisse unerhörter Gewalt durchgeführten antiklerikalen Politik unter der Regierung des »kleinen Vaters Combes« gewesen; die Regierung hatte die Enteignung von Kirchengütern und die Auflösung von Ordensgemeinschaften angeordnet. Von Letzterer war Huysmans persönlich betroffen, denn er wurde gezwungen, das Kloster von Ligugé, in dem er Zuflucht gefunden hatte, zu verlassen. Politischen Fragen kam in seinem Werk nur minimale Bedeutung zu, alles in allem scheint ihn das nicht weiter beschäftigt zu haben.

Ich hatte schon immer das Kapitel in *Gegen den Strich* gemocht, in dem des Esseintes, nachdem er sich, inspiriert von einer aufgefrischten Dickens-Lektüre, eine Reise nach London ausgemalt hat, in einer Taverne in der Rue d'Amsterdam festklebt, unfähig, sich von seinem Tisch loszureißen. »Ein unendlicher Widerwille vor der Reise und ein unabweisliches Bedürfnis, still sitzen zu bleiben, brachen sich immer gebieterischer, immer beharrlicher Bahn…« Mir war es immerhin gelungen, aus Paris herauszukommen, zumindest hatte ich den Lot erreicht, sagte ich mir, während ich die in leichtem Wind schaukelnden Kastanienzweige betrachtete. Mir war klar, dass ich es mir besonders schwer gemacht hatte: Als Alleinreisender erweckt man zunächst Misstrauen, ja sogar Feindseligkeit, erst nach und nach gewöhnen die Menschen sich an einen, die Hotelinhaber wie die Restaurantbesitzer, sie denken dann, dass sie es letztlich doch nur mit einem prinzipiell harmlosen Eigenbrötler zu tun haben.

Und tatsächlich, als ich am frühen Nachmittag in mein Zimmer zurückkehrte, begrüßte die Chefin mich mit einiger Herzlichkeit und berichtete mir, dass das Restaurant noch am selben Abend den Betrieb wieder aufnehme. Es waren neue Gäste angekommen, ein englisches Paar um die sechzig – der Mann wirkte wie ein Intellektueller, womöglich ein Professor; die Art von Mann, die unerbittlich noch die abgelegenste Kapelle aufsucht, einer, dem man in Sachen »romanischer Stil von Quercy« oder »Einfluss der Schule von Moissac« nichts vormachen konnte, mit solchen Leuten gab es keine Probleme.

Sowohl auf iTélé als auch auf BFM sprach man über die Konsequenzen, die die Verschiebung der zweiten Runde der Präsidentschaftswahlen nach sich ziehen würde. Der Parteivorstand der Sozialisten tagte, der Vorstand der Bruderschaft der Muslime ebenfalls. Selbst der Vorstand der UMP hatte es für nötig befunden, sich zu beraten. Die Journalisten verbargen recht geschickt, dass sie trotz der Konferenzschaltungen in die Rue de Solférino, die Rue de Vaugirard und den Boulevard Malesherbes keinerlei zuverlässige Informationen besaßen.

Gegen siebzehn Uhr ging ich noch einmal hinaus: Langsam erwachte das Dorf wieder zum Leben, die Bäckerei war geöffnet, Fußgänger schlenderten über die Place des Consuls. Sie entsprachen einigermaßen dem Bild, das ich mir von Bewohnern eines kleinen Dorfes am Lot gemacht hätte. Im Café des Sports war es ziemlich leer, der Hunger nach Berichten über die letzten politischen Ereignisse war gestillt, auf dem Fernseher hinten im Raum lief Télé Monte Carlo. Ich hatte eben mein Bier ausgetrunken, da hörte ich eine Stimme, die mir bekannt vorkam. Ich drehte mich um: An der Kasse stand Alain Tanneur und bezahlte eine Packung Zigarillos der Marke Café Crème. Unter seinem Arm klemmte eine Bäckereitüte, aus der ein Landbrot hervorschaute. Der Ehemann von Marie-Françoise drehte sich seinerseits um, und sein Gesicht nahm einen Ausdruck der Überraschung an.

Später, vor einem weiteren Bier sitzend, erklärte ich, dass ich zufällig hier sei, und erzählte, was ich an der Tankstelle von Pech-Montat gesehen hatte. Er hörte mir aufmerksam zu, ohne wirklich überrascht zu sein. »Das dachte ich mir ...«, sagte er, als ich mit meinem Bericht fertig war. »Ich dachte mir schon, dass es neben den Übergriffen auf die Wahllokale noch zu weiteren Zusammenstößen gekommen sein muss, von denen in den Medien keine Rede war. In ganz Frankreich muss es noch viel mehr solcher Zwischenfälle gegeben haben.«

Seine eigene Anwesenheit in Martel war kein Zufall: Er besitze hier ein Haus, das früher seinen Eltern gehört habe, er sei sozusagen ein Einheimischer und plane, sich mit Erreichen des Rentenalters nach Martel zurückzuziehen, also sehr bald. Sollte der muslimische Kandidat gewinnen, werde Marie-Françoise mit ziemlicher Sicherheit ihren Lehrstuhl verlieren, an einer islamischen Universität könne keine Frau mehr lehren, das wäre ganz und gar unmöglich. Und er, seine Stelle beim DGSI, beim Inlandsgeheimdienst? »Man hat mich vor die Tür gesetzt«, antwortete er mit unterdrückter Wut.

»Freitagmorgen hat man mich vor die Tür gesetzt, mich und mein ganzes Team«, erzählte er weiter. »Es ging alles sehr schnell, man hat uns zwei Stunden gegeben, um unsere Büros zu räumen.«

»Wissen Sie, warum?«

»O ja! O ja, ich weiß, warum ... Am Donnerstag hatte ich meinen Vorgesetzten einen Bericht zukommen lassen, der davor warnte, dass es in verschiedenen Gegenden zu Vorfällen kommen könnte. Vorfälle, die den Wahlablauf stören sollten. Sie haben nichts unternommen – und mich am nächsten Tag vor die Tür gesetzt.« Er ließ mir etwas Zeit, die Nachricht zu verdauen, dann schloss er: »Nun? ... Welche Schlüsse lässt das Ihrer Ansicht nach zu?«

»Meinen Sie etwa, die Regierung *wollte*, dass der Wahlablauf unterbrochen wird?«

Er nickte langsam. »Vor einer Untersuchungskommission

könnte ich es nicht beweisen, mein Bericht war zu ungenau. Ich war beispielsweise sicher, dass in Mülhausen und Umgebung etwas passieren würde, nachdem ich die Memos meiner Informanten abgeglichen hatte. Ich hätte aber absolut nicht sagen können, ob es im Wahllokal Mülhausen 2, Mülhausen 5 oder Mülhausen 8 geschehen würde. Alle Lokale zu bewachen hätte einen großen Aufwand bedeutet. Und so verhielt es sich mit allen potenziellen Zielen. Meine Vorgesetzten könnten leicht argumentieren, das wäre nicht das erste Mal, dass der DGSI auf hinnehmbare Risiken mit übertriebener Panikmache reagiere. Aber ich sage es Ihnen noch einmal, meine Überzeugung war eine deutlich andere.«

»Wissen Sie etwas über die Hintergründe dieser Aktionen?«

»Es ist genau so, wie Sie es sich denken.«

»Die Identitären?«

»Zum einen, ja. Auf der anderen Seite junge Dschihadisten. Übrigens stehen sich damit zwei zahlenmäßig in etwa gleich starke Gruppen gegenüber.«

»Und Sie glauben, dass die mit der Bruderschaft der Muslime in Verbindung stehen?«

»Nein.« Er schüttelte entschieden den Kopf. »Ich habe diesem Thema fünfzehn Jahre meines Lebens gewidmet; man hat nie den kleinsten Hinweis auf eine Verbindung, einen Kontakt finden können. Dschihadisten sind Salafisten, die auf die falsche Bahn geraten sind; sie setzen auf Gewalt, nicht auf Predigt. Dennoch bleiben sie Salafisten, und für die ist Frankreich ein Land der Ungläubigen, *Dār al-Kufr*. Für die Bruderschaft der Muslime hingegen gehört Frankreich potenziell schon zum *Dār al-Islām*. Vor allem aber liegt für die Salafisten die Macht allein bei ihrem Gott, schon das Prinzip einer

Volksvertretung ist gottlos, nie würden sie eine politische Partei gründen oder unterstützen. Aber obwohl die jungen Dschihadisten im Bann des weltweiten Dschihad stehen, wünschen sie sich im Grunde trotzdem, dass Ben Abbes die Wahlen gewinnt. Sie glauben nicht an ihn, sie halten den Dschihad für den einzigen Weg, aber sie würden ihm auch keine Steine in den Weg legen. Mit dem Front National und den Identitären verhält es sich ganz genauso. Für die Identitären ist der einzig richtige Weg der Bürgerkrieg; aber einige standen früher dem Front National nahe, ehe sie sich zu radikalisieren begannen, und sie würden nichts tun, was ihm schaden könnte. Beide, die Bruderschaft der Muslime und der Front National, haben seit ihrer Gründung den Weg über die Urnen gewählt. Sie haben darauf gesetzt, dass sie an die Macht kommen können, wenn sie die Spielregeln der Demokratie einhalten. Was seltsam ist – man kann es auch zum Lachen finden: Sowohl die europäischen Identitären als auch die Dschihadisten sind bis vor ein paar Tagen noch davon ausgegangen, dass die jeweils anderen bei den Wahlen siegen würden und ihnen nichts anderes übrig bliebe, als die Wahlen zu torpedieren.«

»Und wer hat Ihrer Meinung nach recht?«

»Also, das kann ich wirklich nicht sagen ...« Erstmals entspannte Tanneur sich ein wenig, er lächelte offen. »Es gibt da diese Legende, die noch aus alten Geheimdienstzeiten herrührt; sie besagt, dass wir Zugang zu vertraulichen, nie veröffentlichten Umfragen hätten. Im Grunde eine Kinderei ... aber eine, die sich in gewisser Weise bis heute gehalten hat. Demnach kamen die geheimen Wahlumfragen genau auf die gleichen Ergebnisse wie die offiziellen Umfragen: *fifty-fifty*, bis auf die Zahl hinter dem Komma.«

Ich bestellte noch zwei Bier. »Sie müssen unbedingt zum Essen bei uns vorbeikommen«, sagte Tanneur. »Marie-Françoise wird sich freuen, Sie zu sehen. Ich weiß, dass der Verlust ihrer Stelle an der Universität ihr sehr zu schaffen macht. Mir ist das mehr oder weniger gleich, in zwei Jahren gehe ich ohnehin in Rente. Ein schönes Ende ist das natürlich nicht, aber ich bekomme die volle Rente, ohne Abzüge, so viel ist sicher, und wohl noch eine Sonderzulage. Ich glaube, man wird alles tun, um zu verhindern, dass ich Schwierigkeiten mache.«

Der Kellner brachte unser Bier und eine Schale Oliven. Das Café hatte sich gefüllt, die Leute unterhielten sich lautstark, offensichtlich kannten sich alle untereinander, manche grüßten Tanneur, als sie an unserem Tisch vorbeikamen. Nachdenklich knabberte ich zwei Oliven. Etwas an den Abläufen verstand ich nicht ganz; warum nicht mit ihm darüber sprechen? Vielleicht hatte er eine Meinung dazu, er schien zu vielen Dingen eine Meinung zu haben. Ich bereute es, das politische Geschehen bislang nur nebenher, nur oberflächlich verfolgt zu haben.

»Eins begreife ich nicht«, setzte ich nach einem Schluck Bier an. »Was erhoffen sich die Leute von ihren Übergriffen auf die Wahllokale? Die Wahlen werden so oder so in einer Woche unter dem Schutz der Armee stattfinden. Und wenn das Kräfteverhältnis sich nicht verändert hat, bleibt das Resultat weiterhin ungewiss. Es sei denn, es würde gelingen, die Identitären für die Vorfälle verantwortlich zu machen, wovon die Bruderschaft der Muslime profitieren würde – oder anders herum die Bruderschaft, wovon dann der Front National profitieren würde.«

»Nein, so viel kann ich sicher sagen: Man wird weder in der einen noch in der anderen Richtung etwas beweisen können –

und das wird auch niemand versuchen. Auf der politischen Ebene wird allerdings viel passieren, wahrscheinlich schon morgen. Eine erste Vermutung ist, dass die UMP ein Wahlbündnis mit dem Front National eingeht. Mit der UMP ist nicht mehr viel los, die befindet sich im freien Fall. Es wäre aber noch eine Möglichkeit, den Wind zu drehen und auf diese Weise die Wahlen zu entscheiden.«

»Ich weiß nicht, das kann ich nicht glauben ... Mir scheint, wenn das der Plan wäre, hätte man es schon vor Jahren machen können.«

»Da haben Sie absolut recht!«, rief er mit einem breiten Lächeln aus. »Anfangs war der Front National zu allem bereit, um sich mit der UMP zu verbünden und Teil der Regierungsmehrheit zu werden. Nach und nach ist er aber gewachsen und hat in den Umfragen zugelegt. Die UMP hat kalte Füße bekommen. Nicht, weil ihnen der Front National zu populistisch oder faschistisch wäre – die UMP-Chefs hätten kein Problem damit, ausländerfeindliche oder die innere Sicherheit stärkende Maßnahmen durchzusetzen. Die sind ihren Wählern – also denen, die noch übrig sind – ohnehin ein Anliegen. Tatsächlich aber ist die UMP heute bei Weitem das schwächste Glied des Bündnisses. Wenn sie jetzt ein Wahlbündnis eingeht, muss sie befürchten, von ihrem Partner geschluckt zu werden. Außerdem wäre da noch die Sache mit Europa, der eigentliche Kernpunkt. Das Parteiprogramm der UMP sieht ebenso wie das der Sozialistischen Partei vor, Frankreich verschwinden zu lassen, es in eine Europäische Föderation zu integrieren. Die UMP-Wähler wünschen das natürlich nicht, aber den UMP-Chefs gelingt es seit Jahren, das Thema stillschweigend zu übergehen. Wenn die UMP ein Bündnis mit einer offen europafeindlichen Partei eingingge, könnte sie nicht länger dazu schweigen – und das wäre es dann mit dem Bündnis. Ich glaube darum an die zweite Hypothese: die Gründung einer republikanischen Front, der sich sowohl die UMP als auch die Sozialistische Partei anschließen würden, mit dem Ziel, den muslimischen Kandidaten Ben Abbes zu unterstützen – wohlgemerkt unter der Voraussetzung, an der Regierung beteiligt zu werden und Vereinbarungen für die kommenden Legislaturperioden zu treffen.«

»Das erscheint mir ebenfalls schwierig, also, es würde mich überraschen.«

»Und wieder haben Sie absolut recht!« Er lächelte abermals, rieb sich die Hände, das alles schien ihn prächtig zu amüsieren.» Aber es ist aus einem anderen Grund nicht einfach. Es ist *schwierig*, weil es überraschend ist, weil es das nie zuvor gegeben hat, jedenfalls nicht seit der Befreiung. Die Opposition rechts – links prägt das politische Spiel schon so lange, dass es uns undenkbar erscheint, da herauszukommen. Dabei ist es an sich nicht schwierig. Die UMP und die Bruderschaft der Muslime trennt weniger als die UMP und die Sozialisten. Ich erinnere mich, dass wir bei unserer ersten Begegnung davon sprachen: Wenn die Sozialistische Partei letztendlich in Fragen des Bildungswesens nachgegeben hat, wenn es zu einer Einigung mit der Bruderschaft der Muslime gekommen ist, wenn innerhalb der Partei die antirassistischen Tendenzen den laizistischen überlegen waren, dann deshalb, weil die Sozialisten mit dem Rücken zur Wand standen, weil sie keinen anderen Ausweg hatten. Die UMP tut sich damit nicht so schwer, sie steht kurz vor der Auflösung und hat dem Bildungswesen ohnehin nie viel Bedeutung beigemessen, es ist ihr an sich fremd. Andererseits müssen UMP und Sozialisten sich an den Gedanken gewöhnen, gemeinsam zu regieren; für beide ist das absolut neu, es ist genau das Gegenteil dessen, wofür sie sich eingesetzt haben, seit sie auf der politischen Bühne eine Rolle spielen. Es gibt natürlich noch eine dritte Möglichkeit – dass nämlich gar nichts passiert. Dass keine Einigung gefunden wird und diese Stichwahl exakt wie die erste abläuft, in der gleichen Ungewissheit. Das ist sogar der wahrscheinlichste Ausgang, wenn auch der bedenklichste. Niemals in der Geschichte der fünften Republik war ein Wahlausgang ungewisser. Vor allem aber hat keine der beiden möglichen Koalitionen Regierungserfahrung, weder auf nationaler noch auf lokaler Ebene. Es sind politische Amateure.«

Er trank sein Bier aus und blickte mich mit seinen vor Klugheit funkelnden Augen an. Unter seinem Jackett mit den Prince-of-Wales-Karos trug er ein Polohemd; er war freundlich, scharfsinnig und illusionslos. Sicher hatte er *Historia* abonniert. Vor meinem geistigen Auge sah ich eine Sammlung gebundener *Historia*-Bände in einem Bücherregal neben dem Kamin stehen, eine Auswahl spezieller Themen, »Die Hintergründe von Françafrique« oder »Die Geschichte der Geheimdienste seit dem Zweiten Weltkrieg«, so in der Art. Vermutlich war er von den Verfassern dieser Werke schon interviewt worden oder würde es bald werden. Über manche Themen müsste er sich in Schweigen hüllen, über andere würde er sich zu sprechen befugt fühlen.

»Nun, sind Sie mit morgen Abend einverstanden?«, fragte er, nachdem er den Kellner per Handzeichen um die Rechnung gebeten hatte. »Ich komme Sie im Hotel abholen, Marie-Françoise wird sich freuen, wirklich.«

Auf der Place des Consuls dämmerte der Abend heran, die untergehende Sonne tauchte den hellen Stein in fahlgelbes Licht. Wir standen dem Hôtel de la Raymondie gegenüber.

»Es ist ein altes Dorf, nicht wahr?«, fragte ich ihn.

»Sehr alt. Und es heißt nicht zufällig ›Martel‹. Alle wissen, dass Karl Martell 732 die Araber bei Poitiers geschlagen und damit die Ausbreitung der Muslime nach Norden gestoppt hat – eine entscheidende Schlacht, die den wahren Beginn des christlichen Mittelalters markiert. Aber ganz so klar war die Sache nicht, die Eroberer haben sich nicht sofort zurückgezogen, Martell hat in der Aquitaine noch einige Jahre gegen sie Krieg geführt. Er gewann abermals eine Schlacht und beschloss, zum Dank eine Kirche errichten zu lassen. Sie trug sein Wappen, drei sich überkreuzende Hämmer. Das Dorf ist nach und nach um die Kirche herum entstanden, die später zerstört und wieder aufgebaut wurde. Es stimmt, dass Christen und Muslime sich viel bekriegt haben. Krieg zu führen gehört seit jeher zu den elementarsten Handlungen des Menschen, es liegt in seiner *Natur*, wie Napoleon sagte. Jetzt ist es an der Zeit für eine gütliche Einigung mit dem Islam, Zeit für eine Allianz, wie ich meine.«

Ich reichte ihm zum Abschied die Hand. Er übertrieb es ein wenig mit seiner Rolle des Geheimdienst-Veterans, des weisen Alten, aber schließlich war seine Entlassung noch ganz frisch, ich hatte Verständnis dafür, dass er Zeit brauchte, um sich an seine neue Rolle zu gewöhnen. Ich freute mich jedenfalls über die Einladung für den nächsten Abend, der Porto würde von guter Qualität sein, so viel war sicher, vom Essen dürfte man das wohl auch behaupten, Tanneur war nicht der Typ für leichte Küche.

»Schalten Sie morgen den Fernseher an, die politischen Sendungen ...«, sagte er, bevor er ging. »Ich wette mit Ihnen, es passiert was.«

Kurz nach vierzehn Uhr schlug dann die Nachricht wie eine
Bombe ein: UMP, UDI und PS hatten sich darauf geeinigt,
eine Regierungsvereinbarung für eine »erweiterte republikanische Front« zu unterzeichnen, und schlossen sich dem
Kandidaten der Bruderschaft der Muslime an. Hektisch lösten
die Journalisten der Nachrichtensender einander den ganzen
Nachmittag lang ab im Versuch, etwas mehr über die konkre-
ten Details der Vereinbarung und die Verteilung der Minis-
terposten zu erfahren, bekamen aber immer die gleichen Antworten: Es sei müßig, politische Spekulationen anzustellen,
die nationale Einheit sei unbedingt zu erhalten, die Wunden
eines gespaltenen Landes seien zu heilen usw. All das war
vollkommen erwartbar und vorhersehbar – für die Rückkehr
François Bayrous in die erste Reihe auf der politischen Bühne
galt das schon weniger. Er hatte sich in der Tat auf einen Han-
del mit Mohammed Ben Abbes eingelassen: Dieser hatte sich
dazu verpflichtet, Bayrou zum Premierminister zu ernennen,
wenn er als Sieger aus den Präsidentschaftswahlen hervor-
ginge.

Der betagte Politiker aus dem Béarn, der in eigentlich allen
Wahlen, zu denen er sich in den zurückliegenden dreißig Jah-
ren hatte aufstellen lassen, unterlegen war, bemühte sich mit
Unterstützung verschiedener Magazine darum, von sich das
Bild eines *standhaften* Mannes zu vermitteln; das heißt, er
ließ sich regelmäßig vor dem Hintergrund einer von Weiden

und kultivierten Feldern geprägten Landschaft fotografieren, für gewöhnlich in Labourd, auf einen Hirtenstab gestützt und in einen Umhang gehüllt. Das Bild, das er in diversen Interviews zu erzeugen versuchte, war das gaullistische Bild eines *Mannes, der Nein gesagt hat.*

»Bayrou! Das ist eine geniale Idee, absolut genial!«, rief Alain Tanneur aus, als er mich erblickte, und bebte dabei buchstäblich vor Begeisterung. »Ich muss zugeben, darauf wäre ich nie gekommen. Er ist wirklich sehr stark, dieser Ben Abbes…«

Marie-Françoise empfing mich mit einem breiten Lächeln; sie wirkte nicht nur erfreut, mich zu sehen, sondern erweckte insgesamt einen ausgesprochen gut gelaunten Eindruck. Wenn man sie so sah, wie sie in ihrer Küchenschürze vor der Arbeitsplatte herumwirbelte, mit einem humorigen Spruch in der Art von: »Beschimpfen Sie nicht die Köchin, der Chef kümmert sich persönlich«, dann konnte man sich nur schwer vorstellen, dass sie noch vor wenigen Tagen Doktorandenseminare über die ganz und gar ungewöhnlichen Umstände geleitet hatte, unter denen Balzac die Druckfahnen seines Romans *Beatrix* korrigiert hatte. Sie hatte köstliche Törtchen mit Entenhals und Schalotten vorbereitet. Ihr Ehemann, der ganz aus dem Häuschen war, öffnete erst eine Flasche Cahors und direkt danach eine Flasche Sauternes, bevor ihm einfiel, dass ich unbedingt seinen Porto probieren müsste. Ich vermochte im Augenblick überhaupt nicht nachzuvollziehen, wie man die Rückkehr von François Bayrou in die Politik für eine *geniale Idee* halten konnte; allerdings war ich sicher, dass Tanneur seine Einschätzung sehr bald erläutern würde. Marie-Françoise sah ihn wohlwollend an, ganz offensichtlich erleichtert darüber, dass ihr Mann seine Entlassung so gut verkraftet und in seine neue Rolle als *Salon-Stratege* hineingefunden hatte. Die konnte er auf gewinnbringende Art und Weise vor dem Bürgermeister, dem Arzt, dem Notar, schlichtweg vor allen angesehenen lokalen Persönlichkeiten spielen, die in den großen Provinzstädten immer noch sehr gegenwärtig waren. In ihren Augen wäre er nach wie vor vom Nimbus einer Karriere beim Geheimdienst umgeben. Ihr gemeinsamer Ruhestand stand zweifellos unter besten Vorzeichen.

»Was Bayrou so einzigartig, so unersetzlich macht«, fuhr Tanneur begeistert fort, »ist seine Dämlichkeit. Sein politischer Entwurf ist immer auf seinen persönlichen Wunsch beschränkt geblieben, unter allen Umständen ein ›hohes Amt‹ zu bekleiden, wie man so schön sagt. Er hat nie eigene Vorstellungen gehabt und auch nicht so getan, als hätte er welche; in diesem Ausmaß ist das durchaus selten. Das macht ihn zum idealen, den Begriff des Humanismus verkörpernden Politiker, zumal er sich für Heinrich IV. hält und für einen großartigen Friedensstifter im Dialog der Religionen. Darüber hinaus erfreut er sich bei der katholischen Wählerschaft, die seine Dämlichkeit beruhigt, größter Beliebtheit. Genau das ist es, was Ben Abbes braucht, der in allererster Linie einen neuen Humanismus verkörpern und den Islam als vollendete Form eines alles wieder vereinigenden Humanismus darstellen möchte und der es im Übrigen vollkommen ehrlich meint, wenn er erklärt, dass er die drei Buchreligionen respektiert.«

Marie-Françoise bat uns, am Tisch Platz zu nehmen; sie hatte einen Saubohnensalat mit Löwenzahn und Parmesanraspeln vorbereitet. Es schmeckte so köstlich, dass ich für einen Moment lang vergaß, den Ausführungen ihres Mannes zu folgen. Zwar seien die Katholiken in Frankreich quasi verschwunden, fuhr er fort, doch schienen sie stets von einer Art moralischer Autorität umhüllt zu sein. Jedenfalls habe Ben Abbes von Anfang an alles dafür getan, sich ihre Gunst zu sichern: Im Laufe des letzten Jahres sei er nicht weniger als drei Mal im Vatikan gewesen. Obwohl ihn allein schon wegen seiner Herkunft die Aura eines Interessenvertreters der Dritten Welt umgebe, habe er es verstanden, die konservative Wählerschaft zu beruhigen. Im Gegensatz zu seinem früheren Rivalen Tariq Ramadan, den seine Verbindungen zu den Trotzkisten belasteten, habe es Ben Abbes immer vermieden, sich mit der antikapitalistischen Linken einzulassen; die liberale Rechte hatte den »Kampf der Ideen« gewonnen, das habe er sehr genau begriffen, die Jungen seien *unternehmerorientiert* und die Herrschaft der Marktwirtschaft sei einhellig anerkannt. Doch was eigentlich die Genialität des muslimischen Führers ausmache, sei, dass er verstanden habe, dass Wahlen nicht auf dem Feld der Wirtschaft, sondern auf dem der Werte entschieden würden; und auch hier schicke sich die Rechte an, den »Kampf der Ideen« zu gewinnen, und das, ohne überhaupt kämpfen zu müssen. Während Ramadan die Scharia als eine bahnbrechende, ja sogar revolutionäre Option darstelle, betone Ben Abbes ihre beruhigende, traditionelle Bedeutung und versehe sie mit einem Hauch Exotismus, der sie überdies begehrenswert mache. In Bezug auf die Stärkung der Familie und die Wiederherstellung der traditionellen Moral und damit einhergehend des Patriarchats biete sich ihm ein Füllhorn an Möglichkeiten, die die Rechte ebenso wenig nutzen könne wie der Front National, ohne von den letzten Achtundsechzigern als Reaktionäre oder sogar als Faschisten bezeichnet zu werden. Und jene Achtundsechziger seien zwar aussterbende progressistische Mumien, die als soziologisches

Phänomen von der Bildfläche verschwunden seien, doch sie hätten sich in die Zitadellen der Medien flüchten können, von wo aus sie in der Lage seien, die unglückliche Zeit und die *widerliche Stimmung*, die sich im Land ausbreite, lauthals zu verfluchen. Allein Abbes sei außerhalb jeder Gefahr. Die von ihrem grundsätzlichen Antirassismus gelähmte Linke sei von Anfang an unfähig gewesen, ihn zu bekämpfen, ja ihn überhaupt zur Kenntnis zu nehmen.

Marie-Françoise servierte uns anschließend eingelegte Lammkeule mit Bratkartoffeln, und ich begann, den Boden unter den Füßen zu verlieren. »Aber er ist und bleibt doch ein Moslem ...«, gab ich verwirrt zu bedenken.

»Ja! Und was soll's?« Er sah mich strahlend an. »Er ist ein *gemäßigter* Moslem, das ist der zentrale Punkt: Er beteuert es fortwährend, und es stimmt. Es wäre ein großer Fehler, sich ihn als Taliban oder Terroristen vorzustellen, für diese Leute hat er immer nur Verachtung empfunden. In den Kolumnen, die er in *Le Monde* veröffentlicht hat und in denen er sich dazu äußert, spürt man jenseits der klar zum Ausdruck gebrachten moralischen Verurteilung sehr deutlich diese unterschwellige Verachtung; im Grunde genommen hält er die Terroristen für *Dilettanten*. Ben Abbes ist in Wahrheit ein ausgesprochen geschickter Politiker, zweifellos der geschickteste und durchtriebenste, den wir seit François Mitterrand in Frankreich hatten. Und im Gegensatz zu Mitterrand hat er eine echte historische Vision.«

»Kurz gesagt, Sie denken, dass die Katholiken nichts zu befürchten haben.«

»Sie haben nicht nur nichts zu befürchten, sondern sie dürfen sogar sehr viel erwarten! Wissen Sie« – er lächelte entschuldigend – »ich beschäftige mich seit zehn Jahren mit dem

Fall Ben Abbes. Ohne zu übertreiben, darf ich sagen, dass ich in Frankreich zu denjenigen Personen gehöre, die ihn am besten kennen. Ich habe quasi mein ganzes Berufsleben mit der Überwachung der islamistischen Bewegungen verbracht. Die erste Sache, an der ich gearbeitet habe – ich war damals noch ganz jung und Schüler in Saint-Cyr-au-Mont-d'Or –, waren die Attentate 1986 in Paris, bei denen sich am Ende herausstellte, dass sie von der Hisbollah und indirekt vom Iran finanziert worden waren. Dann kamen die Algerier, die Kosovaren, die direkter mit Al Kaida verbundenen Bewegungen, einzelgängerische Wölfe ... In der einen oder anderen Form ging es immer weiter. Als die Bruderschaft der Muslime gegründet wurde, haben wir sie natürlich ins Visier genommen. Wir haben Jahre gebraucht, um uns davon zu überzeugen, dass Ben Abbes, selbst wenn er irgendwelche Ziele verfolgt, und seien sie noch so ehrgeizig, nichts mit dem islamischen Fundamentalismus zu tun hat. In den Kreisen der Ultrarechten hat sich die Vorstellung verbreitet, die Christen würden zwangsläufig zu *Dhimmis*, zu Bürgern zweiter Klasse, wenn die Moslems an die Macht kämen. Das Dhimmitum ist tatsächlich Bestandteil der islamischen Grundsätze; allerdings ist der Status eines *Dhimmi* in der Praxis extrem unklar umrissen. Der Islam hat eine riesige geografische Ausdehnung; die Art und Weise, wie er in Saudi-Arabien ausgeübt wird, hat nichts damit zu tun, wie man ihn in Indonesien oder in Marokko lebt. Was Frankreich betrifft, bin ich zutiefst davon überzeugt – ich würde jede Wette darauf eingehen –, dass der christlichen Glaubensausübung keinerlei Beschränkungen auferlegt werden, dass die Subventionen für die katholischen Verbände und für die Instandhaltung religiöser Bauwerke sogar erhöht werden, weil man es sich erlauben kann; auch wenn die von den

Erdöl-Monarchien für die Moscheen zur Verfügung gestellten Mittel natürlich deutlich großzügiger ausfallen. Das Entscheidende aber ist, dass der wahre Feind der Moslems, den sie über alles fürchten und hassen, nicht der Katholizismus ist: Es ist der Säkularismus, der Laizismus und atheistische Materialismus. Die Katholiken sind für sie Gläubige, der Katholizismus ist eine Buchreligion – es geht nur darum, sie davon zu überzeugen, in einem weiteren Schritt zum Islam zu konvertieren: Das ist die wahre muslimische Vorstellung, die ursprüngliche Vorstellung vom Christentum.«

»Und die Juden?« Die Frage war mir herausgerutscht, ohne dass ich vorgehabt hatte, sie zu stellen. Myriams Bild in ihrem T-Shirt auf meinem Bett, das Bild ihres kleinen runden Hinterns ging mir kurz durch den Kopf. Ich schenkte mir ein weiteres großes Glas vom Cahors ein.

»Nun ...« Er lächelte wieder. »Mit den Juden ist es natürlich etwas komplizierter. Im Prinzip ist die Theorie dieselbe, das Judentum ist eine Buchreligion, Abraham und Moses gelten als Propheten des Islam. Aber praktisch gesehen war in den muslimischen Ländern das Verhältnis zu den Juden häufig schwieriger als das zu den Christen, und dann hat natürlich das Palästina-Problem alles vergiftet. Es gibt also einige Minderheitenströmungen innerhalb der Bruderschaft der Muslime, die Vergeltungsmaßnahmen gegenüber den Juden begrüßen würden; aber ich glaube, dass auch sie keine Chance haben, sich durchzusetzen. Ben Abbes hat immer darauf geachtet, ein gutes Verhältnis zum Großrabbiner von Frankreich zu unterhalten, vielleicht wird er aber trotzdem von Zeit zu Zeit die Zügel seiner Extremisten lockern. Denn auch wenn er wirklich glaubt, die Katholiken in großem Ausmaß zur Konversion bewegen zu können – und es ist nicht gesagt, dass das unmöglich wäre –, macht er sich da im Hinblick auf die Juden zweifellos keine Illusionen. Meiner Meinung nach wünscht er sich im Grunde, dass sie sich freiwillig dafür entscheiden, Frankreich zu verlassen und nach Israel zu emigrieren. Auf jeden Fall kann ich Ihnen versichern, dass er bestimmt nicht die Absicht hat, seine persönlichen Ambitionen – die sehr ehrgeizig sind – aufs Spiel zu setzen, nur damit ihm das palästinensische Volk schöne Augen macht. Erstaunlicherweise haben nur wenige gelesen, was er zu Beginn seiner Karriere geschrieben hat – es wurde zugegebenermaßen auch in eher obskuren geopolitischen Zeitschriften veröffentlicht. Es springt ins Auge, dass sein wichtigster Bezugspunkt das Römische Reich ist. Die europäische Konstruktion ist für ihn nur ein Mittel zum Zweck, um diesen uralten Traum zu verwirklichen. Die wichtigste Zielsetzung seiner Außenpolitik wird darin bestehen, das Gravitationszentrum Europas nach Süden zu verschieben. Es gibt bereits Organisationen, die dieses Ziel verfolgen, etwa die Union für das Mittelmeer. Als Erste werden sicherlich die Türkei und Marokko imstande sein, sich in die europäische Konstruktion einzugliedern; Tunesien und Algerien werden folgen. Auf längere Sicht wird es um Ägypten gehen – das ist ein größerer Brocken, aber er wird entscheidend sein. Es ist vorstellbar, dass sich die europäischen Institutionen – die zurzeit alles andere als demokratisch sind – gleichzeitig in Richtung einer stärkeren Beteiligung der Bevölkerung in Volksabstimmungen entwickeln; der logische Endpunkt dieser Entwicklung wäre die allgemeine Wahl eines europäischen Präsidenten. Die Integration sehr bevölkerungsreicher Länder mit einer dynamischen demografischen Entwicklung, wie zum Beispiel der Türkei und Ägyptens, könnte in diesem europäischen Zusammenhang eine zentrale

Rolle spielen. Das eigentliche Ziel von Ben Abbes ist es, davon bin ich überzeugt, früher oder später zum ersten Präsidenten von Europa gewählt zu werden – eines erweiterten Europa, dem die Länder des Mittelmeerraums angehören. Man darf nicht vergessen, dass er erst dreiundvierzig Jahre alt ist, auch wenn er sich, um die Wählerschaft zu beruhigen, bemüht, älter zu wirken, sein Übergewicht hält und es ablehnt, seine Haare zu färben. In einem gewissen Sinn hat die alte Bat Ye'or mit ihrem Hirngespinst eines eurabischen Komplotts nicht ganz unrecht; aber mit ihrer Vorstellung, dass der gesamte europäisch-mediterrane Raum den Monarchien am Golf unterlegen sei, liegt sie völlig daneben: Europa wird zweifellos weiterhin eine der weltweit führenden Wirtschaftsmächte sein, und beide Parteien werden durchaus auf Augenhöhe agieren. Es ist ein merkwürdiges Spiel, das momentan mit Saudi-Arabien und den anderen Erdöl-Monarchien getrieben wird: Ben Abbes ist ohne Weiteres bereit, uneingeschränkt von deren Petrodollars zu profitieren, aber er wird keinesfalls bereit sein, auch nur den geringsten Souveränitätsverlust hinzunehmen. In gewisser Weise greift er lediglich De Gaulles Plan einer aktiven Arabienpolitik Frankreichs wieder auf. Und ich versichere Ihnen, dass es ihm nicht an Verbündeten mangeln wird, auch nicht in den Golfmonarchien, deren Ausrichtung auf amerikanische Standpunkte sie so manche Kröte schlucken lässt. Fortwährend geraten sie in Konflikt mit der arabischen Öffentlichkeit und gelangen allmählich zu der Erkenntnis, dass ein Verbündeter wie Europa, der weniger organisch mit Israel verbunden ist, vielleicht eine deutlich bessere Wahl sein könnte...«

Er verstummte; er hatte mehr als eine halbe Stunde lang ununterbrochen geredet. Ich fragte mich, ob er jetzt, wo er im Ruhestand war, ein Buch schreiben würde, ob er versuchen würde, seine Gedanken zu Papier zu bringen. Ich fand seine Darstellung interessant; zumindest natürlich für Menschen, die sich für Geschichte interessierten. Marie-Françoise brachte die Nachspeise, eine *Croustade landaise* mit Äpfeln und Nüssen. Ich hatte seit Langem nicht mehr so gut gegessen. Es war geplant, nach dem Abendessen ins Wohnzimmer hinüberzuwechseln, um einen Bas-Armagnac zu probieren, und das taten wir auch. Leicht benebelt vom Wohlgeruch des Alkohols, fragte ich mich, während ich den glänzenden Schädel des ehemaligen Spions und seine Hausweste mit Schottenmuster betrachtete, was wohl seine eigenen, ganz persönlichen Gedanken waren. Was mochte wohl jemand denken, der sein ganzes Leben lang die verborgenen Zusammenhänge im Hintergrund erforscht hat? Wahrscheinlich nichts. Und ich vermutete, dass er nicht einmal zur Wahl ginge; er wusste einfach zu viel.

»Zum französischen Geheimdienst bin ich natürlich deshalb gegangen«, fuhr er in ruhigerem Ton fort, »weil mich als Kind die Spionagegeschichten fasziniert haben; aber auch darum, glaube ich, weil ich den Patriotismus meines Vaters geerbt habe. Der hatte mich an ihm immer beeindruckt. Stellen Sie sich vor, er wurde 1922 geboren! Vor genau hundert Jahren! Er war von Anfang an, ab Ende Juni 1940, in der Résistance aktiv. Schon zu seiner Zeit war der französische Patriotismus eine leicht verschmähte Idee. Man kann sagen, dass er 1792 in Valmy geboren wurde und 1917 in den Schützengräben von Verdun zu sterben begann. Er war etwas mehr als ein Jahrhundert lebendig, was genau genommen nicht viel ist. Wer glaubt heute noch daran? Der Front National tut zwar so, doch dieser Glaube wirkt völlig unsicher und verzweifelt; die anderen Parteien haben sich schlichtweg für die Auflösung Frankreichs in Europa entschieden. Ben Abbes glaubt ebenfalls an Europa, er glaubt sogar mehr als die anderen daran, doch bei ihm verhält es sich anders, er hat eine Vision von Europa, ein echtes Zivilisationsprojekt. Sein größtes Vorbild ist im Grunde genommen Kaiser Augustus; nicht gerade ein mittelmäßiger Maßstab. Wissen Sie, die Reden, die Augustus vor dem Senat hielt, sind erhalten geblieben, und ich bin sicher, dass er sie aufmerksam studiert hat.« Er verstummte und fügte dann nachdenklicher hinzu: »Es könnte eine große Zivilisation sein, ich weiß nicht genau... Kennen Sie Rocamadour?«, fragte er mich plötzlich. Ich war ein wenig eingedöst; ich glaubte nicht, antwortete ich, oder vielleicht doch, aus dem Fernsehen.

»Sie müssen hinfahren. Es sind nur ungefähr zwanzig Kilometer von hier; Sie müssen unbedingt dorthin. Die Wallfahrt von Rocamadour war eine der berühmtesten der Christenheit, wissen Sie. Henry Plantagenet, der Heilige Dominikus, der Heilige Bernhard, der Heilige Ludwig, Ludwig XI., Philipp IV.... sie alle sind zu Füßen der schwarzen Muttergottes niedergekniet, sie alle haben auf Knien die Stufen hinauf zum Heiligtum erklommen, während sie demütig um Vergebung für ihre Sünden beteten. In Rocamadour können Sie wirklich ermessen, in welchem Maß das christliche Mittelalter eine große Zivilisation war.«

Ich erinnerte mich vage an einige Sätze von Huysmans über das Mittelalter. Dieser Armagnac war absolut köstlich, ich wollte antworten, bevor ich bemerkte, dass ich nicht einen klaren

Gedanken mehr hervorbrachte. Zu meiner großen Überraschung begann Tanneur mit fester Stimme und korrekter Betonung Péguy zu rezitieren:

»Selig die Toten, die für diese unsere fleischliche Erde starben,
Vorausgesetzt, es geschah in einem gerechten Krieg.
Selig die Toten, die für einen Fleck Erde starben.
Selig die Toten, die eines feierlichen Todes starben.«

Es ist ziemlich schwierig, die anderen zu verstehen, zu wissen, was sich tief in ihren Herzen verbirgt, und ohne die Hilfe von Alkohol würde es einem vielleicht niemals gelingen. Es war erstaunlich und bewegend zugleich, diesen adretten, gebildeten und ironischen alten Mann beim Vortragen von Gedichten zu beobachten:

»Selig die Toten, die in großen Schlachten starben,
Auf der Erde ruhen und in Gottes Antlitz blicken.
Selig die Toten, die auf einer letzten Anhöhe starben,
Inmitten all der Apparate der großen Gemetzel.«

Resigniert, fast traurig schüttelte er den Kopf. »Sehen Sie, ab der zweiten Strophe muss er auf Gott verweisen, um seinem Gedicht genügend Bedeutung zu verleihen. Die Idee des Vaterlandes reicht für sich allein genommen nicht, sie muss mit etwas Stärkerem verbunden werden, mit Mystik höherer Ordnung. Und diese Verbindung bringt er in den nachfolgenden Versen ganz deutlich zum Ausdruck:

Selig die Toten, die für irdische Städte starben,
Denn diese sind die Verleiblichung der Stadt Gottes.

Selig die Toten, die für ihren Kamin und ihre Feuerstelle
starben
Und die bescheidenen Zierden der Häuser ihrer Väter.

Denn sie sind das Bild und der Anfang
Und der Leib und der Entwurf der Stadt Gottes.
Selig die Toten, die in dieser Umarmung starben,
Umschlossen von Ehre und irdischer Schuld.

Die Französische Revolution, die Republik, das Vaterland ...
ja, das konnte alles zu etwas führen – zu etwas, das wenig
mehr als ein Jahrhundert lang währte. Das christliche Mittelalter hatte mehr als ein Jahrtausend Bestand. Ich weiß, dass
Sie Huysmans-Spezialist sind, Marie-Françoise hat es mir gesagt. Aber meiner Meinung nach hat niemand die Seele des
christlichen Mittelalters ähnlich kraftvoll empfunden wie Péguy – so sehr er auch Republikaner, Laizist und Dreyfus-An-
hänger gewesen sein mag. Und er hat ebenfalls empfunden,
dass die eigentliche Göttlichkeit, das lebendige Herz seiner
Frömmigkeit, nicht Gottvater und auch nicht Jesus Christus
war, sondern die Jungfrau Maria. Und auch das spürt man in
Rocamadour ...«

Ich wusste, dass sie am nächsten oder übernächsten Tag nach
Paris zurückkehren wollten, um ihren Umzug vorzubereiten.
Jetzt, da die Regierungsvereinbarungen der erweiterten republikanischen Front unterzeichnet waren, bestand über den
Ausgang des zweiten Wahlgangs überhaupt kein Zweifel
mehr, und damit war ihre Versetzung in den Ruhestand eine
abgemachte Sache. Nachdem ich ihr aufrichtig zu ihren Koch-
künsten gratuliert hatte, verabschiedete ich mich von Marie-

Françoise und dann an der Tür von ihrem Mann. Er hatte fast ebenso viel getrunken wie ich und war trotzdem in der Lage, ganze Strophen von Péguy auswendig zu rezitieren. Eigentlich beeindruckte er mich ein wenig. Ich persönlich war nicht davon überzeugt, dass die Republik und der Patriotismus »zu etwas führen konnten«, außer zu einer ununterbrochenen Folge sinnloser Kriege; allerdings war Tanneur ganz sicher alles andere als ein Trottel, und in seinem Alter wäre ich gern noch so gut beieinander gewesen wie er. Ich ging die wenigen Stufen hinunter, die auf die Straße führten, drehte mich zu ihm um und sagte: »Ich werde nach Rocamadour fahren.«

Die Saison hatte ihren Höhepunkt noch nicht erreicht, und ich fand leicht ein Zimmer im Hotel *Beau Site*, das schön im mittelalterlichen Ortskern gelegen war; das Restaurant mit Panoramablick thronte über dem Alzou-Tal. Der Ort war tatsächlich beeindruckend und sehr stark besucht. Der Strom der Touristen aus aller Herren Länder, die sich alle ein wenig voneinander unterschieden und sich zugleich alle ähnelten, wollte nicht abreißen. Ausgerüstet mit ihren Videokameras, zogen sie verblüfft durch das Gewirr aus Türmen, Wehrgängen, Bethäusern und Kapellen, die sich an den steilen Felsen schmiegten. Das gab mir nach einigen Tagen das Gefühl einer Zeitreise zurück in die Vergangenheit, sodass ich am Sonntagabend des zweiten Wahlgangs den deutlichen Wahlsieg von Mohammed Ben Abbes nur am Rande zur Kenntnis nahm. Langsam verfiel ich in einen Zustand verträumter Untätigkeit, und obwohl die Internetverbindung im Hotel diesmal perfekt funktionierte, beunruhigte mich Myriams anhaltendes Schweigen schließlich kaum noch. Der Hotelier und das Personal hatten mich mittlerweile eingeordnet: ein Single, ein mäßig gebildeter, etwas trauriger Single ohne besondere Freizeitbeschäftigungen – und im Grunde genommen traf das zu. Für sie gehörte ich jedenfalls zu jener Sorte Gäste, mit denen man keine Probleme hat, und darauf kam es an.

Ich war seit vielleicht einer oder zwei Wochen in Rocamadour, als ich schließlich ihre E-Mail erhielt. Sie berichtete viel von Israel, von der sehr besonderen Atmosphäre, die dort herrschte, außerordentlich dynamisch und fröhlich, doch immer unterschwellig tragisch. Es möge merkwürdig erscheinen, schrieb sie mir, das eine Land – Frankreich – zu verlassen, weil man fürchte, dort möglicherweise in Gefahr zu sein, um in ein anderes Land auszuwandern, in dem die Gefahr real und greifbar sei – ein abtrünniger Zweig der Hamas hatte kürzlich beschlossen, eine neue Attentatsserie zu starten, und jeden Tag, oder fast jeden, jagten sich mit Sprengstoff umwickelte Selbstmordattentäter in Restaurants und Bussen in die Luft. Es sei zwar merkwürdig, aber sei man einmal vor Ort, könne man es verstehen: Seit seiner Gründung befinde sich Israel im Krieg, Attentate und Kämpfe schienen hier irgendwie unvermeidlich, naturgegeben. Jedenfalls hindere das einen nicht daran, das Leben zu genießen. An ihre E-Mail hatte sie zwei Fotos von sich im Bikini am Strand von Tel Aviv angehängt. Auf einem der Fotos, das sie von schräg hinten zeigte, während sie aufs Wasser zulief, konnte man sehr gut ihren Hintern erahnen, und ich bekam einen Steifen, hatte den unwiderstehlichen Drang, sie zu streicheln, wobei ein schmerzhaftes Kribbeln meine Hände durchlief; es war unglaublich, wie genau ich mich an ihren Hintern erinnerte.

Während ich meinen Computer zuklappte, wurde mir bewusst, dass sie nicht mit einem Wort eine mögliche Rückkehr nach Frankreich erwähnt hatte.

Vom ersten Tag meines Aufenthalts an hatte ich mir angewöhnt, jeden Tag in die Notre-Dame-Kapelle zu gehen und einige Minuten lang zu Füßen der schwarzen Muttergottes zu sitzen, die seit rund tausend Jahren Anlass für zahllose Wallfahrten war, vor der so viele Heilige und Könige niedergekniet hatten. Es war eine eigenartige Statue, die ein vollständig verschwundenes Universum bezeugte. Die Jungfrau saß ganz aufrecht; ihr Gesicht mit den geschlossenen Augen schien so sehr entrückt, dass es geradezu außerirdisch wirkte, den Kopf schmückte ein Diadem. Das Jesuskind – das in Wahrheit keine kindlichen Züge trug, sondern eher die eines Erwachsenen oder gar eines Greises – auf ihrem Schoß saß ebenfalls sehr aufrecht, auch seine Augen waren geschlossen, und auf dem Kopf mit dem spitzen, klugen und kraftvollen Gesichtsausdruck trug es gleichfalls eine Krone. Die Haltung der beiden brachte weder Zärtlichkeit noch Mutterliebe zum Ausdruck. Dargestellt war nicht das Jesuskind, sondern schon der zukünftige König und Herr der Welt. Seine Abgeklärtheit und der Eindruck von spiritueller Macht und unantastbarer Kraft, den er erweckte, waren beinahe furchteinflößend.

Diese übermenschlich wirkende Repräsentation war das exakte Gegenteil des gepeinigten, leidenden Christus, den Matthias Grünewald gestaltet hatte und von dem Huysmans so sehr beeindruckt gewesen war. Das Mittelalter von Huysmans war das Zeitalter der Gotik, ja sogar der Spätgotik: Pathetisch, realistisch und moralisch, wie es war, stand es der Renaissance bereits näher als dem Zeitalter der Romanik. Ich erinnerte mich an eine Diskussion, die ich Jahre zuvor mit einem Geschichtsdozenten von der Sorbonne geführt hatte. Im frühen Mittelalter, erklärte er mir, habe sich die Frage eines individuellen Urteils im Grunde gar nicht gestellt; erst sehr viel später, zum Beispiel bei Hieronymus Bosch, seien die furchteinflößenden Darstellungen aufgetaucht, in denen Christus die Kohorte der Auserwählten von der Legion der Verdammten trennt und Teufel die nicht reuigen Sünder den Höllenqualen zuführen. Die Vorstellungswelt der Romanik war eine andere, im Vergleich sehr unanimistische: Bei seinem Tod verfiel der Gläubige in eine Art Tiefschlaf und wurde eins mit der Erde. Wenn alle Prophezeiungen erfüllt sein würden, bei der zweiten Wiederkunft Christi, würde das gesamte Volk der Christen, vereint und fest verbunden, seinen Gräbern entsteigen und mit seinen glorreichen Körpern auferstehen, um sich auf den Weg ins Paradies zu begeben. Die Menschen des romanischen Zeitalters hatten keine klare Vorstellung von Konzepten wie einem moralischen Urteil, einem individuellen Urteil oder der Individualität an sich, und auch ich spürte, wie sich im Laufe meiner immer ausgiebigeren Träumereien zu Füßen der schwarzen Muttergottes von Rocamadour meine Individualität auflöste.

Trotzdem musste ich irgendwann nach Paris zurück. Es war bereits Mitte Juli, und ich hielt mich seit über einem Monat hier auf, wie ich eines Morgens mit ungläubigem Staunen feststellte. In Wahrheit gab es keinen Anlass zur Eile. Ich hatte eine E-Mail von Marie-Françoise erhalten, die mit anderen Kollegen in Kontakt stand: Bisher hatte niemand irgendeine Nachricht von der Universitätsleitung erhalten, es herrschte absolute Unklarheit. Auf politischer Ebene hatten die zwischenzeitlichen Parlamentswahlen das vorhersehbare Ergebnis gebracht, und es war eine Regierung gebildet worden.

Im Dorf gab es erste touristische Veranstaltungen, vor allem gastronomischer, aber auch kultureller Art, und am Tag vor meiner Abreise fand während meines täglichen Besuchs in der Notre-Dame-Kapelle dort zufällig eine Péguy-Lesung statt. Ich setzte mich in die vorletzte Reihe; die Veranstaltung war spärlich besucht und das Publikum bestand in erster Linie aus jungen Leuten in Jeans und Polohemden, die alle jenen offenen und brüderlichen Gesichtsausdruck trugen, den die jungen Katholiken aus welchen Gründen auch immer üblicherweise aufsetzen.

»Mutter, seht Eure Söhne, die in so viele Schlachten zogen.
Bewertet seien sie nicht einem Geiste gleich.
Beurteilt seien sie, wie man es mit Verbannten tut,
Die heimlich auf versteckten Pfaden wiederkehren.«

Die Jamben erfüllten den stillen Raum mit ihrem regelmäßigen Rhythmus, und ich fragte mich, was diese jungen, menschenfreundlichen Katholiken von Péguy, von seiner patriotischen und ungestümen Seele verstehen mochten. Die Diktion des Schauspielers war fraglos beeindruckend, und mir schien es, als wäre er ein bekannter Theaterschauspieler, der zum Ensemble der Comédie Française gehörte, aber auch in Filmen mitgespielt haben musste, denn ich meinte, irgendwo schon einmal ein Foto von ihm gesehen zu haben.

»Mutter, seht Eure Söhne inmitten ihrer riesigen Armee.
Beurteilt seien sie nicht nur nach ihrer großen Not.
Empfangen mögen sie von Gottes Hand ein Stück der Erde,
Die sie in großer Zahl verlor und die sie doch so sehr geliebt.«

Er war ein polnischer Schauspieler, da war ich mir jetzt sicher, aber es gelang mir immer noch nicht, mich an seinen Namen zu erinnern; vielleicht war er auch Katholik, wie so manche Schauspieler, die ja schließlich einen merkwürdigen Beruf ausüben, bei dem die Idee der Vorsehung mehr einleuchtet als bei vielen anderen Tätigkeiten. Ob diese jungen Katholiken wohl ihre Erde liebten? Ob sie bereit waren, sich für sie zu verlieren? Ich selbst war bereit, mich zu verlieren, nicht unbe-

147

dingt speziell an meine Erde, ich fühlte mich *generell* bereit, mich zu verlieren, zumal ich mich in einem eigenartigen Zustand befand, denn mir kam es so vor, als würde die Muttergottes sich erheben, sich von ihrem Sockel lösen und wachsen, als wäre das Jesuskind bereit, sich von ihr loszumachen, und ich hatte den Eindruck, dass es jetzt nur seinen rechten Arm zu heben brauchte, um die Heiden und Götzendiener zu vernichten, und die Führer der Welt würden ihm »als Gott, als Allvater und als Herr« wieder folgen.

»Mutter, seht Eure Söhne, die sich gar oft verloren haben.
Beurteilt seien sie nicht nach einer einz'gen Niedertracht.
Empfangen mögt Ihr sie wie einen Sohn, den Ihr verlort.
Umfangen sollt Ihr sie mit ausgestrecktem Arm.«

Vielleicht hatte ich auch einfach nur Hunger. Ich hatte am Tag zuvor versäumt, etwas zu essen, und wäre vielleicht besser ins Hotel zurückgekehrt, um mir Entenschenkel servieren zu lassen, statt infolge einer mystischen Unterzuckerung zwischen zwei Sitzbänken zusammenzubrechen. Einmal mehr dachte ich an Huysmans, an die Leiden und Zweifel seiner Konversion, an seinen verzweifelten Wunsch, sich einer Glaubensrichtung anzuschließen.

Ich blieb bis zum Ende der Lesung, doch bemerkte ich schließlich, dass ich trotz der außerordentlichen Schönheit des Textes bei meinem letzten Besuch in der Kapelle lieber allein gewesen wäre. Bei dieser strengen Statue ging es noch um etwas anderes als die Verbundenheit mit einem Vaterland, einer Erde, oder um die Verherrlichung des mannhaften Mutes des Soldaten und des kindlichen Verlangens einer Mutter. Ihr wohnte etwas Geheimnisvolles, etwas Priesterliches und Königliches inne, das zu verstehen Péguy nicht imstande war und Huysmans noch weniger. Nachdem ich am nächsten Morgen das Auto beladen und die Hotelrechnung bezahlt hatte, kehrte ich zur Notre-Dame-Kapelle zurück, die jetzt menschenleer war. Still und unvergänglich verharrte die Jungfrau im Halbdunkel. Sie besaß die Oberhoheit, sie besaß die Macht, doch nach und nach spürte ich, wie ich den Kontakt verlor, wie sie sich in den Raum und in die Jahrhunderte zurückzog, während ich, eingezwängt in meine Sitzbank, immer kleiner wurde, immer mehr schrumpfte. Nach einer halben Stunde stand ich, endgültig vom Geist verlassen und auf meinen lädierten, vergänglichen Körper beschränkt, wieder auf und ging traurig die Stufen in Richtung Parkplatz hinunter.

IV

Während der Rückfahrt nach Paris, als ich die Mautstelle von Saint-Arnoult passierte, Savigny-sur-Orge, Antony und dann Montrouge hinter mir ließ und in die Ausfahrt Porte d'Italie abbog, wusste ich, dass mich ein zwar freudloses, aber keineswegs leeres, sondern vielmehr mit zahlreichen kleinen Unannehmlichkeiten gespicktes Leben erwartete. Wie vermutet hatte jemand meine Abwesenheit genutzt, um den Parkplatz zu besetzen, der für mich reserviert war und vor dem Kühlschrank hatte sich etwas ausgelaufenes Wasser gesammelt. Abgesehen davon gab es keine weiteren häuslichen Vorfälle. Mein Briefkasten war übervoll mit verschiedenen amtlichen Schreiben, von denen einige kurzfristig beantwortet werden mussten. Will man allen bürokratischen Anforderungen gerecht werden, bedarf dies einer mehr oder minder dauerhaften Anwesenheit, jede längere Abwesenheit birgt die Gefahr, mit der einen oder anderen Verwaltungsstelle in Konflikt zu geraten, und ich wusste, dass es mich mehrere Tage Arbeit kosten würde, die Dinge wieder in Ordnung zu bringen. Ich sortierte die Post grob vor, indem ich die belanglose Werbung wegwarf und die gezielten Angebote (die drei Wahnsinns-Angebots-Tage beim Büromarkt Office Dépôt, die persönlichen Preisnachlässe beim Elektromarkt Cobrason) aufbewahrte, bevor ich meinen Blick auf den gleichmäßig grauen Himmel richtete. So verharrte ich mehrere Stunden, wobei ich mir in regelmäßigen Abständen ein Glas Rum einschenkte, um schließlich den Briefstapel in Angriff zu nehmen. Die beiden ersten Briefe kamen von meiner privaten Zusatzversicherung und setzten mich darüber in Kenntnis, dass einige meiner Anträge auf Rückerstattung abgelehnt worden seien, ich sie jedoch erneut stellen könne, wenn ich meinem Schreiben die Fotokopien der entsprechenden Belege beifügen würde; für mich waren diese Schreiben Routine und ich ließ sie üblicherweise unbeantwortet. Der dritte Brief dagegen hielt eine Überraschung bereit. Er kam vom Bürgermeisteramt von Nevers, brachte die aufrichtige Anteilnahme zum Tod meiner Mutter zum Ausdruck und informierte mich darüber, dass ihr Leichnam ins städtische Institut für Rechtsmedizin gebracht worden sei, mit dem ich mich in Verbindung setzen solle, um die notwendigen Schritte zu unternehmen. Der Brief datierte vom Dienstag, den 31. Mai. Ich überflog schnell den ganzen Stapel: Er enthielt ein Erinnerungsschreiben vom 14. Juni und ein weiteres vom 28. Juni. Am 11. Juli setzte mich das Rathaus von Nevers schließlich darüber in Kenntnis, dass die Gemeinde gemäß Artikel L 2223-27 der Gebietskörperschaftsordnung die Beisetzung meiner Mutter im Bereich der Sammelgräber des städtischen Friedhofs durchgeführt hatte. Innerhalb einer Frist von fünf Jahren könne ich die Exhumierung des Leichnams verfügen, um eine persönliche Bestattung zu veranlassen; nach Ablauf dieser Frist würden die sterblichen Überreste eingeäschert und die Asche in einem Erinnerungsgarten verstreut werden. Sollte ich die Exhumierung beantragen, müsse ich die der Kommune entstehenden Kosten – für einen Leichenwagen, vier Träger und die eigentliche Bestattung – übernehmen.

Sicher hatte ich mir nicht vorgestellt, dass meine Mutter intensive soziale Kontakte pflegte, Vorträge über die präkolumbianischen Kulturen hörte oder gemeinsam mit anderen Frauen ihres Alters die romanischen Kirchen im Nivernais besuchte; ich hatte jedoch nicht damit gerechnet, dass sie derart vereinsamt gewesen war. Sehr wahrscheinlich war auch mein Vater kontaktiert worden und musste die Schreiben ebenfalls unbeantwortet gelassen haben. Dennoch war mir der Gedanke peinlich, dass sie im Friedhofsbereich für Bedürftige (das war meiner Internetrecherche zufolge die frühere Bezeichnung für diesen Bereich der Sammelgräber) bestattet worden war, und ich fragte mich, was wohl aus ihrer Französischen Bulldogge geworden sein mochte (Tierschutzverein, Einschläferung?).

Anschließend legte ich die Rechnungen und Lastschriftbelege zur Seite, einfach zu handhabende Unterlagen, die ich nur in den entsprechenden Ordnern abzuheften brauchte, um dann die Schreiben der beiden wichtigsten Ansprechpartner auszusortieren, die dem Leben eines Menschen Struktur geben: Krankenversicherung und Finanzamt. Ich hatte nicht den Mut, mich sofort daranzumachen, und beschloss, stattdessen eine Runde durch Paris zu drehen – nun, vielleicht nicht durch Paris, das wäre etwas übertrieben; an diesem ersten Tag würde ich mich mit einem Spaziergang im Viertel begnügen.

Während ich auf den Aufzug wartete, fiel mir auf, dass ich kein Schreiben von der Universitätsleitung erhalten hatte. Ich ging wieder in die Wohnung zurück, um meine Bankauszüge durchzusehen: Mein Gehalt war ganz normal Ende Juni überwiesen worden; mein Status war also nach wie vor völlig unsicher.

Der Regierungswechsel hatte im Viertel keine sichtbaren Spuren hinterlassen. Vor den Wettbüros standen immer noch Gruppen dicht aneinandergedrängter Chinesen mit Wettscheinen in der Hand. Andere schoben mit schnellen Schritten

Sackkarren vor sich her, transportierten Reisnudeln, Sojasauce, Mangos. Nicht einmal eine muslimische Regierung schien ihre unaufhörliche Betriebsamkeit bremsen zu können – wie die christliche Botschaft vor ihm würde sich wohl auch der islamische Bekehrungseifer im Ozean dieser riesengroßen Zivilisation auflösen, ohne irgendwelche Spuren zu hinterlassen.

Ich streifte etwas mehr als eine Stunde lang durch Chinatown. Die Pfarrei Saint-Hippolyte bot immer noch Kurse zur Einführung ins Mandarin und in die chinesische Küche an; die Flyer für die *Asia-Fever*-Abende in Maisons-Alfort waren nicht verschwunden. Nur die Abteilung für koschere Lebensmittel im Géant Casino gab es nicht mehr, das war das einzige sichtbare Zeichen von Veränderung, das ich ausmachte. Aber die große Supermarktkette hatte sich ja schon immer durch ihren Opportunismus ausgezeichnet.

Im Einkaufszentrum Italie 2 sah es etwas anders aus. Wie ich vorausgeahnt hatte, war das Geschäft *Jennyfer* nicht mehr da. An seine Stelle war jetzt eine Art provenzalischer Bioladen getreten, in dem ätherische Öle, Shampoo aus Olivenöl und Honig aus der Garrigue zum Verkauf angeboten wurden. Aus weniger nachvollziehbaren Gründen – vermutlich nur aufgrund wirtschaftlicher Erwägungen – hatte auch die Filiale von *L'homme moderne*, die sich in einem ziemlich ungünstigen Bereich in der zweiten Etage befand, ihre Pforten geschlossen, ohne dass bisher ein anderes Geschäft eingezogen war. Vor allem aber hatte sich das Publikum selbst fast unmerklich verändert: Wie alle Einkaufszentren – wenn auch natürlich auf sehr viel weniger aufsehenerregende Art als diejenigen in La Défense oder in Les Halles – hatte Italie 2 stets viel Gesindel angezogen; es war komplett verschwunden.

Auch die Kleidung der Frauen hatte sich verändert, was ich sofort bemerkt hatte, ohne diese Veränderung ergründen zu können. Die Zahl der islamischen Schleier hatte kaum zugenommen, das war es nicht, und ich musste fast eine Stunde lang umherlaufen, um mit einem Mal zu erfassen, was sich verändert hatte: Alle Frauen trugen Hosen. Das Aufspüren der weiblichen Oberschenkel, das geistige Bild einer Muschi an ihrem Schnittpunkt, dieser Vorgang, bei dem das potenzielle Ausmaß der Erregung in direktem Verhältnis zur Länge der entblößten Beine steht: All das lief bei mir dermaßen unbewusst und mechanisch ab, war geradezu genetisch verankert, dass es mir nicht sofort aufgefallen war. Aber es war eine Tatsache: Kleider und Röcke waren verschwunden. Gleichzeitig hatte sich ein neues Kleidungsstück verbreitet, eine Art lange Baumwollbluse, die den halben Oberschenkel bedeckte und jedes sachliche Interesse an eng anliegenden Hosen unterband, die einige Frauen möglicherweise tragen mochten; Shorts waren natürlich auch keine mehr zu sehen. Die Betrachtung von Frauenärschen, dieser kleine träumerische Trost, war ebenfalls unmöglich geworden. Es war also zweifelsohne eine Veränderung im Gange, eine objektive Umwälzung hatte eingesetzt. Zwar ließ auch mehrstündiges Zappen durch die Kabelkanäle keine Rückschlüsse auf weitere Umbrüche zu, aber die Erotiksendungen im Fernsehen waren ja schließlich schon seit Langem aus der Mode.

Erst zwei Wochen nach meiner Rückkehr nach Paris erhielt ich das Schreiben von Paris III, meiner Universität. Die neuen Statuten der Islamischen Universität Paris-Sorbonne verböten die Fortsetzung meiner Lehrtätigkeit; Robert Rediger, der neue Präsident der Universität, hatte den Brief persönlich unterschrieben. Er drückte sein tiefstes Bedauern aus und versicherte mir, die Qualität meiner universitären Arbeit sei über jeden Zweifel erhaben. Es stehe mir natürlich frei, meine Karriere an einer laizistischen Universität fortzusetzen; sollte ich darauf jedoch lieber verzichten wollen, würde sich die Islamische Universität Paris-Sorbonne verpflichten, mir vom heutigen Tag an eine an die Inflationsrate gekoppelte Pension zu zahlen, deren Höhe zum jetzigen Zeitpunkt monatlich 3472 Euro betrüge. Ich könne einen Termin mit der Universitätsverwaltung vereinbaren, um die hierfür notwendigen Schritte einzuleiten.

Ich las den Brief drei Mal, bis ich es endlich glauben konnte. Die Summe entsprach auf den Euro genau dem, was ich mit 65 Jahren, nach Abschluss meiner gesamten Laufbahn, im Ruhestand bekommen hätte. Sie waren wirklich zu großen finanziellen Opfern bereit, um zu vermeiden, dass die Wellen hochschlugen. Zweifelsohne überschätzten sie die Universitätslehrer in ihren Möglichkeiten und Fähigkeiten, wirksame Protestaktionen zu organisieren. Schon lange reichte der Titel eines Hochschullehrers an sich nicht mehr aus, um einem die Türen zu den Rubriken »Plattform« oder »Meinung« in den wichtigen Medien zu öffnen, die sich in der Zwischenzeit zum geschlossenen Raum einer engen Kaste entwickelt hatten. Selbst ein einhelliger Protest aller Universitätslehrer wäre nahezu vollkommen unbemerkt geblieben; aber das konnten sie in Saudi-Arabien offensichtlich nicht abschätzen. Sie glaubten im Grunde genommen noch so sehr an die Macht der intellektuellen Elite, dass es beinahe rührend war.

Rein äußerlich hatte sich an der Uni nichts verändert, mit Ausnahme eines Sterns und einer Sichel aus vergoldetem Metall, die neben der großen Aufschrift »Université Sorbonne Nouvelle – Paris III« gleich über dem Haupteingang angebracht worden waren; im Inneren der Verwaltungsgebäude jedoch waren die Veränderungen deutlicher sichtbar. Im Vorzimmer empfing einen ein Foto, das Pilger zeigte, die die Kaaba umrundeten, und die Büros waren mit Plakaten geschmückt, die kalligrafierte Verse aus dem Koran wiedergaben; die Sekretärinnen waren nicht mehr dieselben, ich kannte nicht eine einzige von ihnen, und alle trugen sie Schleier. Eine von ihnen händigte mir ein Formular für den Pensionierungsantrag aus, das verstörend einfach gestaltet war; ich konnte es sofort auf einer Tischecke ausfüllen, unterschreiben und zurückgeben. Als ich wieder auf den Hof hinaustrat, wurde mir bewusst, dass soeben meine Universitätslaufbahn innerhalb weniger Minuten beendet worden war.

An der Métro-Station Censier angekommen, verharrte ich unentschlossen vor dem Treppenabgang. Ich konnte mich nicht dazu entschließen, direkt nach Hause zurückzukehren, als wäre nichts geschehen. Die Stände auf dem Marché Mouffetard öffneten gerade. Ich irrte vor dem Schaufenster der Metzgerei mit den Fleisch- und Wurstwaren aus der Auvergne umher und betrachtete, ohne sie wirklich zu sehen, die mit Blauschimmel, Pistazien, Nüssen aromatisierten Würste, als ich plötzlich Steve erblickte, der die Straße heraufkam. Auch er sah mich, und ich hatte den Eindruck, er wolle mir ausweichen, doch es war zu spät, ich ging auf ihn zu.

Genau wie ich es erwartet hatte, hatte er eine Stelle an der neuen Universität angenommen, er leitete ein Seminar über Rimbaud. Es war ihm offensichtlich peinlich, mir davon zu erzählen, und er ergänzte, ohne dass ich ihn danach gefragt hatte, die neue Leitung nehme keinen Einfluss auf die Lehrinhalte. Natürlich werde Rimbauds schlussendliche Konversion zum Islam als unumstößliche Tatsache dargestellt, obwohl sie zumindest höchst umstritten sei; doch was das Wesentliche betreffe, die Analyse der Gedichte, gebe es keinerlei Einflussnahme, wirklich. Da ich ihm ganz ohne Empörung zuhörte, entspannte er sich nach und nach und schlug mir schließlich vor, zusammen einen Kaffee zu trinken.

»Ich habe lange gezögert...«, sagte er zu mir, nachdem er einen Muscadet bestellt hatte. Herzlich und einfühlsam bezeugte ich ihm mein Verständnis; ich taxierte sein »Zögern« auf die Dauer von maximal zehn Minuten. »Aber das Gehalt ist wirklich interessant...«

»Die Höhe der Pension ist auch schon nicht schlecht.«

»Das Gehalt ist deutlich höher.«

»Wie viel?«

»Dreimal so hoch.«

Zehntausend Euro monatlich für einen mittelmäßigen Hochschullehrer, der zu keiner Veröffentlichung fähig war, die den Namen verdiente, und dessen Bekanntheitsgrad gleich null war: Sie verfügten tatsächlich über beträchtliche finanzielle Mittel. Die Universität Oxford sei ihnen vor der Nase weggeschnappt worden, erzählte mir Steve, die Katarer hätten in letzter Minute ein höheres Gebot abgegeben; daher hätten die Saudis beschlossen, alles auf die Sorbonne zu setzen. Sie hätten sogar Wohnungen im fünften und sechsten Arrondissement gekauft, Dienstwohnungen für die Hochschullehrer; er selbst wohne zu außerordentlich günstigen Konditionen in einer sehr hübschen Dreizimmerwohnung in der Rue du Dragon.

»Ich glaube, sie hätten gern gesehen, dass du bleibst«, fügte er hinzu, »aber sie wussten nicht, wie sie dich erreichen konnten. Sie haben mich sogar tatsächlich gefragt, ob ich ihnen dabei behilflich sein könne, den Kontakt zu dir herzustellen; ich musste ihnen antworten, dass ich ihnen nicht helfen könne, dass wir uns außerhalb der Fakultät nicht sehen würden.«

Kurz darauf begleitete er mich zur Station Censier. »Und die Studentinnen?«, fragte ich ihn vor dem Eingang. Er lächelte freimütig. »In dieser Beziehung hat sich alles wirklich sehr verändert. Sagen wir mal, es hat andere Formen angenommen. Ich bin verheiratet«, fügte er etwas brüsk hinzu. »Mit einer Studentin verheiratet«, stellte er klar.

»Darum kümmern sie sich auch?«

»Nicht wirklich; na ja, die Kontaktmöglichkeiten werden nicht eingeschränkt. Nächsten Monat nehme ich eine zweite Ehefrau«, sagte er zum Abschluss, bevor er Richtung Rue de Mirbel verschwand und mich verblüfft am Treppenabgang stehen ließ.

Ich muss einige Minuten reglos dagestanden haben, bevor ich beschloss, nach Hause zurückzukehren. Als ich auf dem Bahnsteig ankam, sah ich, dass die nächste Bahn in Richtung Mairie d'Ivry in sieben Minuten käme; eine Bahn rollte in die Station ein, doch sie fuhr Richtung Villejuif.

Ich befand mich *im besten Alter*, war von keiner tödlichen Krankheit direkt bedroht, und die gesundheitlichen Probleme, unter denen ich regelmäßig litt, waren zwar schmerzhaft, aber alles in allem harmlos. Jenen düsteren Bereich, in dem die Krankheiten alle mehr oder weniger tödlich sind, in dem es beinahe jedes Mal um die konkrete Lebenszeit geht, erwartete ich erst in dreißig oder sogar vierzig Jahren. Ich hatte keine Freunde, das stand fest, aber hatte ich jemals welche gehabt? Und wenn man genau darüber nachdachte, was nützten einem Freunde? Ab einem bestimmten Grad des körperlichen Verfalls – und das würde deutlich schneller gehen, ich hatte vielleicht zehn Jahre, wahrscheinlich weniger, bis der Verfall offensichtlich würde und man mich nicht mehr als *noch jung wirkend* bezeichnen könnte – würde nur noch eine eheliche Beziehung unmittelbar Sinn ergeben (die Körper vermischen sich irgendwie miteinander; in gewissem Maße entsteht ein neuer Organismus, wenn man Platon glaubt), und im Hinblick auf eheliche Beziehungen war es um mich ganz offensichtlich ziemlich schlecht bestellt. Myriams E-Mails waren im Laufe der Wochen immer seltener und karger geworden. Seit Kurzem verzichtete sie auf die Anrede »Mein Schatz«, um sie durch ein neutraleres »François« zu ersetzen. Meiner Meinung nach war es nur noch eine Frage von Wochen, bis sie mir wie alle ihre Vorgängerinnen mitteilen würde, dass sie *jemanden kennengelernt* habe. Dieses Kennenlernen hatte bereits stattgefunden, dessen war ich mir sicher, ohne genau zu wissen, warum, aber irgendetwas an ihrer Wortwahl, an der

zunehmend kleiner werdenden Zahl der Smileys und Herz-
chen, die sie in ihre E-Mails einstreute, gab mir diese absolute
Sicherheit; sie hatte nur noch nicht den Mut gefasst, es mir zu
gestehen. Sie löste sich von mir, das war alles, sie war dabei,
sich in Israel ein neues Leben einzurichten, und was konnte
ich anderes erwarten? Sie war ein hübsches Mädchen, intelligent und sympathisch, in höchstem Maße begehrenswert –
was sollte anderes geschehen? Von Israel war sie jedenfalls
immer noch genauso begeistert. »Es ist alles nicht einfach,
aber man weiß zumindest, warum man da ist«, schrieb sie mir.
Das konnte ich von mir ganz offensichtlich nicht sagen.

Das Ende meiner Universitätslaufbahn hatte mich – ich
brauchte ein paar Wochen, um mir dessen wirklich bewusst
zu werden – jedes Kontakts mit Studentinnen beraubt; wie
sollte es jetzt weitergehen? Musste ich mich bei Meetic an-
melden, wie so viele andere vor mir? Ich war ein gebildeter
Mann mit Niveau, ich war, wie gesagt, *im besten Alter*. Wenn
ich mich nach einem schwierigen Zwiegespräch von einigen
Wochen Dauer, in dessen Verlauf ein stets wachsender und
umfassender Überdruss durch irgendeinem beliebigen Gegenstand – sagen wir, Beethovens letzte Quartette – abgewon-
nene enthusiastische Momente zeitweilig kaschiert und die
Hoffnung auf magische Momente oder das von Freude und
Gelächter getragene Gefühl von Gemeinsamkeit aufblitzen
würde, wenn ich mich also nach diesen wenigen Wochen
dazu entschließen würde, eine meiner zahlreichen weiblichen
Entsprechungen tatsächlich zu treffen, was könnte sich daraus ergeben? Erektionsprobleme auf der einen Seite, Schei-
dentrockenheit auf der anderen; es war besser, das zu vermeiden.

Nur in sehr seltenen Fällen habe ich Escort-Dienste in Anspruch genommen, meistens in den Sommermonaten, um gewissermaßen den Übergang von einer Studentin zur nächsten zu überbrücken; alles in allem wurde ich zufriedengestellt. Eine kurze Internetrecherche zeigte mir, dass die neue islamische Regierung deren Betrieb in keiner Weise beeinträchtigt hatte. Ich zögerte einige Wochen lang, sah mir zahlreiche Profile an, druckte einige davon aus, um sie noch einmal zu lesen (mit Escort-Websites verhält es sich ein wenig wie mit Restaurantführern, in denen die bemerkenswert poetische Beschreibung von Gerichten auf der Karte sehr viel größeren Genuss verspricht, als einem am Ende bereitet wird). Schließlich entschied ich mich für *Nadiamaghrebina*; angesichts der politischen Gesamtsituation reizte es mich sehr, eine Muslima auszuwählen.

Tatsächlich hatte sich Nadia, die aus Tunesien stammte, dem Sog der Re-Islamisierung, der die jungen Leute ihrer Generation voll erfasst hatte, komplett entzogen. Als Tochter eines Radiologen hatte sie von Kindheit an in den guten Vierteln gelebt und nie in Betracht gezogen, einen Schleier zu tragen. Sie war im zweiten Jahr ihres Masterstudiums in Moderner Literatur und hätte eine meiner ehemaligen Studentinnen sein können, aber sie hatte immer an der Université Paris Diderot studiert. Was das Sexuelle anging, übte sie ihr Metier sehr professionell aus; allerdings wechselte sie die Positionen auf ziemlich mechanische Art und Weise, und man merkte, dass sie nicht recht bei der Sache war. Nur beim Analverkehr wurde sie ein wenig lebhafter; sie hatte einen kleinen, ziemlich engen Arsch, doch aus mir unerfindlichen Gründen empfand ich überhaupt keine Lust – ich hätte sie stundenlang unermüdlich und freudlos in den Arsch ficken können. Als sie leise, stöhnende Laute auszustoßen begann, spürte ich, dass sie Angst bekam, Lust zu empfinden – und in der Folge möglicherweise Gefühle zu entwickeln; schnell wendete sie sich mir zu, um mich in ihrem Mund zum Ende zu bringen.

Bevor ich ging, redeten wir auf ihrem Sofa von *La Maison du Convertible* noch ein paar Minuten miteinander, um die Stunde vollzumachen, für die ich bezahlt hatte. Sie war zwar recht intelligent, aber ziemlich konventionell – über alles, von der Wahl Mohammed Ben Abbes' bis hin zu den Schulden der Dritten Welt, dachte sie genau das, was man gemeinhin darüber dachte. Ihre Wohnung war geschmackvoll eingerichtet und tadellos aufgeräumt; ich war sicher, dass sie einen vernünftigen Lebenswandel pflegte und keinesfalls ihren gesamten Verdienst für Luxusklamotten ausgab, sondern den größten Teil davon ordentlich zur Seite legte. Tatsächlich erzählte sie mir, dass sie nach vier Jahren Arbeit – sie hatte mit achtzehn Jahren angefangen – genug verdient hatte, um das Apartment zu kaufen, in dem sie ihr Metier ausübte. Sie hatte die Absicht, bis zum Abschluss ihres Studiums weiterzumachen – danach wollte sie eher eine Karriere beim Rundfunk oder beim Fernsehen anstreben.

Ein paar Tage später traf ich mich mit *Babeth der Schlampe*, über die es auf der Website begeisterte Kommentare gab und die sich als »heiß und tabulos« vorstellte. In der Tat empfing sie mich in ihrer hübschen, etwas altmodischen Zweizimmerwohnung nur mit einer Büstenhebe und einem String ouvert bekleidet. Sie hatte lange blonde Haare und ein unschuldiges, fast engelsgleiches Gesicht. Auch sie schätzte Analverkehr, ließ es sich aber nicht nehmen, dies auch zu zeigen. Nach einer Stunde war ich noch immer nicht gekommen, und dank ihr wurde mir bewusst, dass ich wirklich Standvermögen besaß. Tatsächlich hatte ich auch diesmal, obwohl meine

Erektion zu keinem Zeitpunkt nachließ, nicht einen Augenblick lang auch nur das geringste bisschen Lust empfunden. Sie fragte mich, ob ich auf ihren Brüsten kommen könne; ich folgte der Aufforderung. Während sie das Sperma auf ihrer Brust verrieb, erzählte sie mir, dass es ihr sehr gefiel, angespritzt zu werden; sie beteiligte sich regelmäßig an Gangbangs, meist in Swingerclubs, manchmal aber auch an öffentlichen Orten wie Parkplätzen. Obwohl sie nur einen kleinen Beitrag forderte – fünfzig Euro pro Person –, waren diese Abende für sie sehr lukrativ, denn sie lud manchmal vierzig oder fünfzig Männer ein, die einer nach dem anderen ihre drei Öffnungen benutzten, bevor sie sich auf ihr entluden. Sie versprach mir, mich zu informieren, wenn sie den nächsten Gangbang organisierte. Ich war nicht wirklich interessiert, fand sie aber sympathisch.

Alles in allem waren diese beiden Escorts *in Ordnung*, aber trotzdem nicht gut genug, als dass ich Lust darauf gehabt hätte, sie wiederzusehen oder regelmäßigen Kontakt mit ihnen zu pflegen, und auch nicht so gut, dass sie mir Lust aufs Leben gemacht hätten. Sollte ich also sterben? Das schien mir eine zu vorschnelle Schlussfolgerung zu sein.

Tatsächlich war es mein Vater, der einige Wochen später starb. Ich erfuhr davon durch einen Anruf von Sylvia, seiner Lebensgefährtin. »Wir haben«, bedauerte sie am Telefon, »nicht sehr oft Gelegenheit gehabt, miteinander zu reden.« Das war nun wirklich untertrieben: In Wahrheit hatte ich noch *nie* mit ihr geredet, von ihrer Existenz wusste ich nur aufgrund einer indirekten Andeutung meines Vaters bei unserem letzten Gespräch zwei Jahre zuvor.

Sie holte mich am Bahnhof von Briançon ab; meine Reise

war sehr unangenehm gewesen. Die Fahrt mit dem TGV bis Grenoble war gerade noch so gegangen, in den TGVs bot die SNCF noch ein Mindestmaß an Service, doch die Regionalzüge wurden total vernachlässigt, und der Zug nach Briançon hatte mehrere Pannen gehabt und war schließlich mit einer Stunde und vierzig Minuten Verspätung angekommen; die Toiletten waren verstopft gewesen, und das mit Scheiße vermischte Wasser, von dem der Vorraum am Wagenende bereits überschwemmt war, hatte sich in die Abteile auszubreiten gedroht.

Sylvia saß am Steuer eines Mitsubishi Pajero Instyle, und zu meiner großen Überraschung waren die Vordersitze mit Schonbezügen im Leoparden-Look überzogen. Aus einer Sondernummer von *L'Auto-Journal*, die ich später bei meiner Rückfahrt kaufte, erfuhr ich, dass der Mitsubishi Pajero »einer der effizientesten Offroader in schwierigem Gelände« ist. Die Instyle-Ausführung umfasste Ledersitze, ein elektrisch verschließbares Dach, eine Rückfahrkamera und ein 860 Watt starkes Audiosystem von Rockford Acoustic mit zweiundzwanzig Lautsprechern. Das alles war zutiefst überraschend; sein ganzes Leben lang – nun, den Teil des Lebens, den ich kannte – hatte sich mein Vater beinahe demonstrativ innerhalb der Grenzen des absolut konventionellen, gutbürgerlichen Geschmacks bewegt: dreiteiliger grauer oder eventuell dunkelblauer Anzug mit Nadelstreifen, englische Markenkrawatte. Seine Kleidung passte in der Tat genau zu seiner Position: Finanzvorstand eines großen Unternehmens. Blonde, leicht gewellte Haare, azurblaue Augen, ansehnliches Gesicht: Er hätte ohne Weiteres in einem der Filme mitspielen können, die Hollywood von Zeit zu Zeit über so schwer verständliche und dabei scheinbar schrecklich wichtige Themen wie

166

die Finanzwelt, die *Subprimes* und die Wall Street produziert. Ich hatte ihn seit zehn Jahren nicht mehr gesehen und seine Entwicklung war mir verborgen geblieben, aber mit dieser Verwandlung zu einer Art Vorstadtabenteurer hatte ich ganz bestimmt nicht gerechnet.

Sylvia war in ihren Fünfzigern, etwa fünfundzwanzig Jahre jünger als er; wäre ich nicht da gewesen, hätte sie wahrscheinlich das gesamte Erbe erhalten. Meine Existenz zwang sie, den mir zustehenden Pflichtanteil an mich abzutreten – immerhin 50 Prozent, denn ich war das einzige Kind. Unter diesen Umständen konnte man kaum erwarten, dass sie mir gegenüber warmherzige Gefühle empfand; gleichwohl verhielt sie sich ausgesprochen korrekt und sprach ziemlich unbefangen mit mir. Ich hatte sie mehrmals angerufen, um sie über die immer größer werdende Verspätung meines Zugs auf dem Laufenden zu halten, und die Notarin hatte den Termin auf achtzehn Uhr verschieben können.

Die Testamentseröffnung barg keine Überraschungen: Das Erbe meines Vaters wurde zu gleichen Teilen zwischen uns beiden aufgeteilt; es gab kein zusätzliches Vermächtnis. Allerdings hatte die Notarin gut gearbeitet und bereits damit begonnen, das Erbe zu schätzen.

Er bezog eine sehr gute Pension von Unilever und besaß nur wenige liquide Geldmittel: zweitausend Euro auf seinem Girokonto, ungefähr zehntausend Euro auf einem Sparkonto in Form von Aktien, die er vor langer Zeit gezeichnet und wahrscheinlich vergessen hatte. Sein wertvollster Besitz war das Haus, in dem Sylvia und er gemeinsam gelebt hatten: Ein Immobilienmakler aus Briançon hatte es nach einer Besichtigung auf 410 000 Euro geschätzt. Sein fast neuer Mitsubishi 4 x 4 hatte laut Liste einen Wert von 45 000 Euro. Das Überraschendste war für mich die Existenz einer Sammlung kostbarer Gewehre, die die Notarin nach ihrem Wert gestaffelt aufgelistet hatte: Die teuersten waren ein Verney-Carron »Platines« und ein Chapuis »Oural Élite«. Der Gesamtwert der Sammlung belief sich immerhin auf eine Summe von 87 000 Euro – deutlich mehr als der Offroader.

»Hat er die Waffen gesammelt?«, fragte ich Sylvia.

»Das sind keine Sammlerstücke; er ging häufig zur Jagd, das war seine große Leidenschaft.«

Ein ehemaliger Finanzvorstand von Unilever, der sich im Alter einen Geländewagen kauft und seine Instinkte als Jäger und Sammler wiederentdeckt: Das war zwar erstaunlich, aber durchaus vorstellbar. Die Notarin war schon fertig; diese Erbangelegenheit erwies sich als erschreckend unkompliziert. Ungeachtet der außerordentlichen Schnelligkeit des Verfahrens verpasste ich infolge meiner verspäteten Ankunft den Zug für meine Rückfahrt nach Paris – es war der letzte an diesem Tag. Hierdurch geriet Sylvia in eine schwierige Situation, wie uns beiden zweifellos fast gleichzeitig bewusst wurde, als wir wieder ins Auto einstiegen. Ich zerstreute ihr Unbehagen sogleich, indem ich beteuerte, dass es für mich bei Weitem das Beste wäre, ein Zimmer in einem in der Nähe des Bahnhofs von Briançon gelegenen Hotel zu finden. Mein Zug würde sehr früh am nächsten Morgen fahren, und ich dürfe ihn auf keinen Fall verpassen, da ich sehr wichtige Termine in der Hauptstadt hätte, behauptete ich. Ich log gleich zweifach: Nicht nur hatte ich weder am nächsten noch an irgendeinem anderen Tag einen Termin, der erste Zug des Tages ging zudem erst kurz vor Mittag, sodass ich hoffen durfte, im günstigsten Fall gegen achtzehn Uhr in Paris zu sein. Beruhigt darüber, dass ich bald aus ihrem Leben verschwunden wäre, lud sie mich geradezu beschwingt auf einen Drink »bei uns« ein, wie sie weiterhin beharrlich sagte. Dabei war es nicht nur nicht mehr »bei uns«, denn schließlich war mein Vater tot, es würde schon bald noch nicht einmal mehr »bei mir« sein: Angesichts der Zahlen, die mir mitgeteilt worden waren, würde sie keine andere Wahl haben, als das Haus zu verkaufen, um mir mein Erbteil auszubezahlen.

Ihr an den Ausläufern des Tals von Freissinières gelegenes Landhaus war riesig; der Parkplatz im Kellergeschoss hätte einem Dutzend Autos Platz geboten. Während wir durch den Flur gingen, der zum Wohnzimmer führte, blieb ich vor ausgestopften Jagdtrophäen stehen, bei denen es sich um Gämsen oder Mufflons, jedenfalls um Säugetiere dieser Art gehandelt haben musste; auch ein Wildschwein war dabei, das leichter zu identifizieren war.

»Legen Sie Ihren Mantel ab, wenn Sie möchten«, sagte Sylvia zu mir. »Wissen Sie, ich habe mir zuerst auch nichts daraus gemacht, aber die Jägerei war eigentlich eine ganz schöne Sache. Sonntags waren sie den ganzen Tag über auf der Jagd, und abends aßen wir mit den anderen Jägern und ihren Frauen, ungefähr zwölf Paare. In der Regel nahmen wir hier einen Aperitif, und anschließend gingen wir häufig als geschlossene Gesellschaft in ein kleines Restaurant im Nachbardorf.«

Mein Vater hatte also im Alter ein *nettes* Leben geführt; auch das war eine Überraschung. Während meiner gesamten Jugend hatte ich nie auch nur einen einzigen seiner Arbeitskollegen kennengelernt, und ich glaube nicht, dass er sich außerhalb seiner Arbeit jemals mit einem von ihnen getroffen hat. Hatten meine Eltern Freunde? Möglicherweise, doch ich vermochte mich nicht daran zu erinnern. Wir lebten in Maisons-Laffitte in einem großen Haus – sicherlich nicht ganz so groß wie dieses hier, aber eben doch groß. Ich konnte mich nicht erinnern, dass jemals irgendjemand zu uns zum Abendessen gekommen wäre oder ein Wochenende bei uns verbracht hätte, dass überhaupt jemals irgendetwas unternommen worden wäre, das man gemeinhin unternimmt, wenn man *befreundet* ist. Ich glaubte auch nicht, und das war noch befremdlicher, dass mein Vater das gehabt hatte, was man als eine »Geliebte« bezeichnet – diesbezüglich konnte ich mir natürlich nicht sicher sein, da ich keinerlei Beweis hatte; aber es gelang mir überhaupt nicht, die Vorstellung einer Geliebten mit meiner Erinnerung an ihn in Einklang zu bringen. Alles in allem war er wohl ein Mann gewesen, der zwei fein säuberlich voneinander getrennte Leben geführt hatte – ohne jegliche Berührungspunkte miteinander.

Das Wohnzimmer war sehr groß und musste die ganze Etage eingenommen haben; nahe der amerikanischen Küche, die sich rechts vom Eingang befand, stand ein großer, massiver Holztisch. Im verbleibenden Raum verteilt standen Beistelltische und tiefe Sofas aus weißem Leder, an der Wand hingen weitere Jagdtrophäen und an einem Gestell die Gewehrsammlung meines Vaters: Es waren schöne Objekte mit sorgfältig gearbeiteten Metallintarsien, die sanft glänzten. Der Fußboden war mit verschiedenen Tierfellen bedeckt, in erster Linie waren es wohl Schaffelle; man hätte sich ein wenig wie in einem jener deutschen Pornofilme aus den Siebzigern fühlen können, die in einer Tiroler Jagdhütte spielen. Ich trat auf die große Fensterfront zu, die sich über die gesamte hintere Wand erstreckte und sich zu einer Berglandschaft hin öffnete. »Gegenüber sieht man den Gipfel des La Meije«, erklärte Sylvia. »Und weiter nördlich liegt die Barre des Écrins. Möchten Sie etwas trinken?«

Noch nie hatte ich einen so gut bestückten Barschrank gesehen. Er enthielt Dutzende von Obstbränden und einige Liköre, von denen ich nicht einmal geahnt hatte, dass es sie gab, aber ich begnügte mich mit einem Martini. Sylvia knipste eine kleine Stehlampe an. Die einsetzende Dunkelheit tauchte den Schnee, der das Massiv der Barre des Écrins bedeckte, in bläuliches Licht, und die Stimmung wurde ein wenig traurig. Ganz unabhängig von der Erbschaftsangelegenheit konnte ich mir nicht vorstellen, dass sie allein in diesem Haus bleiben wollte. Sie arbeitete noch, irgendetwas in Briançon; ich hatte vergessen, worum es sich handelte. Jedenfalls stand fest, dass ihr Leben, selbst wenn sie eine hübsche Wohnung im Zentrum von Briançon bezog, spürbar weniger angenehm sein würde. Etwas widerwillig setzte ich mich auf das Sofa und nahm einen zweiten Martini an – aber ich hatte bereits beschlossen, dass dies der letzte sein würde, dass ich sie direkt nach diesem Martini bitten würde, mich ins Hotel zu fahren. Ich würde die Frauen nie verstehen, das wurde mir mit zunehmender Deutlichkeit bewusst. Ich hatte es mit einer ganz normalen Frau zu tun, einer beinahe übertrieben normalen Frau; dennoch war es ihr gelungen, irgendetwas an meinem Vater zu entdecken, etwas, das weder meine Mutter noch ich wahrgenommen hatten. Und ich mochte nicht glauben, dass es einzig und allein – noch nicht einmal in erster Linie – ums Geld gegangen war; sie bezog selbst ein überdurchschnittliches Gehalt, das erkannte man an ihrer Kleidung, ihrer Frisur, ihrer Art und Weise zu reden. Sie hatte als Erste etwas an diesem alten, durchschnittlichen Mann entdeckt, das liebenswert war.

Zurück in Paris, fand ich genau die E-Mail vor, die ich seit einigen Wochen fürchtete zu erhalten; nun ja, das trifft nicht ganz zu, ich glaube, ich hatte mich bereits damit abgefunden; die einzige Frage, die ich mir wirklich stellte, war, ob auch Myriam mir schreiben würde, dass sie *jemanden kennengelernt* habe, ob sie diesen Ausdruck verwenden würde.

Sie verwendete den Ausdruck. Im darauffolgenden Absatz erklärte sie ihr tiefes Bedauern und schrieb mir, dass es sie immer irgendwie traurig mache, wenn sie an mich denke. Ich glaube, dass das stimmte – auch wenn es ebenso der Wahrheit entsprach, dass sie wahrscheinlich nicht mehr allzu oft an mich dachte. Dann wechselte sie das Thema, gab vor, dass sie die politische Situation in Frankreich zutiefst beunruhigen würde. Es war nett von ihr, so zu tun, als wäre unsere Liebe gewissermaßen im Zuge der historischen Erschütterungen zerbrochen; natürlich nicht ganz ehrlich, aber nett.

Ich wandte mich vom Computerbildschirm ab und machte ein paar Schritte auf das Fenster zu; eine einzelne linsenförmige Wolke, deren Ränder von der untergehenden Sonne orange gefärbt wurden, schwebte so reglos, so teilnahmslos wie ein intergalaktisches Raumschiff hoch über dem Stade Charléty. Ich empfand einen nur schwachen, gedämpften Schmerz, doch er war stark genug, um mich am klaren Denken zu hindern; alles, was ich sah, war, dass ich einmal mehr allein war mit meiner schwindenden Lebenslust und den zahlreichen Qualen, die mir bevorstanden. Die an sich völlig unkomplizierte Beendigung meiner Lehrtätigkeit an der Universität hatte einen riesigen Berg bürokratischer Formalitäten bei der Sozialversicherung und bei meiner privaten Zusatzversicherung nach sich gezogen, den abzuarbeiten ich mich außerstande fühlte. Ich musste es trotzdem tun. Obwohl sie sehr ordentlich bemessen war, hätte es mir meine Pension nicht erlaubt, ernsthaft zu erkranken. Allerdings ermöglichte sie es mir, aufs Neue Escort-Dienste in Anspruch zu nehmen. Im Grunde hatte ich überhaupt keine Lust darauf, und Kants unklarer Begriff der »Pflicht gegen sich selbst« geisterte mir durch den Kopf, als ich mich dazu entschloss, die Seiten meiner bevorzugten Website zu überfliegen. Ich entschied mich schließlich für eine Anzeige, die von zwei Mädchen aufgegeben worden war: Rachida, eine zweiundzwanzigjährige Marokkanerin, und Luisa, eine vierundzwanzigjährige Spanierin, luden dazu ein, »sich von einem frechen und wilden Duo verzaubern zu lassen«. Das war natürlich teuer, doch die Umstände schienen mir etwas höhere Sonderausgaben zu rechtfertigen. Wir verabredeten uns für denselben Abend.

Anfangs war alles wie immer, also eher angenehm: Sie hatten ein hübsches Apartment in der Nähe der Place Monge angemietet, wo sie nun Räucherstäbchen angezündet und sanfte Musik vom Typ Walgesang aufgelegt hatten, ich fickte beide unermüdlich und frei von Lust abwechselnd in die Muschi und in den Arsch. Erst nach einer halben Stunde, als ich Luisa gerade von hinten nahm, geschah etwas Neues: Rachida küsste mich, um dann mit einem sanften Lächeln hinter mich zu gleiten; zunächst legte sie eine Hand auf meinen Hintern, dann näherte sie sich mit dem Gesicht und begann meine Eier zu lecken. Allmählich und mit wachsendem Entzücken spürte ich, wie in mir die vergessenen Schauer der Lust wieder erwachten. Ich war mir nicht sicher, aber vielleicht hatte Myriams E-Mail, die Tatsache, dass sie mich gewissermaßen offiziell verlassen hatte, irgendetwas in mir freigesetzt. Ganz außer mir vor Dankbarkeit drehte ich mich um, riss das Präservativ herunter und bot mich Rachidas Mund an. Zwei Minuten später kam ich zwischen ihren Lippen; mit großer Sorgfalt leckte sie die letzten Tropfen ab, während ich ihr über die Haare strich.

Als ich ging, bestand ich darauf, jeder von beiden hundert Euro Trinkgeld zu geben; möglicherweise waren meine negativen Schlussfolgerungen vorschnell gewesen, hatten mir doch diese beiden Mädchen gezeigt, dass eine tiefgreifende Veränderung, wie sie spät im Leben meines Vaters stattgefunden hatte, jederzeit möglich war. Und wenn ich Rachida regelmäßig wiedersähe, würde am Ende vielleicht ein Gefühl der Liebe zwischen uns entstehen; zumindest gab es keine Anhaltspunkte dafür, dass dies vollkommen auszuschließen war.

Dieser kurze Hoffnungsschimmer blitzte in einem Moment auf, in dem Frankreich zu einer Zuversicht zurückgefunden hatte, wie sie seit den ersten Nachkriegsjahrzehnten mehr als ein halbes Jahrhundert zuvor nicht mehr geherrscht hatte. Die Anfänge der von Mohammed Ben Abbes eingesetzten Regierung der nationalen Einheit wurden einhellig als Erfolg begrüßt. Alle Kommentatoren waren sich darin einig, dass nie zuvor ein neu gewählter Präsident der Republik einen vergleichbaren »Stand der Gnade« genossen hatte. Ich dachte oft an das zurück, was mir Tanneur zu den internationalen Ambitionen des neuen Präsidenten gesagt hatte, und stellte mit Interesse fest, dass über einen Sachverhalt nahezu einmütig geschwiegen wurde, nämlich über die Wiederaufnahme der Verhandlungen über den bevorstehenden Beitritt Marokkos zur Europäischen Union; bezüglich der Türkei war bereits ein Zeitplan erstellt worden. Der Wiederaufbau des römischen Imperiums war also bereits im Gange, und auch auf innenpolitischer Ebene schrieb Ben Abbes eine makellose Erfolgsgeschichte. Die unmittelbarste Folge seiner Wahl war die Absenkung der Kriminalitätsrate, und das in einem mehr als deutlich spürbaren Maße: In den problematischsten Vierteln war sie sage und schreibe um das Zehnfache gesunken. Einen weiteren unmittelbar spürbaren Erfolg gab es bei der Arbeitslosigkeit, deren Quote sich im freien Fall befand. Dies war zweifellos auf den massiven Ausstieg der Frauen aus dem Arbeitsmarkt zurückzuführen, der wiederum im Zusammenhang mit der beträchtlichen Erhöhung der Familienzulagen stand, der allerersten Maßnahme, die die neue Regierung exemplarisch vorgestellt hatte. Die Tatsache, dass die Auszahlung der Familienzulagen an die Bedingung geknüpft war, dass die Frauen keinerlei berufliche Tätigkeit mehr ausübten, hatte bei der politischen Linken anfangs ein leichtes Zähneknirschen hervorgerufen, doch angesichts der Arbeitslosenzahlen war es schon bald nicht mehr zu hören. Nicht einmal das Haushaltsdefizit sollte hierdurch anwachsen: Die Erhöhung der Familienzulagen wurde komplett durch die drastische Senkung des Bildungsetats kompensiert, der zuvor den mit Abstand größten Posten im Staatshaushalt ausgemacht hatte. In dem neu installierten Bildungssystem endete die Schulpflicht nach dem Primarbereich, also ungefähr im Alter von zwölf Jahren; das Abschlusszeugnis am Ende des Primarbereichs wurde wieder eingeführt und stellte die Krönung der regulären Schulbildung dar. Es wurde dazu geraten, im Anschluss daran eine handwerkliche Tätigkeit aufzunehmen; die Finanzierung der Sekundarbildung sowie aller Stufen darüber wurde zur reinen Privatangelegenheit. All diese Reformen zielten darauf ab, »der Familie, jener Keimzelle unserer Gesellschaft, wieder den ihr gebührenden Platz, ihre Würde zurückzugeben«, hatten der neue Präsident der Republik und sein Premierminister in einer merkwürdigen gemeinsamen Ansprache erklärt, in der Ben Abbes einen beinahe mystischen Tonfall anschlug und François Bayrou mit einem glückseligen Lächeln im Gesicht in etwa die Rolle des *Hanswursts* aus einem alten deutschen Kasperletheater spielte, der in übertriebener – und leicht grotesker – Form immer das wiederholt, was die Hauptfigur gerade gesagt hat. Die muslimischen Schulen hatten ganz offensichtlich nichts zu befürchten – in Sachen Schulbildung war die Großzügigkeit der Erdöl-Mo-

narchien seit jeher grenzenlos. Etwas mehr überraschte es da
schon, dass es allem Anschein nach einigen katholischen und
jüdischen Einrichtungen gelungen war, sich zu behaupten,
indem sie verschiedene Unternehmer um Unterstützung gebeten hatten; jedenfalls vermeldeten sie, dass ihre Finanzierung gesichert sei und nach den nächsten Ferien der Unterricht ganz normal stattfinden würde.

Die plötzliche Implosion des auf den beiden politischen
Säulen Mitte-Links und Mitte-Rechts basierenden Systems,
das seit Menschengedenken dem politischen Leben in Frankreich seine Ordnung gegeben hatte, versetzte zunächst die gesamte Medienwelt in einen Zustand der Fassungslosigkeit,
der an Aphasie grenzte. Man konnte den unglücklichen Christophe Barbier sehen, wie er mit seinem schlaff herabhän-
genden Schal armselig von einem Fernsehstudio ins nächste
schlich, unfähig, einen historischen Umbruch zu kommentie-
ren, den er nicht hatte kommen sehen – den ehrlich gesagt
niemand hatte kommen sehen. Trotzdem begannen sich im
Laufe der Wochen Schritt für Schritt Kerne einer neuen Opposition herauszubilden, zunächst aufseiten der linken Laizisten. Auf Initiative so unglaubwürdiger Persönlichkeiten wie
Jean-Luc Mélenchon und Michel Onfray fanden Protestver-
sammlungen statt; die Linksfront bestand weiterhin fort,
zumindest auf dem Papier, und es war vorherzusehen, dass
Mohammed Ben Abbes im Jahr 2027 einen vorzeigbaren He-
rausforderer haben würde – abgesehen natürlich von der Kandidatin des Front National. Auf der anderen Seite verschafften
sich bestimmte Gruppierungen wie der Bund der salafisti-
schen Studenten Gehör, indem sie lautstark den Fortbestand
unmoralischer Verhaltensweisen anprangerten und die effek-
tive Anwendung der Scharia forderten. Auf diese Weise ka-

men nach und nach die Bestandteile einer politischen Diskussion zusammen. Es sollte eine Debatte neuen Zuschnitts werden, die sich grundlegend von denjenigen Debatten unterschied, die Frankreich während der zurückliegenden Jahrzehnte gekannt hatte, und eher denjenigen ähnelte, die in den meisten arabischen Ländern gepflegt wurden; aber es sollte doch eine Art Debatte sein. Und die Existenz selbst einer künstlichen Diskussion ist für den harmonischen Betrieb der Medien unbedingt erforderlich, womöglich sogar für die Existenz eines zumindest formalen Gefühls von Demokratie in der Bevölkerung.

Jenseits dieser oberflächlichen Unruhe war Frankreich im Begriff, sich schnell zu entwickeln und tiefgreifend zu verändern. Schon sehr bald wurde klar, dass Mohammed Ben Abbes auch unabhängig vom Islam ganz eigene Vorstellungen hatte. Während einer Gesprächsrunde mit Medienvertretern erklärte er, dass er vom Distributismus beeinflusst sei, was bei den Zuhörern allgemeines Erstaunen auslöste. Genau genommen hatte er dies während seines Wahlkampfes bereits mehrfach bekundet; da Journalisten jedoch naturgemäß dazu neigen, Informationen zu ignorieren, die sie nicht verstehen, wurde diese Aussage weder gehört noch verbreitet. Doch nun ging es um den amtierenden Präsidenten der Republik, sodass es für sie unumgänglich war, ihre Recherchen auf den aktuellen Stand zu bringen. Auf diese Weise erfuhr die breite Öffentlichkeit im Verlauf der folgenden Wochen, dass der Distributismus eine ökonomische Philosophie war, die Anfang des 20. Jahrhunderts in England entstanden und von Denkern wie Gilbert Keith Chesterton und Hilaire Belloc vertreten worden war. Er verstand sich als »Dritter Weg«, der sich sowohl vom Kapitalismus als auch vom Kommunismus – der mit einem Staatskapitalismus gleichgesetzt wurde – abhob. Seine Grundidee war die Aufhebung der Trennung zwischen Kapital und Arbeit. Die normale Form der Wirtschaft stellte für ihn das Familienunternehmen dar; ergebe sich für bestimmte Produktionszweige die Notwendigkeit eines Zusammenschlusses zu größeren Einheiten, dann müsse alles dafür getan werden, dass die Arbeiter zu Anteilseignern ihres Unternehmens würden und für dessen Leitung mitverantwortlich wären.

Der Distributismus, sollte Ben Abbes später näher erläutern, sei absolut mit den Lehren des Islam vereinbar. Diese Klarstellung war keineswegs überflüssig, da Chesterton und Belloc zu Lebzeiten vor allem für ihre bissigen Auftritte als katholische Polemiker bekannt gewesen waren. Es wurde ziemlich schnell deutlich, dass die Brüsseler Behörden trotz des offensichtlich antikapitalistischen Kerns der Lehre von diesem Kurs im Grunde nicht sehr viel zu befürchten haben würden. Die wichtigsten praktischen Maßnahmen, die von der neuen Regierung umgesetzt wurden, bestanden de facto darin, einerseits den großen Industriekonzernen alle staatlichen Hilfen zu streichen – eine Praxis, gegen die Brüssel schon seit Langem vorging, stellte sie doch einen Eingriff in das Prinzip des freien Wettbewerbs dar – und andererseits dem Handwerk und den selbstständig Erwerbstätigen erhebliche steuerliche Erleichterungen zuzugestehen. Diese Maßnahmen stießen in der Öffentlichkeit sofort auf große Zustimmung; seit mehreren Jahrzehnten schon war der von den Jüngeren allseits am meisten ersehnte Berufstraum tatsächlich, »einen eigenen Laden aufzumachen« oder zumindest einer selbstständigen Erwerbstätigkeit nachzugehen. Darüber hinaus deckten sie sich mit den Entwicklungen in der nationalen Wirtschaft:

Trotz kostspieliger Rettungspläne wurde in Frankreich weiterhin ein großer Industriestandort nach dem anderen geschlossen; dagegen konnten sich die Landwirtschaft und das Handwerk hervorragend behaupten und sogar, wie man sagt, Marktanteile erobern.

Alle diese Entwicklungen führten zur Herausbildung eines neuen Gesellschaftsmodells in Frankreich. Doch der Wandel sollte sich so lange nahezu unbemerkt vollziehen, bis ein junger Soziologe, Daniel Da Silva, einen aufsehenerregenden Essay mit dem ironischen Titel »Eines Tages wird das alles dir gehören, mein Sohn« veröffentlichte. Der unzweideutige Untertitel lautete: »Lob der vernünftigen Familie«. In der Einleitung würdigte er einen etwa zehn Jahre zuvor erschienenen Aufsatz des Philosophen Pascal Bruckner, in dem dieser angesichts des Scheiterns der Liebesheirat eine Rückkehr zur Vernunftehe pries. Da Silva behauptete ebenfalls, dass die familiäre Beziehung, insbesondere die zwischen Vater und Sohn, keinesfalls auf Liebe basieren könne, sondern auf der Übertragung von Können und einem umfassenden Erbe. Der Übergang zur Lohnarbeit als allgemeines Arbeitsverhältnis musste seiner Ansicht nach zwangsläufig die Explosion der Familie und die vollständige Atomisierung der Gesellschaft mit sich bringen, die nur dann wiederaufgebaut werden könne, wenn das vorherrschende Produktionsmodell wie einst auf Einzelunternehmen basierte. Auch wenn solche antiromantischen Thesen schon häufig für erhebliches Aufsehen gesorgt hatten, waren sie doch vor dem Erscheinen von Da Silvas Essay kaum in den Medien präsent geblieben. In den Leitmedien waren die individuelle Freiheit, das Mysterium der Liebe und derlei Dinge allgemeiner Konsens. Der junge Soziologe war aufgeweckt, ein ausgezeichneter Diskutant und im Grunde nicht anfällig für politische oder religiöse Ideologien; er konzentrierte sich strikt auf seinen eigentlichen Wissensbereich – die Analyse der Entwicklung familiärer Strukturen und deren Folgen für die Bevölkerungsentwicklung in den westlichen Gesellschaften. So sollte es ihm als Erstem gelingen, den Dunstkreis des rechten Gedankengutes zu durchbrechen, der sich um ihn herum zu bilden drohte. Er konnte sich als kompetente Stimme in den Debatten behaupten, welche die gesellschaftlichen Vorhaben von Mohammed Ben Abbes auslösten. (Diese Debatten kamen zwar nur sehr langsam und zögerlich in Gang, da die allgemeine Stimmung immer noch die einer stillschweigenden und verhaltenen Akzeptanz war, aber nach und nach kamen sie in Gang.)

Meine eigene Familiengeschichte war die perfekte Veranschaulichung der Thesen Da Silvas. Was die Liebe betraf, so lag sie für mich weiter als je zuvor außer Reichweite. Das Wunder meines ersten Besuchs bei Rachida und Luisa hatte sich nicht wiederholt, und mein Schwanz war wieder zu einem ebenso leistungsstarken wie gefühllosen Organ geworden. Ich verließ ihr Apartment in einem Zustand mittelgroßer Verzweiflung und in dem Bewusstsein, dass ich sie wahrscheinlich niemals wiedersehen würde, dass mir meine Möglichkeiten immer schneller zwischen den Fingern zerrannen und mich, wie Huysmans es ausgedrückt hätte, in einem leblosen Zustand aus »Gefühllosigkeit und Trockenheit« zurückließen.

Kurze Zeit später legte sich unerwartet eine mehrere Tausend Kilometer breite Kaltfront über Westeuropa; nachdem sie einige Tage über den Britischen Inseln und Norddeutschland festgehangen hatten, griffen die polaren Luftmassen in einer Nacht auf ganz Frankreich über und sorgten für zu dieser Jahreszeit außergewöhnlich niedrige Temperaturen.

Mein Körper, der keine Quelle der Lust mehr sein konnte, blieb eine zuverlässige Quelle des Leidens, und ein paar Tage später bemerkte ich, dass ich zum vielleicht zehnten Mal in drei Jahren an einer Dyshidrosis litt, die sich in Form eines bullösen Ekzems äußerte. Winzige Pusteln unter den Fußsohlen und zwischen meinen Zehen breiteten sich zusehends aus und bildeten stark eiternde Flächen. Bei einer hautärztlichen Untersuchung erfuhr ich, dass sich die Entzündung durch eine zusätzliche Mykose verstärkt hatte, die durch Pilze verursacht worden war, welche die betroffenen Hautpartien befallen hatten. Die Behandlungsmethode wäre bekannt, aber langwierig, mit einer spürbaren Verbesserung wäre erst nach mehreren Wochen zu rechnen. In den folgenden Nächten wurde ich regelmäßig von Schmerzen geweckt; ich musste mich stundenlang bis aufs Blut kratzen, um mir zeitweilig Linderung zu verschaffen. Es war erstaunlich, dass meine Zehen, diese kleinen rundlichen, albernen Fleischstückchen, von solch qualvollen Schmerzen heimgesucht werden konnten.

Nachdem ich mich eines Nachts wieder einmal einer dieser Kratzorgien hingegeben hatte, stand ich mit blutigen Füßen auf und trat an das große Fenster. Es war drei Uhr morgens, doch wie immer in Paris war es draußen nicht vollständig dunkel. Von meinem Fenster aus erkannte ich gut zehn Hochhäuser und mehrere Hundert mittelgroße Gebäude. Insgesamt einige Tausend Wohnungen und ebenso viele *Haushalte* – Haushalte, die sich in Paris in der Regel auf eine bis zwei Personen und zunehmend sogar nur noch auf eine einzige Person beschränkten. Die meisten dieser Zellen waren jetzt unbeleuchtet, und genauso wie die meisten dieser Menschen hatte ich keinen echten Grund, mich umzubringen. Genau genommen bestand für mich im Vergleich sogar noch weniger Anlass dazu: Mein bisheriges Leben war von echten intellektuellen Leistungen geprägt gewesen, ich bewegte mich in einem – wenn auch sehr kleinen – anerkannten und sogar respektierten Milieu. In materieller Hinsicht konnte ich mich nicht beklagen: Bis zum Lebensende war mir ein gutes Einkommen sicher, doppelt so hoch wie das Durchschnittseinkommen, ohne dass ich dafür überhaupt hätte arbeiten müssen. Trotzdem, das spürte ich genau, näherte ich mich dem Selbstmord, ohne Verzweiflung oder auch nur eine besondere Traurigkeit zu empfinden, sondern einfach nur deshalb, weil »die Gesamtsumme der Funktionen, die dem Tod widerstehen«, wie Bichat es ausdrückt, langsam kleiner wurde. Der einfache Wille zu leben reichte mir offenbar nicht mehr aus, um der Gesamtheit der Schmerzen und Unannehmlichkeiten zu widerstehen, die das Leben eines durchschnittlichen Westeuropäers begleiten. Ich war unfähig, für mich selbst zu leben, und für wen sonst hätte ich leben sollen? Die Menschheit interessierte mich nicht, sie widerte mich sogar an. Ich betrachtete die Menschen keineswegs als meine Brüder, und ich tat es umso weniger, wenn ich einen kleineren Ausschnitt der Menschheit in Augenschein nahm, so zum Beispiel denjenigen, der aus meinen Landsleuten oder meinen ehemaligen Kollegen bestand. Dennoch musste ich wohl anerkennen, dass diese Menschen mir unangenehm ähnelten, dass sie meinesgleichen waren, auch wenn es gerade diese Ähnlichkeit war, die mich dazu veranlasste, sie zu meiden. Es hätte einer Frau bedurft, das war die klassische, die bewährte Lösung, denn eine Frau, die zwar unzweifelhaft menschlich ist, aber doch einen Typus darstellt, der sich ein klein wenig von der Menschheit unterscheidet, befruchtet das Leben mit einem gewissen Hauch von Exotik. Huysmans hätte sich diesem Problem im Grunde mit den gleichen Begriffen stellen können, denn seither hatte sich die Situation überhaupt nicht verändert, außer vielleicht, auf eine informelle und negative Art, durch das langsame Zerbröckeln, die Einebnung der Unterschiede – doch selbst diese Einschätzung war zweifellos schon übertrieben. Huysmans hatte am Ende einen anderen Weg gewählt, er hatte sich für den radikaleren Exotismus entschieden – die *Göttlichkeit*. Aber dieser Weg verstörte mich immer wieder völlig.

Es vergingen noch einige weitere Monate; meine Dyshidrosis kapitulierte schließlich vor der Behandlung, doch beinahe übergangslos traten extrem schmerzhafte Hämorrhoiden auf. Es wurde immer kälter, und ich verließ zunehmend seltener die Wohnung: Einmal pro Woche ging ich in den Supermarkt Géant Casino, um meine Vorräte an Lebensmitteln und Pflegeprodukten wieder aufzufüllen; dazu einmal täglich zum Briefkasten, um die Bücher herauszuholen, die ich bei Amazon bestellt hatte.

Die Zeit der Festtage überstand ich dennoch ohne allzu große Verzweiflung. Im Vorjahr hatte ich noch per E-Mail einige Neujahrsgrüße erhalten – insbesondere von Alice, aber auch von einigen Uni-Kollegen. In diesem Jahr hatte mir zum ersten Mal niemand geschrieben.

In der Nacht des 19. Januar wurde ich völlig unerwartet von endlosen Weinkrämpfen geschüttelt. Am Morgen, als über Le Kremlin-Bicêtre der Tag zu dämmern begann, beschloss ich, in die Abtei von Ligugé zurückzukehren, dorthin, wo Huysmans das Oblaten-Gelübde abgelegt hatte.

Für den TGV nach Poitiers war eine Verspätung von unbe-
stimmter Dauer angekündigt worden, und auf den Bahnstei-
gen patrouillierte Sicherheitspersonal der SNCF, um zu verhindern, dass ein Bahnkunde auf den Gedanken kommen
könnte, sich eine Zigarette anzuzünden. Alles in allem begann
meine Reise ziemlich schlecht, und im Waggon erwarteten
mich weitere Enttäuschungen. Seit meiner letzten Reise war
der Platz für Gepäckstücke nochmals verkleinert worden, es
gab praktisch gar keinen mehr; Koffer und Reisetaschen sta-
pelten sich in den Gängen, wodurch das Schlendern von einem Waggon zum anderen, einst die größte Annehmlichkeit
einer Zugfahrt, zunächst erschwert und bald vollkommen unmöglich wurde. Das Bordrestaurant Servair, das zu erreichen
mich fünfundzwanzig Minuten gekostet hatte, sollte eine
weitere Enttäuschung für mich bereithalten: Die meisten Gerichte einer ohnehin schon kleinen Karte waren nicht verfüg-
bar. Die SNCF und Servair entschuldigten sich für die hierdurch entstandenen Unannehmlichkeiten; ich musste mich
mit einem Quinoa-Salat und einem italienischen Sprudel-
wasser zufriedengeben. Mehr oder weniger aus Verzweiflung
hatte ich mir in einem *Relay*-Kiosk im Bahnhof eine Ausgabe der *Libération* gekauft. Ungefähr auf der Höhe von Saint-
Pierre-des-Corps hatte schließlich ein Artikel meine Aufmerksamkeit erregt: Der demonstrative Distributismus des
neuen Präsidenten sei letztlich weniger harmlos, als es auf den
ersten Blick geschienen habe. Eines der wesentlichen Ele-
mente der von Chesterton und Belloc entwickelten politi-

schen Philosophie sei das Subsidiaritätsprinzip. Gemäß diesem Prinzip solle keine (soziale, wirtschaftliche oder politische) Einheit des Gemeinwesens eine Aufgabe übernehmen, die auf eine kleinere Einheit übertragen werden könne. In seiner Enzyklika *Quadragesimo anno* liefere Papst Pius XI. eine Definition dieses Prinzips: »Wie dasjenige, was der Einzelmensch aus eigener Initiative und mit seinen eigenen Kräften leisten kann, ihm nicht entzogen und der Gesellschaftstätigkeit zugewiesen werden darf, so verstößt es gegen die Gerechtigkeit, das, was die kleineren und untergeordneten Gemeinwesen leisten und zum guten Ende führen können, für die weitere und übergeordnete Gemeinschaft in Anspruch zu nehmen; zugleich ist es überaus nachteilig und verwirrt die ganze Gesellschaftsordnung.« Die Aufgabe, deren Zuweisung an eine zu große Gemeinschaft »die ganze Gesellschaftsordnung« verwirre und die Ben Abbes im Auge habe, sei nichts anderes als die soziale Solidarität. »Kann es etwas Schöneres geben«, hatte er in seiner letzten Rede ganz bewegt gefragt, »als eine Solidarität, die innerhalb des warmherzigen Rahmens der Familie ausgeübt wird?« Der »warmherzige Rahmen der Familie« war seinerzeit noch größtenteils *Programm*; der neue Haushaltsentwurf der Regierung war da schon deutlich konkreter, schrieb er doch im Laufe der kommenden drei Jahre eine Verringerung der staatlichen Sozialausgaben um 85 Prozent fest.

Das Erstaunlichste war, dass der hypnotische Zauber, den Ben Abbes von Anfang an verbreitete, weiter wirkte und dass es gegen seine Vorhaben keinen nennenswerten Widerstand gab. Die Linke hatte sich schon immer durch die Fähigkeit ausgezeichnet, antisozialen Reformen zuzustimmen, die man vehement abgelehnt hätte, wären sie von rechts gekommen;

doch für die islamische Partei traf das noch mehr zu, wie es schien. Auf den Seiten, die der internationalen Politik gewidmet waren, erfuhr ich außerdem, dass die Verhandlungen mit Algerien und Tunesien über den Beitritt zur Europäischen Union gut vorankamen und dass diese beiden Länder Ende des kommenden Jahres neben Marokko Mitglieder der Union sein sollten; mit dem Libanon und Ägypten waren erste Sondierungsgespräche geführt worden.

Am Bahnhof von Poitiers begann meine Reise eine etwas günstigere Wendung zu nehmen. Es standen ausreichend Taxen bereit, und der Fahrer schien überhaupt nicht überrascht, als ich ihm sagte, dass ich in die Abtei von Ligugé wolle. Er war ein Mann in den Fünfzigern, korpulent, mit besonnenem und freundlichem Blick; er fuhr seinen Toyota Van sehr behutsam. Jede Woche kämen Menschen aus der ganzen Welt, um eine gewisse Zeit im ersten christlichen Kloster des Abendlandes zu verbringen, erklärte er mir. Erst in der Woche zuvor habe er einen berühmten amerikanischen Schauspieler dorthin gefahren – er könne sich nicht mehr an dessen Namen erinnern, sei sich aber sicher, ihn schon einmal in einem Film gesehen zu haben. Einige Antworten auf Fragen meinerseits ließen den Rückschluss zu, dass es sich wahrscheinlich um Brad Pitt gehandelt hatte. Mein Aufenthalt dort würde bestimmt angenehm werden, vermutete er: Der Ort sei sehr ruhig, das Essen exzellent. In dem Augenblick, in dem er dies sagte, wurde mir bewusst, dass er es nicht nur dachte, sondern dass er es sich wünschte – dass er zu diesen doch eher seltenen Exemplaren gehörte, die sich grundsätzlich am Glück ihrer Mitmenschen erfreuen, dass er, kurz gesagt, das war, was man einen »guten Menschen« nennt.

Auf der linken Seite in der Eingangshalle des Klosters befand sich der Laden, in dem man die Erzeugnisse aus den Klosterwerkstätten kaufen konnte, aber er war im Moment geschlossen; im Empfangsbüro rechts war niemand. Auf einem kleinen Hinweisschild stand, dass man klingeln könne, falls das Büro nicht besetzt sei, wovon man jedoch, außer in sehr dringenden Fällen, während der Gebetszeiten und Gottesdienste absehen solle. Die Zeiten für den Beginn der Gebete und Messen waren angegeben, nicht jedoch deren Dauer: Nach einer ziemlich langwierigen Berechnung und unter Berücksichtigung der Essenszeiten kam ich zu dem Schluss, dass ein Gebet angesichts des gesamten Tagesablaufs im Kloster wahrscheinlich nicht länger als eine halbe Stunde dauern dürfte. Eine etwas schnellere Berechnung ergab, dass jetzt genau die Zeit zwischen der *Sext* und der *Non* war, ich konnte also klingeln.

Nach ein paar Minuten erschien ein groß gewachsener und mit einer schwarzen Kutte bekleideter Mönch; er lächelte breit, als er mich erblickte. Sein Gesicht und die hohe Stirn wurden von kleinen kastanienbraunen, nur leicht angegrauten Haarlocken und einem ebenfalls kastanienbraunen Bart eingerahmt. Ich schätzte ihn auf höchstens fünfzig. »Ich bin Bruder Joël. Ich habe Ihre E-Mail beantwortet«, sagte er, bevor er entschlossen meine Reisetasche ergriff. »Ich begleite Sie zu Ihrem Zimmer.« Er ging sehr aufrecht, trug mühelos meine doch ziemlich schwere Tasche. Er schien insgesamt in sehr guter körperlicher Verfassung zu sein. »Wir freuen uns sehr, Sie wieder bei uns zu haben«, fuhr er fort. »Es dürfte jetzt schon mehr als zwanzig Jahre her sein.« Ich musste ihn vollkommen verdutzt angesehen haben, denn er fragte mich: »Sie waren doch vor ungefähr zwanzig Jahren schon einmal bei uns zu Gast, oder? Sie haben damals über Huysmans geschrieben?«

Das stimmte, aber es überraschte mich, dass er sich an mich erinnerte, denn sein Gesicht sagte mir überhaupt nichts.

»Sind Sie hier vielleicht der Gästebruder?«

»Nein, nein, keineswegs, aber damals war ich es. Das ist eine Aufgabe, die häufig von jungen Mönchen übernommen wird, also von Mönchen, die noch nicht lange im Kloster leben. Der Gästebruder soll mit unseren Gästen sprechen, er steht noch in Verbindung mit der Welt; als Gästebruder ist man eine Art Schleuse, man befindet sich in einer Art Zwischenstadium, das einem zugestanden wird, bevor man endgültig sein Schweigegelübde einlöst. Ich selbst war etwas länger als ein Jahr Gästebruder.«

Wir gingen an einem ziemlich schönen Renaissance-Gebäude vorbei, das von einem Park umgeben war; eine hell strahlende Wintersonne ließ die mit Laub bedeckten Wege aufleuchten. Etwas weiter entfernt lag eine spätgotische Kirche, die fast genauso hoch war wie das Kloster. »Das ist die alte Abteikirche, die Huysmans gekannt hat«, sagte Bruder Joël zu mir. »Doch obwohl wir es nach der Auflösung der Gemeinschaft infolge der ›Combes-Gesetze‹ später geschafft haben, hierher zurückzukehren und wieder das Klostergebäude zu beziehen, ist es uns nicht gelungen, die Kirche zurückzubekommen, da sie inzwischen Pfarrkirche geworden war. Wir mussten eine neue innerhalb der Klostermauern bauen.« Vor einem flachen, ebenfalls im Renaissance-Stil errichteten einstöckigen Gebäude blieben wir stehen. »Das ist unser Gästehaus, in dem Sie untergebracht sind«, fuhr er fort. In diesem Augenblick erschien am Ende des Weges ein untersetzter, ebenfalls mit einer Kutte bekleideter Mönch in seinen Vierzigern, der im Laufschritt auf uns zukam. Mit seiner im Sonnenlicht beinahe strahlenden Glatze wirkte er lebhaft und vermittelte den Eindruck größter Heiterkeit und Sachkenntnis; er wirkte auf mich wie ein Finanzminister, oder besser noch ein Haushaltsminister, dem man, ohne zu zögern, sofort wichtige Befugnisse übertragen hätte. »Und das hier ist Bruder Pierre, unser neuer Gästebruder, der sich während Ihres Aufenthaltes um alle praktischen Belange kümmert«, erklärte mir Bruder Joël. »Ich bin nur gekommen, um Sie zu begrüßen.« Mit diesen Worten verbeugte er sich sehr tief vor mir, gab mir die Hand und ging zum Klostergebäude zurück.

»Sie sind mit dem TGV gekommen?«, erkundigte sich der Gästebruder; ich bejahte. »Mit dem TGV geht es wirklich schnell«, fuhr er fort, offensichtlich darum bemüht, einvernehmlich miteinander ins Gespräch zu kommen. Nachdem er meine Reisetasche genommen hatte, begleitete er mich zu meinem Zimmer: Die quadratische Zelle mit einer Seitenlänge von ungefähr drei Metern war mit einer lichtgrauen Tapete mit Flechtmuster tapeziert, der Boden mit einem ziemlich abgewetzten mittelgrauen Teppichboden ausgelegt. Der einzige Schmuck war ein großes Kruzifix aus dunklem Holz oberhalb des schmalen Einzelbettes. Mir fiel sofort auf, dass die Armatur am Waschbecken keine Mischbatterie hatte; auch ein Rauchmelder an der Decke fiel mir auf. Ich sagte zu Bruder Pierre, dass dieses Zimmer genau das Richtige für mich sei, obwohl ich bereits jetzt wusste, dass das nicht stimmte. Als Huysmans sich in *Unterwegs* endlos fragt, ob er das Klosterleben ertragen werde, ist einer der Gründe, die dagegen sprechen, dass man ihm wahrscheinlich verbieten würde, im Inneren der Gebäude zu rauchen. Für solche Sätze hatte ich ihn schon immer geliebt, ebenso wie für jene Passage, in der er erklärt, dass eine der wenigen wahren Freuden des Lebens auf dieser Erde darin bestehe, sich mit einem Stapel Bücher und einem Päckchen Tabak in Reichweite allein in sein Bett zu legen. Das traf ohne jeden Zweifel zu; aber seinerzeit hatte es noch keine Rauchmelder gegeben.

Auf einem recht wackeligen Holzschreibtisch lagen eine Bibel, ein schmales Bändchen von Dom Jean-Pierre Longeat über den Sinn des Rückzugs in ein Kloster (mit dem ausdrücklichen Hinweis *Nicht mitnehmen* versehen) sowie ein Informationsblatt, das im Wesentlichen die Zeiten der Messen und Mahlzeiten auflistete. Ein kurzer Blick auf die Uhr zeigte mir, dass es Zeit für die *Non* war, doch ich beschloss, an meinem ersten Tag nicht daran teilzunehmen: Ihre symbolische Bedeutung war nicht übermäßig groß. Die kleinen Horen *Terz*, *Sext* und *Non* dienten dazu, »einzelne Tageszeiten mit ihrer Besonderheit vor Gott zu bringen«. Neben der Messe gab es täglich sechs Gebete; im Vergleich zu Huysmans' Zeiten hatte sich diesbezüglich nichts geändert, die einzige Erleichterung bestand darin, dass das Nachtgebet, das früher um zwei Uhr nachts stattgefunden hatte, auf zweiundzwanzig Uhr vorverlegt worden war. Bei meinem ersten Aufenthalt hatte ich dieses Gebet sehr geschätzt, das aus langen tiefsinnigen Psalmen bestand und mitten in der Nacht, genau zwischen der *Komplet* (und der Tagesschlussandacht) und den *Laudes*, mit denen man den neuen Tag begrüßt, gebetet wurde; ein Gebet der reinen Erwartung, der allergrößten Hoffnung, ohne dass Grund zur Hoffnung bestand. In den Zeiten, als die Kirche nicht einmal beheizt gewesen war, dürfte dieses Gebet mitten im Winter natürlich keine besonders angenehme Pflicht dargestellt haben.

Am meisten beeindruckte mich, dass Bruder Joël mich auch nach mehr als zwanzig Jahren wiedererkannt hatte. Es hatte sich in der Zwischenzeit, seitdem er nicht mehr die

Rolle des Gästebruders innehatte, wohl nicht sehr viel ereignet. Er hatte in den Klosterwerkstätten gearbeitet und an den täglichen Gebeten und Messen teilgenommen. Sein Leben war ruhig und wahrscheinlich glücklich verlaufen; es stellte einen lebhaften Kontrast zu meinem Leben dar.

Anschließend unternahm ich einen ausgedehnten Spaziergang im Park, wobei ich ziemlich viel rauchte, während ich auf die *Vesper* wartete, die dem Abendessen unmittelbar vorausging. Die Sonne blendete immer stärker, brachte den Raureif zum Glitzern und tauchte den Stein der Gebäude in helles Licht, das auf dem Laubteppich einen scharlachroten Ton annahm. Der Sinn meines Aufenthaltes hier war mir nicht mehr klar bewusst; gelegentlich deutete er sich mir leise an, um sich sogleich wieder zu entziehen, doch mit Huysmans hatte er offenkundig nicht mehr sehr viel zu tun.

Im Laufe der folgenden beiden Tage gewöhnte ich mich an die Litanei der Stundengebete, jedoch gelang es mir nicht, mich mit ihnen wirklich anzufreunden. Die Messe war für mich das einzige wiedererkennbare Element, der einzige Berührungspunkt mit der Hingebung, so wie man sie in der Welt draußen verstand. Bei allem Übrigen handelte es sich um die Lektüre und das Absingen von zur jeweiligen Tageszeit passenden Psalmen, manchmal unterbrochen von Lesungen heiliger Texte, die von einem der Mönche vorgetragen wurden – diese Lesungen begleiteten auch die Mahlzeiten, die ansonsten schweigend eingenommen wurden. Die innerhalb des Klostergeländes erbaute moderne Kirche war von nüchterner Hässlichkeit – mit ihrer Architektur erinnerte sie ein wenig an das Einkaufszentrum Super-Passy in der Rue de l'Annonciation, und ihre Glasfenster, einfache abstrakte und bunte Kleckse, verdienten ebenso wenig Aufmerksamkeit. Doch all das war in meinen Augen bedeutungslos: Ich war kein Ästhet, unendlich viel weniger als Huysmans, und die einförmige Hässlichkeit der zeitgenössischen sakralen Kunst ließ mich einigermaßen unberührt. Die Stimmen der Mönche erklangen in der eiskalten Luft, rein, demütig und weich; sie waren voller Milde, Hoffnung und Erwartung. Unser Herr Jesus Christus würde wiederkehren, er würde bald wiederkehren, und die Wärme seiner Gegenwart erfüllte schon jetzt ihre Seelen mit Freude. Das war im Grunde das einzige Thema dieser Gesänge, Gesänge einer harmonischen und süßen Erwartung. Mit dem ihm eigenen Gespür einer alten Hure hatte Nietzsche

194

ganz richtig gesehen, dass das Christentum im Grunde eine weibliche Religion war.

Das alles hätte mir gefallen können, doch als ich wieder in meine Zelle zurückkehrte, nahmen die Dinge für mich eine ungute Wendung; der Rauchmelder starrte mich mit seinem feindseligen kleinen roten Auge an. Manchmal rauchte ich am Fenster, um festzustellen, dass sich auch in dieser Beziehung seit Huysmans' Zeiten alles verschlechtert hatte: Die Bahntrasse des TGV lief zweihundert Meter Luftlinie entfernt am hinteren Ende des Parks vorbei, die Züge fuhren mit voller Geschwindigkeit, und der Lärm der Triebwagen auf den Schienen durchbrach mehrmals pro Stunde die meditative Stille des Ortes. Da die Kälte außerdem immer mehr zunahm, musste ich mich nach jedem Aufenthalt am Fenster minutenlang an den Heizkörper im Zimmer schmiegen. Meine Stimmung schlug um, und die Prosa von Dom Jean-Pierre Longeat, der bestimmt ein ausgezeichneter Mönch war, voller guter Absichten und Liebe, nervte mich zunehmend. »Das Leben sollte ein fortwährender Austausch gegenseitiger Liebe sein, unabhängig davon, ob es einem gerade Prüfungen auferlegt oder Glück schenkt«, schrieb der Bruder, »nutze also die wenigen Tage, die dir gegeben sind, um diese Fähigkeit zur Liebe auszubilden und dich sowohl in Worten als auch in Taten lieben zu lassen.« Thema verfehlt, du Vollidiot, ich bin allein in meinem Zimmer, spottete ich wütend. »Du bist da, um deine Koffer abzustellen und eine Reise zu dir selbst anzutreten, zu jenem Ursprungsort, an dem die Kraft des Verlangens zum Ausdruck kommt«, schrieb er weiter. Mein Verlangen ist doch ganz offensichtlich, tobte ich, ich will doch nur eine Kippe rauchen, du Vollidiot, du siehst doch, dass ich da bin, er ist hier, mein Ursprungsort. Im Gegensatz zu Huysmans empfand ich mein Herz vielleicht nicht als »ausgetrocknet und verbrannt von der Hochzeitsfeier«, aber meine Lungen waren ausgetrocknet und verbrannt vom Tabak, das schon, ohne jeden Zweifel.

»Höre, koste und trinke, weine und singe, klopfe an die Pforte der Liebe!«, rief der schwärmerische Longeat aus. Am Morgen des dritten Tages begriff ich, dass ich zurückfahren musste, dass dieser Aufenthalt zwangsläufig zum Scheitern verurteilt war. Ich führte Bruder Pierre gegenüber völlig unvorhersehbare berufliche Verpflichtungen von buchstäblich unvorstellbarer Tragweite an, die mich bedauerlicherweise dazu zwangen, meinen Weg abzukürzen. Da er wie Pierre Moscovici aussah, wusste ich, dass er mir glauben würde, und vielleicht war er selbst ja in einem unmittelbar vorausgegangenen Leben eine Art Pierre Moscovici gewesen, und zwei Pierre Moscovicis würden sich wohl untereinander verstehen. Ich wusste jedenfalls, dass wir keine Probleme miteinander haben würden. Als wir uns in der Empfangshalle des Klosters voneinander verabschiedeten, äußerte er dennoch den Wunsch, der Weg, den ich bei ihnen beschritten hätte, möge ein Weg des Lichts gewesen sein. Ja, natürlich, sagte ich, auf jeden Fall, es sei für mich großartig gelaufen, doch ich spürte in diesem Moment, dass ich ein wenig hinter seinen Erwartungen zurückblieb.

In der Nacht hatte ein vom Atlantik kommendes Tiefdruckgebiet aus südwestlicher Richtung Frankreich erreicht. Die Temperaturen waren um zehn Grad angestiegen, dichter Nebel lag über der Landschaft um Poitiers. Ich hatte das Taxi sehr frühzeitig bestellt, sodass ich noch ungefähr eine Stunde totschlagen musste; ich verbrachte sie in der keine fünfzig Meter vom Eingang des Klosters entfernt gelegenen Bar de l'Amitié, wo ich mechanisch Leffe und Hoegaarden in mich hineinschüttete. Die Bedienung war schlank und zu stark geschminkt, die Gäste redeten laut – hauptsächlich über Häuser und Ferien. Es verschaffte mir keinerlei Befriedigung, mich wieder unter meinesgleichen zu befinden.

V

»Wenn der Islam nicht politisch ist, ist er nichts.«
(Ajatollah Chomeini)

Am Bahnhof von Poitiers musste ich mein Zugticket umtauschen. Der nächste TGV nach Paris war fast ausgebucht, weshalb ich den TGV-Pro-Première-Zuschlag bezahlte. Laut SNCF war das ein privilegiertes Universum, das einwandfrei funktionierendes WLAN, größere Klapptische für die Arbeitsunterlagen sowie Steckdosen garantierte, die den Laptop vor blöden Pannen bewahrten; abgesehen davon handelte es sich um eine ganz normale erste Klasse.

Ich fand einen Einzelplatz ohne Gegenüber in Fahrtrichtung. Auf der anderen Seite des Gangs hatte ein arabischer Geschäftsmann in seinen Fünfzigern, der mit einer langen, weißen Dschellaba und einer ebenfalls weißen Kufija bekleidet war und aus Bordeaux kommen musste, auf den ihm zur Verfügung stehenden Klapptischen mehrere Aktenordner neben seinem Computer ausgebreitet. Ihm gegenüber saßen zwei blutjunge, kaum dem Jugendalter entwachsene Frauen – zweifellos seine Ehefrauen –, die die Süßigkeiten- und Zeitschriftenregale im Bahnhofskiosk *Relay* leer gekauft hatten. Sie waren lebhaft, lachten fortwährend und trugen lange Gewänder und mehrfarbige Schleier. Im Augenblick war die eine ins *Picsou Magazine* und die andere in *Oops* vertieft.

Der Geschäftsmann dagegen machte den Eindruck, als hätte er schwerwiegende Sorgen; nachdem er seinen Posteingang geöffnet hatte, lud er einen Anhang hoch, der zahlreiche Excel-Tabellen enthielt; die Durchsicht dieser Dokumente schien seine Unruhe noch zu steigern. Er tippte eine Nummer in sein Mobiltelefon und führte mit leiser Stimme ein langes Gespräch. Ich verstand nicht, worum es ging, und versuchte mich halbherzig in die Lektüre des *Figaro* zu vertiefen, der die neue Regierung unter dem Blickwinkel des Immobilienmarktes und des Luxus in Augenschein nahm. In dieser Hinsicht stellte sich die Lage außerordentlich vielversprechend dar: Da ihnen klar geworden war, dass sie es nun mit einem befreundeten Land zu tun hatten, verspürten die Bürger der Golf-Monarchien zunehmend den Wunsch, in Paris oder an der Côte d'Azur einen Zweitwohnsitz zu erwerben und dafür mehr zu bieten als Chinesen und Russen. Kurz gesagt: der Markt florierte.

Unter lautem Lachen hatten sich die beiden arabischen Mädchen in das Fehlersuchbild-Spiel im *Picsou Magazine* vertieft. Der Geschäftsmann blickte von seinem Tabellenkalkulationsprogramm auf und warf ihnen ein gequältes, vorwurfsvolles Lächeln zu. Sie lächelten zurück und machten im überdrehten Flüsterton weiter. Er griff erneut nach seinem Mobiltelefon und führte ein weiteres Gespräch, das ebenso lang und vertraulich war wie das vorherige. Im islamischen Regime hatten Frauen – zumindest diejenigen, die hübsch genug waren, das Begehren eines reichen Ehemanns zu wecken – die Möglichkeit, im Grunde ihr ganzes Leben lang Kinder zu bleiben. Kurz nachdem sie den Kindesbeinen entwachsen waren, wurden sie selbst Mütter und tauchten wieder in das kindliche Universum ein. Wenn ihre Kinder herangewachsen waren, wurden sie Großmütter, und so ging ihr Leben dahin. Es blieben ihnen nur wenige Jahre, in denen sie sexy Dessous kauften und Kinderspiele durch Sex-Spiele ersetzten – was im Grunde genommen ein und dasselbe war. Natürlich verloren sie ihre Autonomie, aber *fuck autonomy*, ich kam nicht umhin, mir einzugestehen, dass ich ohne Probleme und sogar mit großer Erleichterung auf jede Art von beruflicher oder geistiger Verantwortung verzichtet hatte und diesen Geschäftsmann, der auf der anderen Seite des Gangs unseres TGV-Pro-Première-Abteils saß, dessen Gesicht beinahe grau wurde vor Angst, während sein Telefonat andauerte, überhaupt nicht beneidete, denn um ihn war es offensichtlich nicht gut bestellt – in diesem Moment hatte unser Zug den Bahnhof von Saint-Pierre-des-Corps durchfahren. Als Ausgleich hatte er zumindest die beiden anmutigen und reizenden Ehefrauen, die ihn von den Sorgen eines erschöpften Geschäftsmannes ablenkten – und vielleicht hatte er ja noch eine oder zwei weitere in Paris, denn ich meinte mich zu erinnern, dass einem die Scharia bis zu vier Ehefrauen erlaubte. Was hatte mein Vater gehabt? Meine Mutter, diese neurotische Hure. Diese Vorstellung ließ mich schaudern. Nun, sie war jetzt tot, sie waren beide tot; ich war noch da, das einzige lebendige – wenn auch durch die Ereignisse der letzten Zeit etwas müde – Zeugnis ihrer Liebe.

Die Temperaturen waren auch in Paris milder geworden, allerdings etwas weniger als in Ligugé, über der Stadt ging ein feiner und kalter Regen nieder. Der Verkehr war sehr dicht in der Rue de Tolbiac, die mir ungewohnt lang vorkam. Mir schien es, als wäre ich nie zuvor durch eine so lange, so triste, langweilige und nicht enden wollende Straße gelaufen. Von meiner Rückkehr erwartete ich nichts Konkretes, nur verschiedene Scherereien. Doch zu meiner großen Überraschung fand ich in meinem Briefkasten einen Brief vor – zumindest etwas, das weder Werbung noch Rechnung noch Auskunftsersuchen irgendeiner Verwaltungsstelle war. Ich warf einen angewiderten Blick in mein Wohnzimmer, wobei es mir unmöglich war zu leugnen, dass ich keinen großen Gefallen an der Vorstellung finden konnte, zu mir nach Hause zurückzukehren, in diese Wohnung, in der sich niemand liebte und die niemand liebte. Ich schenkte mir ein großes Glas Calvados ein, bevor ich den Brief öffnete.

Er trug die Unterschrift von Bastien Lacoue, der anscheinend vor einigen Jahren – diese Neuigkeit musste mir damals entgangen sein – an der Spitze der Bibliothèque de la Pléiade auf Hugues Pradier gefolgt war. Zu Beginn des Briefes merkte er an, dass Huysmans infolge irgendeines unerklärlichen Versäumnisses noch nicht in der Bibliothèque de la Pléiade vertreten sei, obwohl er doch zweifelsfrei zum Kanon der Klassiker der französischen Literatur gehöre; dem konnte ich nur zustimmen. Daraufhin brachte er seine Überzeugung zum Ausdruck, dass, falls die Veröffentlichung der Werke von Huysmans in der Bibliothèque de la Pléiade jemandem anvertraut werden müsse, dieser Jemand aufgrund der weltweit anerkannten herausragenden Qualität meiner Arbeiten nur ich sein könne.

Das war kein Vorschlag, den man ablehnt. Nun, natürlich kann man ablehnen, das wäre aber gleichbedeutend damit, jeder Art von intellektuellem oder sozialem Anspruch zu entsagen – überhaupt jeder Art von Anspruch. War ich dazu wirklich bereit? Ich brauchte auf jeden Fall ein zweites Glas Calvados, um über diese Frage nachzudenken. Nach reiflicher Überlegung schien es mir ratsamer, wieder nach unten zu gehen, um eine neue Flasche zu kaufen.

Völlig problemlos bekam ich zwei Tage später einen Termin mit Bastien Lacoue. Sein Büro war genau so, wie ich es mir vorgestellt hatte, bewusst altmodisch, im dritten Stock über eine steile Holztreppe zu erreichen, mit Blick auf schlecht gepflegte Gärten im Innenhof. Er selbst war ein Intellektueller der üblichen Sorte, kleine randlose Brille mit ovalen Gläsern, recht fröhlich, mit sich selbst, der Welt und der Stellung, die er darin bekleidete, zufrieden wirkend.

Ich hatte Zeit gehabt, das Gespräch ein wenig vorzubereiten, und schlug eine Einteilung der Werke Huysmans' in mehrere Bände vor. Der erste sollte die Werke von *Das Gewürzschälchen* bis *Monsieur Bougran in Pension* (für dessen wahrscheinlichstes Entstehungsjahr ich 1888 hielt) versammeln, der zweite den Durtal-Zyklus von *Tief unten* bis *Der Oblate* umfassen, natürlich ergänzt um *Les foules de Lourdes*. Diese einfache, logische und sogar einleuchtende Einteilung sollte keine Probleme bereiten. Die Frage der Anmerkungen war wie immer deutlich kniffeliger. Einige pseudowissenschaftliche Ausgaben hatten es für angebracht gehalten, den unzähligen von Huysmans zitierten Autoren, Musikern und Malern Anmerkungen zu widmen. Das erschien mir völlig unnütz, selbst wenn man diese Anmerkungen am Ende des Bandes zusammenfasste. Abgesehen davon, dass sie möglicherweise das Werk übermäßig aufblähten, würde es einem niemals gelingen zu entscheiden, ob man nun zu viel oder zu wenig über Lactantius, Angela von Foligno oder Grünewald schrieb. Diejenigen Leser, die mehr über sie erfahren wollten, konnten selbst recherchieren und fertig. Und was die Beziehungen von Huysmans zu anderen Schriftstellern seiner Zeit betraf – Zola, Maupassant, Barbey d'Aurevilly, Gourmont oder Bloy –, war es in meinen Augen die Aufgabe des Vorwortes, darauf einzugehen. Auch in diesem Punkt stimmte Lacoue mir sofort zu.

Die von Huysmans verwendeten schwierigen Wörter und Neologismen dagegen rechtfertigten hinlänglich den Rückgriff auf einen Anmerkungsapparat – den ich mir eher in Form von Fußnoten vorstellte, um die Lektüre nicht über Gebühr zu verlangsamen. Er pflichtete mir begeistert bei. »In Ihrer Arbeit *Schwindel der Neologismen* haben Sie diesbezüglich ja schon eine beträchtliche Leistung vollbracht!«, rief er beschwingt aus. Mit einer Geste, die meinen großen Vorbehalt zum Ausdruck brachte, hob ich die rechte Hand und wandte ein, dass ich in der Arbeit, die zu zitieren er die Freundlichkeit besessen habe, diese Frage bestenfalls gestreift hätte; höchstens ein Viertel von Huysmans' Wortkorpus sei darin berücksichtigt worden. Nun hob er seinerseits beschwichtigend den linken Arm: Natürlich wolle er auf gar keinen Fall die beträchtliche Arbeit, die ich für die Vorbereitung dieser Ausgabe zu leisten hätte, unterschätzen; zudem sei bisher noch kein Datum festgelegt worden, zu dem die Arbeit abgeschlossen sein solle, ich brauchte mir diesbezüglich überhaupt keine Sorgen zu machen.

»Ja, Sie arbeiten für die Ewigkeit...«

»Es klingt immer ein wenig anmaßend, das zu behaupten; aber es stimmt schon, das ist jedenfalls unser Anspruch.«

Nach dieser Verlautbarung im notwendigen salbungsvollen Tonfall herrschte einen Augenblick lang Stille; es lief gut, fand ich, wir trafen uns auf der Grundlage gemeinsamer Werte, sie würde wie geschmiert laufen, die Sache mit der Pléiade.

»Robert Rediger hat es sehr bedauert, dass Sie die Sorbonne verlassen haben nach ... dem Regierungswechsel, wenn man so sagen darf«, fuhr er mit matter Stimme fort. »Ich weiß es, weil er ein Freund ist. Ein persönlicher Freund«, fügte er mit einem leicht gereizten Unterton hinzu. »Einige ausgezeichnete Hochschullehrer sind geblieben. Andere, ebenfalls ausgezeichnete, Hochschullehrer sind gegangen. Jeden einzelnen dieser Abgänge, darunter den Ihren, hat er als persönliche Verletzung empfunden«, schloss er etwas barsch, so als hätten die Pflicht der Höflichkeit und die der Freundschaft in seinem Inneren soeben einen harten Kampf ausgefochten.

Hierauf konnte ich rein gar nichts entgegnen, was er schließlich nach einer Stille, die etwa eine Minute lang gewährt hatte, bemerkte. »Na, jedenfalls bin ich sehr froh, dass Sie mein kleines Projekt akzeptiert haben!«, rief er aus, während er sich die Hände rieb, als hätten wir der gelehrten Welt gerade eine nette Posse gegeben. »Wissen Sie, ich hielt es für vollkommen unnormal und bedauerlich, dass ein Mann wie Sie ... ein Mann mit Ihrem Niveau, meine ich, auf einmal keine Möglichkeit mehr hat zu lehren, zu veröffentlichen, ir-

gendwas zu tun!« Nach diesen letzten Worten, deren Ton, wie
er offensichtlich bemerkt hatte, vielleicht etwas zu dramatisch
ausgefallen war, erhob er sich unmerklich von seinem Stuhl;
daraufhin erhob auch ich mich merklich beschwingt.

Um dem gerade zwischen uns geschlossenen Pakt mehr Glanz
zu verleihen, begleitete Lacoue mich nicht nur bis zur Tür,
sondern ging mit mir erst die drei Stockwerke hinunter (»Vor-
sicht, die Stufen sind ziemlich steil!«), dann durch die Gänge
(»Das hier ist ein echtes Labyrinth!«, sagte er scherzhaft, was
nicht ganz zutraf, denn es waren zwei Gänge, die sich im rechten Winkel kreuzten und durch die man direkt ins Foyer ge-
langte) bis zum Ausgang des Verlagshauses Gallimard in der
Rue Gaston-Gallimard. Die Luft hatte sich wieder abgekühlt
und war trockener geworden, und da wurde mir bewusst, dass
wir die Frage des Honorars mit keinem Wort angesprochen
hatten. Als hätte er gerade meine Gedanken gelesen, streckte
er eine Hand in Richtung meiner Schultern aus – ohne sie
jedoch zu berühren – und raunte mir zu: »Ich lasse Ihnen in
den nächsten Tagen einen Vertragsentwurf zukommen.« Und
ohne nochmals Luft geholt zu haben, fügte er hinzu: »Bevor
ich's vergesse: Nächsten Samstag findet ein kleiner Empfang
anlässlich der Wiedereröffnung der Sorbonne statt. Ich lasse
Ihnen dafür auch eine Einladung zuschicken. Ich weiß, dass es
Robert sehr schätzen würde, wenn Sie die Zeit fänden.« Diesmal klopfte er mir tatsächlich auf die Schulter, bevor er mir die
Hand gab. Die letzten Sätze hatte er so schwungvoll von sich
gegeben, als wäre er gerade erst auf diesen Gedanken gekommen, doch ich hatte in diesem Moment den Eindruck, als wären es in Wahrheit diese letzten Sätze gewesen, die alles andere erklärten und begründeten.

Der Empfang begann um achtzehn Uhr und fand im ersten Stock des Instituts der arabischen Welt statt, das aus diesem Anlass für die Öffentlichkeit nicht zugänglich war. Ich war ein wenig nervös, als ich meine Einladungskarte am Eingang abgab: Wem würde ich wohl begegnen? Zweifelsohne Saudis. Auf der Einladungskarte wurde die Anwesenheit eines saudischen Prinzen angekündigt, an dessen Namen ich mich sofort erinnert hatte, war er doch der größte Geldgeber für die neue Université Paris-Sorbonne. Wahrscheinlich waren auch meine ehemaligen Kollegen dort, zumindest diejenigen, die sich bereit erklärt hatten, unter den neuen Verhältnissen zu arbeiten – von denen ich jedoch mit Ausnahme von Steve niemanden kannte; und Steve war gewiss die letzte Person, der ich in diesem Augenblick begegnen wollte.

Dennoch erkannte ich sofort einen ehemaligen Kollegen, als ich einige Schritte in den von Kronleuchtern erleuchteten großen Saal hineintat. Eigentlich kannte ich ihn kaum persönlich, wir werden ein- oder zweimal miteinander geredet haben, aber Bertrand de Gignac genoss weltweites Renommee im Bereich der mittelalterlichen Literatur, er hielt regelmäßig Vorträge an der Columbia und der Yale University und er war der Autor des Grundlagenwerks über das *Rolandslied*. Das war im Grunde genommen der einzige wirkliche Erfolg, den der Präsident der neuen Universität im Bereich der Neueinstellungen verzeichnen konnte. Doch abgesehen davon hatte ich ihm eigentlich nicht besonders viel zu sagen, da die Literatur des Mittelalters für mich ein weitestgehend unbekanntes

Terrain war. Also suchte ich sorgfältig einige der angebotenen Mezze aus – sowohl die warmen als auch die kalten schmeckten vorzüglich, und der libanesische Rotwein, der dazu serviert wurde, war auch nicht zu verachten.

Trotzdem kam es mir nicht so vor, als wäre der Empfang ein voller Erfolg. Kleine Gruppen von drei bis sechs Personen – Araber und Franzosen gemischt –, die nur wenige Worte miteinander wechselten, bewegten sich durch den wundervoll hergerichteten Saal. Die penetrant quälende arabisch-andalusische Musik, die aus den Lautsprechern erschallte, trug auch nicht dazu bei, die Stimmung zu verbessern, was jedoch nicht das eigentliche Problem war. Nachdem ich eine Dreiviertelstunde lang zwischen den Anwesenden umhergegangen war, nach ungefähr zehn Mezze und vier Gläsern Rotwein, wurde mir mit einem Mal klar: Es waren nur Männer anwesend. Nicht eine einzige Frau war eingeladen worden, und die Bewahrung eines erträglichen gesellschaftlichen Lebens ohne Frauen – und ohne die Unterstützung durch den Fußball, was in diesem trotz allem akademischen Umfeld unpassend gewesen wäre – war nahezu ein Ding der Unmöglichkeit.

Unmittelbar danach erblickte ich Lacoue inmitten einer dichter gedrängten Gruppe, die sich in eine Ecke des Saales zurückgezogen hatte und neben ihm aus ungefähr zehn Arabern und zwei weiteren Franzosen bestand. Alle unterhielten sich sehr angeregt miteinander, abgesehen von einem ungefähr fünfzigjährigen Mann mit einer großen Hakennase und einem feisten und strengen Gesicht. Er war sehr schlicht mit einer langen, weißen Dschellaba gekleidet, aber ich begriff sofort, dass er der wichtigste Mann in der Gruppe war, wahrscheinlich sogar der Prinz persönlich. Mal der eine, mal der andere äußerte sich energisch, es wirkte, als handelte es sich um Rechtfertigungen, aber der Einzige, der schwieg und nur hin und wieder mit verschlossenem Gesichtsausdruck nickte, war er. Offensichtlich gab es ein Problem, das mich jedoch nichts anging, weshalb ich mich umdrehte und gern eine Sambousek mit Käse und ein fünftes Glas Wein annahm.

Ein älterer, hagerer, sehr hochgewachsener Mann mit langem, spärlichem Bart näherte sich dem Prinzen, der aus der Gruppe heraustrat, um mit ihm allein zu sprechen. Ohne Mittelpunkt löste sich die Gruppe sofort auf. Während er in Begleitung des einen der beiden anderen Franzosen aus der Gruppe ziellos im Saal umherging, erblickte mich Lacoue und nahm Kontakt mit mir auf, indem er beinahe unmerklich eine Handbewegung in meine Richtung machte. Sein Teller war randvoll, und er machte mich auf nahezu unhörbare Weise mit seinem Begleiter bekannt. Der Mann, dessen Namen ich nicht verstanden hatte, trug das offenbar pomadisierte Haar sehr akkurat nach hinten gekämmt und dazu einen wunderschönen dunkelblauen Dreiteiler mit fast unsichtbaren weißen Längsstreifen, dessen leicht glänzender Stoff extrem weich wirkte. Es musste Seide sein, und ich hätte sie am liebsten angefasst, hielt mich aber gerade noch zurück.

Das Problem bestand darin, dass der Prinz ganz ungeheuerlich gekränkt war, weil der Bildungsminister entgegen der ausdrücklichen Zusage gegenüber den Saudis nicht zum Empfang erschienen war. Und nicht nur der Minister war nicht anwesend, nicht einmal ein Vertreter des Ministeriums war erschienen, absolut niemand, »nicht einmal der für die Universitäten zuständige Staatssekretär«, schloss Lacoue ganz verzweifelt.

»Seit der letzten Kabinettsumbildung gibt es keinen für die

Universitäten zuständigen Staatssekretär mehr, das habe ich Ihnen doch bereits erklärt!«, unterbrach ihn sein Begleiter harsch. Seiner Einschätzung nach war die Lage noch ernster, als Lacoue dachte: Der Minister habe sehr wohl die Absicht gehabt zu kommen, das habe er ihm noch am Vortag bestätigt, doch Präsident Ben Abbes hatte sich höchstpersönlich eingeschaltet, um ihn davon abzubringen, und das mit der ausdrücklichen Absicht, die Saudis zu demütigen. Das zielte in dieselbe Richtung wie andere, sehr viel entscheidendere Maßnahmen, die in jüngster Zeit getroffen worden waren, etwa die Wiederaufnahme des zivilen Atomprogramms und die Bereitstellung von Finanzhilfen für Elektroautos: Für die Regierung ging es darum, bei der Energieversorgung kurzfristig völlig unabhängig vom saudischen Erdöl zu werden; natürlich betraf das alles nicht direkt die Islamische Universität Paris-Sorbonne, und dennoch war es, wie mir schien, vor allem ihr Präsident, der sich damit hätte beschäftigen müssen. In diesem Moment sah ich, wie sich Lacoue zu einem Mann in seinen Fünfzigern umdrehte, der soeben den Saal betreten hatte und schnellen Schrittes auf uns zueilte. »Da ist Robert!«, rief er mit ungeheurer Erleichterung aus, so als würde er den Messias begrüßen.

Er nahm sich dennoch die Zeit, mich vorzustellen, und diesmal klar verständlich, bevor er ihn über die Sachlage in Kenntnis setzte. Rediger ergriff meine Hand so kraftvoll, dass er sie zwischen seinen starken Handflächen fast zerdrückte, während er mir versicherte, dass er sehr glücklich sei, mir zu begegnen, dass er lange auf diesen Moment gewartet habe. Seine Erscheinung war ziemlich bemerkenswert: Er war nicht nur sehr groß, bestimmt etwas über 1,90 Meter, sondern auch sehr kräftig, breiter Brustkorb, gut ausgebildete Muskeln. Er glich, um ehrlich zu sein, eher dem Stürmer einer Rugby-Mannschaft als einem Hochschullehrer. Sein sonnengebräuntes Gesicht war von tiefen Falten durchzogen, sein kurz geschnittenes Haar, das wie bei einer Bürste nach oben stand, war vollkommen weiß, aber sehr dicht. Bekleidet war er auf ziemlich ungewöhnliche Weise mit einer Jeans und einer Fliegerjacke aus schwarzem Leder.

Lacoue erläuterte ihm rasch das Problem; Rediger nickte, grummelte, dass er eine Verwicklung dieser Art vorausgeahnt habe, und schloss dann, nach kurzer Überlegung: »Ich rufe Delhommais an. Er wird wissen, was zu tun ist.« Daraufhin zog er ein winziges, fast feminin wirkendes Mobiltelefon mit Schutzhülle aus seiner Jacke – zumindest wirkte es in seiner Hand winzig – und trat ein Stück zur Seite, um eine Nummer zu wählen. Lacoue und sein Begleiter wagten es nicht, sich ihm zu nähern, sondern schauten wie gelähmt und angsterfüllt wartend zu ihm herüber. Sie nervten mich allmählich mit ihren Geschichten, und vor allem fand ich sie absolut dämlich. Selbstverständlich musste man sein Fähnchen in den Wind der Petrodollars hängen, wenn man so sagen kann, aber schließlich hätte es doch gereicht, irgendeinen Komparsen zu nehmen und ihn zwar nicht als Minister, denn den hatte man schon im Fernsehen gesehen, aber als dessen Kabinettschef zu präsentieren; und lange suchen hätte man auch nicht müssen, der Hampelmann im Dreiteiler hätte einen perfekten Kabinettschef gegeben, dem die Saudis ganz bestimmt auf den Leim gegangen wären. Sie machten sich das Leben wirklich unnötig schwer, aber das war schließlich ihr Problem. Ich nahm ein letztes Glas Wein und ging hinaus auf die Terrasse mit einem wahrhaft herrlichen Blick auf die leuchtend angestrahlte Notre-Dame. Es war nochmals milder geworden und hatte aufgehört zu regnen, das Mondlicht tanzte auf den Wellen der Seine.

Ich musste diesen Anblick sehr ausgiebig genossen haben, denn als ich wieder in den Saal zurückkehrte, war die Zahl der noch immer ausschließlich männlichen Gäste spürbar ausgedünnt, und trotzdem konnte ich weder Lacoue noch den Dreiteiler entdecken. Gut, ich war zumindest nicht völlig umsonst hierhergekommen, sagte ich mir, während ich den Prospekt des libanesischen Caterers einsammelte, dessen Mezze wirklich richtig gut waren und der zudem auch noch einen Hauslieferservice bot, was mir ein wenig Abwechslung vom Inder würde verschaffen können. In dem Augenblick, als ich an der Garderobe um meinen Mantel bat, kam Rediger auf mich zu. »Sie gehen?«, fragte er, indem er mit einem Gesichtsausdruck des Bedauerns die Arme leicht nach vorne streckte. Ich fragte ihn, ob es ihm gelungen sei, ihr protokollarisches Problem zu lösen. »Ja, ich habe die Sache schlussendlich in Ordnung gebracht. Der Minister kommt heute Abend nicht, aber er hat persönlich mit dem Prinzen telefoniert und ihn zu einem Arbeitsfrühstück morgen früh ins Ministerium eingeladen. Das heißt, Schrameck hatte recht, fürchte ich: Es handelte sich tatsächlich um eine bewusste Demütigung seitens Ben Abbes', der Schritt für Schritt seine Jugendfreundschaften mit den Katarern wieder auffrischt. Kurz gesagt, das Ende unserer Leiden ist noch nicht in Sicht. Ach, was soll's . . .« Er winkte mit der rechten Hand ab, als würde er dieses lästige Thema fortscheuchen wollen, und legte sie auf meine Schulter. »Es tut mir wirklich leid, dass diese kleine Unannehmlichkeit uns daran gehindert hat, miteinander zu reden. Sie müssen demnächst auf einen Tee zu mir kommen, damit wir etwas mehr

Zeit haben.« Er lächelte mich unvermittelt an; er hatte ein liebenswertes, sehr offenes, fast kindliches Lächeln, das man bei einem so männlich wirkenden Mann überhaupt nicht vermutet hätte; ich glaube, dass er das wusste und dass er es einzusetzen wusste. Er hielt mir seine Visitenkarte hin. »Sagen wir nächsten Mittwoch gegen siebzehn Uhr? Haben Sie Zeit?« Ich bejahte.

Als ich dann in der Métro saß, schaute ich mir die Visitenkarte meiner neuen Bekanntschaft genauer an. Sie wirkte elegant und geschmackvoll, sofern ich das beurteilen konnte. Rediger hatte eine private Telefonnummer, zwei geschäftliche, zwei Faxnummern (eine private und eine geschäftliche), drei Internet-Adressen, die schwer zuzuordnen waren, zwei Handynummern (eine französische und eine englische) und einen Skype-Benutzernamen; offensichtlich war er jemand, der alles dafür tat, erreichbar zu sein. Wahrlich, nach meinem Treffen mit Lacoue begann ich in die höchsten Kreise vorzustoßen, es war beinahe beunruhigend.

Er hatte auch eine Privatadresse in der Rue des Arènes Nr. 5, und das war die einzige Information, die ich im Augenblick brauchte. Ich meinte mich daran zu erinnern, dass die Rue des Arènes eine kleine, bezaubernde Straße war, die zum Square des Arènes de Lutèce führte, seinerseits einer der reizvollsten Plätze von Paris. Dort gab es Metzgereien und von Petitrenaud und Pudlowski empfohlene Käsegeschäfte, ganz zu schweigen von den italienischen Spezialitätenläden. Das alles war ausgesprochen beruhigend.

An der Métro-Station Place Monge hatte ich die dumme Idee, den Ausgang »Arènes de Lutèce« zu nehmen. Sicher, mit Blick auf die Karte war das gerechtfertigt, ich würde direkt in der Rue des Arènes herauskommen; aber ich hatte vergessen, dass es an diesem Ausgang keinen Aufzug gab und die Station Place Monge fünfzig Meter unter der Erdoberfläche lag, sodass ich völlig erschöpft und außer Atem war, als ich das Ende dieses merkwürdigen Métro-Ausgangs erreicht hatte, der direkt in die Einfriedungsmauer des Parks hineingetrieben worden war. Mit seinen breiten Säulengängen und seiner kubistisch inspirierten Gestaltung, mit seinem neobabylonischen Gesamtbild überhaupt passte er nicht zu Paris – und wahrscheinlich hätte er zu keiner anderen Stadt in Europa gepasst.

Als ich die Rue des Arènes Nr. 5 erreicht hatte, begriff ich, dass Rediger nicht nur in einer bezaubernden Straße im fünften Arrondissement wohnte, sondern dass er in einem *Stadtpalais* in einer bezaubernden Straße im fünften Arrondissement wohnte, besser noch: Er wohnte in einem *historischen* Stadtpalais. Die Nr. 5 markierte jenes auffällige neogotische Gebäude, das von einem quadratischen Türmchen flankiert wird, der an einen Eckturm erinnern soll, in dem Jean Paulhan von 1940 bis zu seinem Tod im Jahr 1968 gelebt hatte. Ich persönlich hatte Jean Paulhan nie ertragen können, weder seine Rolle als *graue Eminenz* der französischen Literatur noch seine Werke, aber man musste anerkennen, dass er in der Nachkriegszeit eine der mächtigsten Persönlichkeiten des französischen Verlagswesens gewesen war – und dass er in einem sehr schönen Haus gelebt hatte. Meine Bewunderung für die finanziellen Mittel, die der neuen Universität von Saudi-Arabien zur Verfügung gestellt wurden, nahm stetig zu.

Ich klingelte und wurde von einem Butler empfangen, dessen cremeweißer Anzug und dessen Jacke mit Mao-Kragen ein wenig an die Kleidung des früheren Diktators Gaddafi erinnerte. Ich stellte mich vor, er verbeugte sich leicht, ich wurde tatsächlich erwartet. Er bat mich, in einer kleinen Eingangshalle mit bunten Glasfenstern zu warten, während er Professor Rediger verständigte.

Ich wartete seit zwei oder drei Minuten, als sich links eine Tür öffnete und ein ungefähr fünfzehnjähriges Mädchen in einer tief sitzenden Jeans und einem Hello-Kitty-T-Shirt den Raum betrat; ihre offenen langen, schwarzen Haare fielen ihr über die Schultern. Als sie mich erblickte, stieß sie einen Schrei aus, versuchte ungeschickt mit den Händen ihr Gesicht zu verbergen und lief wieder heraus. Im selben Augenblick erschien Rediger auf dem oberen Treppenabsatz und kam zu mir herunter. Er hatte den Zwischenfall mitbekommen, und mit einer resignierten Geste gab er mir die Hand.

»Das ist Aïcha, meine neue Ehefrau. Sie wird sich sehr schämen, weil Sie sie nicht unverschleiert hätten sehen sollen.«

»Das tut mir aufrichtig leid.«

»Sie brauchen sich nicht zu entschuldigen, es ist ihr Fehler; sie hätte fragen müssen, ob wir einen Gast haben, bevor sie das Foyer betritt. Nun, sie ist mit den Gepflogenheiten des Hauses noch nicht richtig vertraut, aber das wird schon noch.«

»Ja, sie wirkt noch sehr jung.«

»Sie ist gerade fünfzehn geworden.«

Ich folgte Rediger in den ersten Stock bis in ein großes Wohnzimmer mit Bibliothek, dessen Wände sehr hoch waren. Die Decke musste fast fünf Meter hoch sein. Eine der Wände war komplett mit Büchern zugestellt, und ich bemerkte auf den ersten Blick, dass sehr viele alte Ausgaben darunter waren, vor allem aus dem 19. Jahrhundert. Mithilfe von zwei stabilen Metallleitern, die auf Gleitschienen montiert waren, konnte man auch die obersten Regalreihen erreichen. Gegenüber hingen an einem Gitter aus dunklem Holz über die ganze Wand verteilt Pflanzentöpfe. Bepflanzt waren sie mit Efeu, Farnen und wildem Wein, deren Blattwerk von der Decke bis zum Boden reichte und sich um gerahmte Bilder schlängelte, von denen die einen kalligrafierte Koranverse und die anderen großformatige Fotos auf mattem Papier waren, die galaktische Sternhaufen, Supernovas und Spiralnebel zeigten. In der Ecke war schräg ein großer Chef-Schreibtisch aufgestellt, von dem aus man den ganzen Raum überblicken konnte. Rediger führte mich in die gegenüberliegende Ecke, wo Sessel mit abgenutztem, rot-weiß gestreiftem Stoff um einen großen Beistelltisch mit einer Kupferplatte herum standen.

»Ich kann Ihnen tatsächlich Tee anbieten, wenn Sie mögen«, sagte er zu mir, während er mir bedeutete, mich zu setzen. »Ich habe aber auch Alkoholisches, Whisky, Porto, was immer Sie möchten. Und einen ausgezeichneten Meursault.«

»Ich nehme gern einen Meursault«, antwortete ich ein wenig verblüfft, verurteilte doch der Islam den Alkoholgenuss, zumindest nach meiner Kenntnis; aber im Grunde genommen wusste ich nur sehr wenig über diese Religion.

Er verschwand, wahrscheinlich um darum zu bitten, dass man uns die Getränke brachte. Mein Sessel stand einem alten hohen Fenster gegenüber, dessen Scheiben mit Bleifassungen in den Rahmen eingefügt waren und das direkt auf die Arènes de Lutèce hinausging. Ein beeindruckender Ausblick. Ich glaube, es war wohl das erste Mal, dass ich einen freien Blick auf alle Zuschauerränge hatte. Nach ein paar Minuten trat ich trotzdem an die Bibliothek; auch sie war beeindruckend.

In den beiden unteren Regalreihen standen ausschließlich gebundene DIN-A4-Kopien. Es waren Doktorarbeiten, die an verschiedenen europäischen Universitäten eingereicht worden waren; ich las die Titel einiger dieser Arbeiten, bevor ich auf eine Dissertation stieß, die an der Katholischen Universität Löwen von Robert Rediger eingereicht worden war und den Titel *Die Nietzsche-Lektüre von Guénon* trug. Ich hatte sie gerade herausgezogen, als Rediger wieder in den Raum trat; ich fuhr hoch, als hätte man mich ertappt, und mit einer Reflexbewegung wollte ich sie wieder ins Regal zurückstellen. Er kam lächelnd auf mich zu: »Kein Problem, es gibt keine Geheimnisse. Und schließlich ist Neugier im Blick auf den Bestand einer Bibliothek für jemanden wie Sie fast eine Art Berufspflicht...«

Als er näher herangekommen war, sah er den Titel der Arbeit. »Ah, Sie sind auf meine Dissertation gestoßen.« Er schüttelte den Kopf. »Ich wurde promoviert; aber es war keine besonders gute Dissertation. Jedenfalls war sie viel schlechter als Ihre. Nun, ich habe den Texten etwas Gewalt angetan, wie man so schön sagt. Wenn man etwas intensiver darüber nachdenkt, war Guénon gar nicht so sehr von Nietzsche beeinflusst; zwar lehnt er die moderne Welt ebenso entschieden ab, aber seine Ablehnung speist sich aus gänzlich anderen Quellen. Jedenfalls würde ich sie heute ganz sicher nicht noch einmal so schreiben. Ihre habe ich auch«, fuhr er fort, indem er eine andere gebundene Kopie aus dem Regal zog. »Sie wissen ja, dass fünf Exemplare davon in den Universitätsarchiven aufbewahrt werden. Nun, angesichts der Zahl von Forschenden, die sie jedes Jahr einsehen wollen, habe ich mir gesagt, dass ich genauso gut ein Exemplar für mich behalten könnte.«

Ich war nur mit Mühe dazu in der Lage, ihm zuzuhören, ich stand kurz vor einem Kollaps. Seit mittlerweile fast zwanzig Jahren hatte ich *Joris-Karl Huysmans oder Das Ende des Tunnels* nicht mehr vor Augen gehabt; die Arbeit war unglaublich umfangreich, es war geradezu peinlich – sie hatte, erinnerte ich mich blitzartig, 788 Seiten. Ich hatte ihr immerhin sieben Jahre meines Lebens gewidmet.

Mit meiner Dissertation in der Hand kam er zurück zu den Sesseln. »Das war eine wirklich beeindruckende Arbeit«, beharrte er. »Sie hat mich in mancherlei Hinsicht an den jungen Nietzsche erinnert, den der *Geburt der Tragödie*.«

»Sie übertreiben.«

»Nein, das glaube ich nicht. *Die Geburt der Tragödie* war meiner Meinung nach eine Art Dissertation, und beide Arbeiten zeichnen sich durch dieselbe Verschwendungssucht, denselben Reichtum an Ideen aus, die quasi völlig unvorbereitet die Seiten füllen, die den Text, ehrlich gesagt, beinahe unlesbar machen – und das Erstaunliche daran ist, nebenbei gesagt, dass Sie diesen Rhythmus fast 800 Seiten lang durchgehalten haben. Von *Unzeitgemäße Betrachtungen* an war Nietzsche ruhiger geworden, er hatte begriffen, dass es nicht möglich ist, den Leser mit einer so großen Zahl an Ideen zu konfrontieren, dass man komponieren, ihn zu Atem kommen lassen muss. In *Schwindel der Neologismen* lässt sich bei Ihnen dieselbe Entwicklung feststellen, was das Buch auch spürbar zugänglicher macht. Der Unterschied zwischen Ihnen besteht darin, dass Nietzsche danach weitergemacht hat.«

»Ich bin nicht Nietzsche ...«

»Stimmt, Sie sind nicht Nietzsche. Aber Sie sind etwas, etwas von Interesse. Und – entschuldigen Sie, wenn ich es so geradeheraus sage – Sie sind etwas, das ich haben will. Ich will die Karten offen auf den Tisch legen, zumal Sie es ja schon begriffen haben: Ich möchte Sie davon überzeugen, Ihre Lehrtätigkeit an der von mir geleiteten Université Paris-Sorbonne wieder aufzunehmen.«

In diesem Augenblick öffnete sich die Tür, wodurch es mir erspart blieb, sofort antworten zu müssen, und herein kam eine etwa vierzigjährige, rundliche, liebenswert wirkende Frau, die ein Tablett trug, auf dem kleine warme Teigtaschen und ein Eiskübel mit der versprochenen Flasche Meursault standen.

»Das ist Malika, meine erste Frau«, sagte er zu mir, nachdem sie den Raum wieder verlassen hatte. »Es scheint heute Ihr Schicksal zu sein, meinen Frauen zu begegnen. Ich habe sie geheiratet, als ich noch in Belgien lebte. Ja, ich stamme aus Belgien ... Ich bin übrigens immer noch Belgier, ich habe mich nie einbürgern lassen, obwohl ich seit mittlerweile zwanzig Jahren in Frankreich bin.«

Die kleinen warmen Teigtaschen schmeckten vorzüglich, würzig, aber nicht zu sehr, ich schmeckte Koriander heraus. Und der Wein war überwältigend. »Ich finde, dass man Meursault nicht genügend würdigt!«, merkte ich begeistert an. »Der Meursault ist eine Synthese, er steht, wie viele gute Weine, für sich selbst, finden Sie nicht?« Ich hatte Lust, über alles Mögliche zu reden, nur nicht über meine Zukunft an der Universität, aber ich machte mir keine Illusionen, er würde wieder auf sein Thema zu sprechen kommen.

Er tat es nach einer angemessenen Zeit des Schweigens. »Es freut mich, dass Sie sich bereit erklärt haben, diese Ausgabe der Pléiade zu betreuen. Das ist schlüssig, das ist gerechtfertigt und das ist gut. Als Lacoue mit mir darüber sprach, was hätte ich ihm da anderes antworten können? Dass es eine einleuchtende, richtige Entscheidung sei; und dass es die beste Wahl sei. Ich spreche ganz offen zu Ihnen: Mit Ausnahme von Gignac ist es mir bisher tatsächlich nicht gelungen, mich der Mitarbeit wirklich angesehener Hochschullehrer von internationalem Format zu versichern. Gut, das ist alles andere als dramatisch, die Universität ist gerade erst neu gegründet worden, aber Tatsache ist auch, dass ich bei unserem Gespräch eher der Bittsteller bin, ohne dass ich Ihnen etwas Besonderes anbieten könnte. Nun ja, in finanzieller Hinsicht kann ich Ihnen schon einiges anbieten, wie Sie wissen, und letztendlich ist das auch nicht ganz unbedeutend. Doch in intellektueller Hinsicht bringt dieser Posten an der Sorbonne eher weniger Renommee ein als die Herausgabe der Ausgabe in der Pléiade, dessen bin ich mir bewusst. Abgesehen davon kann ich mich zumindest dafür einsetzen, kann ich mich persönlich dafür einsetzen, dass Ihre eigentliche Arbeit nicht behindert wird. Sie brauchen nur einfache Vorlesungen zu halten, Vorlesungen im Großen Hörsaal für die Studenten im ersten und zweiten Jahr. Die Betreuung der Doktoranden – ich weiß, dass sie anstrengend ist, ich habe das selbst lange genug gemacht – bleibt Ihnen erspart. Dienstrechtlich habe ich diesbezüglich absolut freie Hand.«

Er verstummte, und ich hatte das untrügliche Gefühl, dass er seinen ersten Vorrat an Argumenten aufgebraucht hatte. Er nahm seinen ersten Schluck Meursault, während ich mir ein zweites Glas einschenkte. Ich glaube, ich hatte mich noch nie in einem solchen Maße *begehrt* gefühlt. Der Mechanismus des Ruhms ist stockend und schwer berechenbar, vielleicht war meine Dissertation ja so genial, wie er behauptete, ich erinnerte mich kaum daran, um ehrlich zu sein. Die geistigen Purzelbäume, die ich in meiner frühen Jugend vollführt hatte, erschienen mir weit weg, auch wenn mich ganz offensichtlich eine Art *Aura* umgab, während ich eigentlich kein anderes Bedürfnis verspürte, als mich nachmittags gegen vier Uhr mit einer Stange Zigaretten und einer Flasche Hochprozentigem ins Bett zu legen und ein wenig zu schmökern; obwohl ich natürlich zugeben musste, dass ich an diesem Lebenswandel sterben würde, bald sterben würde, unglücklich und allein. Und hatte ich Lust, bald unglücklich und allein zu sterben? Im Grunde nicht besonders.

Ich leerte mein Glas und schenkte mir ein drittes ein. Durch das große Fenster sah ich die Sonne über den Arènes untergehen; die Stille wurde ein wenig unangenehm. Gut, er wollte *die Karten offen auf den Tisch legen* und ich letztendlich auch.

»Es gibt jedoch eine Bedingung«, sagte ich vorsichtig. »Eine Bedingung, die alles andere als unerheblich ist.«

Er hob langsam den Kopf.

»Denken Sie ... denken Sie, dass ich jemand bin, der zum Islam konvertieren könnte?«

Er senkte den Kopf, als würde er sich in intensive persönliche Überlegungen vertiefen; dann, indem er seinen Blick wieder auf mich richtete, antwortete er: »Ja.«

Im nächsten Augenblick sah er mich wieder mit seinem strahlenden, arglosen Lächeln an. Ich kam bereits zum zweiten Mal in diesen Genuss, was den Schock ein wenig milderte; trotzdem blieb sein Lächeln furchtbar wirkungsvoll. Jedenfalls war es jetzt an ihm zu sprechen. Ich steckte mir zwei inzwischen lauwarme Teigtaschen unmittelbar nacheinander in den Mund. Die Sonne verschwand hinter den Zuschauerrängen, die Arènes waren jetzt in Dunkelheit getaucht; es war eine eigenartige Vorstellung, dass hier vor ungefähr zweitausend Jahren tatsächlich Kämpfe zwischen Gladiatoren und Raubtieren stattgefunden hatten.

»Sie sind nicht katholisch, das hätte ein Hindernis sein können«, fuhr er leise fort.

Nein, in der Tat, man konnte nun wirklich nicht sagen, dass ich katholisch war.

»Und ich kann mir auch nicht vorstellen, dass Sie ein über-

zeugter Atheist sind. Echte Atheisten gibt es im Grunde genommen nur wenige.«

»Glauben Sie? Ich hatte im Gegenteil den Eindruck, als sei
der Atheismus in der westlichen Welt sehr stark verbreitet.«

»Meiner Meinung nach nur oberflächlich. Die einzigen
wahren Atheisten, die mir begegnet sind, waren *Rebellen*;
ihnen reichte es nicht, eiskalt festzustellen, dass es keinen
Gott gibt, sie lehnten seine Existenz ab, so wie Bakunin, der
sagte: ›Selbst wenn Gott existierte, müsste man ihn loswer-
den.‹ Letztlich waren es Atheisten vom Typ Kirilow, sie lehnten Gott ab, weil sie den Menschen an seine Stelle setzen wollten, sie waren Humanisten, sie hatten eine hohe Vorstellung
von der menschlichen Freiheit, der menschlichen Würde. Ich
vermute, Sie erkennen sich auch in diesem Porträt nicht wieder?«

Nein, auch darin nicht; allein das Wort »Humanismus«
verursachte bei mir ein leichtes Gefühl von Übelkeit, aber vielleicht waren es auch die warmen Teigtaschen, mit denen ich
es übertrieben hatte; ich nahm noch ein Glas Meursault, um
das Gefühl zu vertreiben.

»Fest steht«, sagte er weiter, »dass die meisten Menschen
ihr Leben leben, ohne sich allzu sehr mit solchen Fragen zu beschäftigen, denn sie erscheinen ihnen zu philosophisch; sie
denken nur darüber nach, wenn sie mit einer dramatischen Situation konfrontiert sind – einer schweren Krankheit, dem
Tod eines Angehörigen. Das gilt zumindest für den Westen;
überall sonst auf der Welt sterben und töten die Menschen,
führen sie blutige Kriege im Namen solcher Fragen, und das
seit Beginn der Menschheitsgeschichte: Die Menschen bekämpfen sich wegen metaphysischer Fragen, nicht wegen ir-
gendwelcher Wachstumsraten oder der Aufteilung von Jagd-

224

revieren. Aber in Wahrheit hat der Atheismus nicht einmal im Westen eine solide Grundlage. Wenn ich mit Menschen über Gott spreche, leihe ich ihnen im Allgemeinen als Erstes ein Buch über Astronomie.«

»Ihre Fotos sind wirklich sehr schön.«

»Ja, die Schönheit des Universums ist bemerkenswert, und insbesondere seine unvorstellbare Größe ist unfassbar. Hunderte Milliarden Galaxien, von denen jede aus Hunderten Milliarden Sternen besteht, die zum Teil Milliarden Lichtjahre voneinander entfernt sind – Billionen und Billionen Kilometer. Und auf der Ebene von einer Milliarde Lichtjahren beginnt sich eine Ordnung auszubilden: Die galaktischen Haufen verteilen sich so, dass sie sich zu einem labyrinthischen Bild formieren. Konfrontieren Sie einhundert zufällig auf der Straße ausgewählte Passanten mit diesen wissenschaftlichen Fakten: Wie viele von ihnen haben die Stirn zu behaupten, das alles sei *aus Zufall* erschaffen worden? Zumal das Universum relativ jung ist – bestenfalls fünfzehn Milliarden Jahre. Hier greift das berühmte Theorem des endlos tippenden Affen: Wie lange müsste ein Schimpanse zufällig auf einer Schreibmaschine herumtippen, um die Werke William Shakespeares entstehen zu lassen? Wie lange würde ein blinder Zufall benötigen, um das Universum wieder entstehen zu lassen? Ganz sicher deutlich mehr als fünfzehn Milliarden Jahre! Und das ist nicht nur der Standpunkt der Menschen auf der Straße, es ist auch derjenige der größten Wissenschaftler; in der gesamten Menschheitsgeschichte hat es vielleicht keinen brillanteren Geist gegeben als den Isaak Newtons – denken Sie nur an die außerordentliche, unerhörte intellektuelle Leistung, die darin bestand, das Phänomen der Erdanziehung und das der Bewegung der Planeten in einem einzigen Gesetz zusammenzufassen! Nun, Newton glaubte an Gott, er glaubte fest an ihn, so fest, dass er die letzten Jahre seines Lebens mit Studien zur Bibel-Exegese verbrachte – der einzige heilige Text, der ihm tatsächlich zugänglich war. Einstein war ebenfalls kein Atheist, auch wenn das wirkliche Wesen seines Glaubens schwerer zu bestimmen ist; als er jedoch Bohr entgegnete: ›Gott würfelt nicht‹, hat er nicht gescherzt, es war für ihn unvorstellbar, dass die Gesetze des Universums vom Zufall bestimmt würden. Das Argument vom ›Uhrmacher-Gott‹, das Voltaire für unwiderlegbar hielt, ist immer noch genauso stark wie im 18. Jahrhundert, es hat sogar in dem Maße an Stichhaltigkeit gewonnen, in dem die Wissenschaft eine immer engere Verbindung zwischen der Astrophysik und der Partikelmechanik hergestellt hat. Ist es im Grunde genommen nicht lächerlich, wenn diese mickrige Kreatur, die auf einem unbedeutenden Planeten in einem Seitenarm einer ganz gewöhnlichen Galaxie lebt, sich auf seinen Beinchen aufrichtet und verkündet:»Es gibt keinen Gott‹? Aber verzeihen Sie mir, ich schweife ab…«

»Nein, Sie brauchen sich nicht zu entschuldigen, ich finde es wirklich interessant«, sagte ich aufrichtig, wenn ich auch langsam besoffen wurde. Ein Blick aus dem Augenwinkel auf die Flasche Meursault bestätigte, dass sie leer war.

»Es stimmt«, fuhr ich fort, »dass mein Atheismus auf keiner soliden Grundlage fußt; es wäre anmaßend von mir, das zu behaupten.«

»Anmaßend, ja, das ist das treffende Wort; in seinem Kern ist dem atheistischen Humanismus ein ungeheurer Hochmut, eine ungeheure Arroganz zu eigen. Und selbst die christliche Vorstellung der Fleischwerdung zeugt im Grunde von einer leicht komischen Anmaßung. Gott ist Mensch geworden …

226

Hätte Gott sich nicht eher in einem Bewohner von Sirius oder der Andromeda-Galaxie inkarnieren sollen?«

»Glauben Sie an außerirdisches Leben?«, unterbrach ich ihn überrascht.

»Ich weiß es nicht, ich denke nicht oft darüber nach, aber das ist lediglich eine Frage der Arithmetik: Angesichts der Myriaden Sterne, die das Universum bevölkern, der nicht bestimmbaren Anzahl von Planeten, die sich um jeden dieser Sterne drehen, wäre es sehr überraschend, wenn nur auf der Erde Leben entstanden sein sollte. Wie auch immer, was ich eigentlich sagen möchte, ist, dass das Universum offensichtlich die Merkmale eines intelligenten Entwurfs trägt, es ist offensichtlich die Verwirklichung eines Plans, der von einer gigantischen Intelligenz ersonnen wurde. Und diese einfache Vorstellung würde sich früher oder später wieder durchsetzen, das habe ich schon in sehr jungen Jahren begriffen. Die ganze intellektuelle Debatte des 20. Jahrhunderts hatte sich auf einen Widerstreit zwischen dem Kommunismus – sagen wir, der *Hardcore*-Variante des Humanismus – und der liberalen Demokratie – seiner weichen Variante – beschränkt; das war jedoch furchtbar eindimensional. Ich glaube, ich wusste, seit ich fünfzehn war, dass die Rückkehr der Religion, von der man damals zu sprechen anfing, unvermeidlich war. Meine Familie war eher katholisch – nun, das lag eigentlich schon etwas länger zurück, es waren eigentlich meine Großeltern, die katholisch gewesen waren –, sodass ich mich naturgemäß zunächst dem Katholizismus zugewandt habe. Und von meinem ersten Studienjahr an habe ich mich der identitären Bewegung angenähert.«

Ich muss einen Moment lang meine Überraschung zu erkennen gegeben haben, denn er unterbrach sich und betrachtete mich mit einem angedeuteten Lächeln. Im selben Augenblick klopfte es an der Tür. Er antwortete auf Arabisch, und herein kam wieder Malika, in den Händen ein weiteres Tablett mit einer Kaffeekanne, zwei Tassen und einem Teller Baklava mit Pistazien sowie Briouats. Auch eine Flasche Boukha und zwei kleine Gläser standen auf dem Tablett.

Bevor er fortfuhr, schenkte uns Rediger den Kaffee ein. Er war bitter, sehr stark und tat mir außerordentlich gut, ich konnte sofort wieder ganz klar denken.

»Ich habe aus den Aktivitäten in meiner Jugendzeit nie einen Hehl gemacht«, fuhr er fort. »Und meine neuen muslimischen Freunde haben nie auch nur daran gedacht, sie mir vorzuwerfen; es erschien ihnen vollkommen normal, dass ich mich bei meiner Suche nach einem Weg, dem atheistischen Humanismus zu entkommen, als Erstes meiner eigenen abendländischen Tradition zuwandte. Abgesehen davon waren wir weder Rassisten noch Faschisten – nun ja, im Grunde schon, um ganz ehrlich zu sein, einige Identitäre waren zumindest nicht weit davon entfernt, aber ich auf keinen Fall, niemals. Die Faschismen erschienen mir schon immer als ein gespenstischer, albtraumartiger und falscher Versuch, toten Nationen wieder Leben einzuhauchen; ohne das Christentum wären die europäischen Nationen nichts als ein Körper ohne Seele – Zombies. Bleibt nur die Frage: Konnte das Christentum wieder aufleben? Ich habe es geglaubt, einige Jahre lang – mit wachsendem Zweifel, zumal ich zunehmend vom Denken Toynbees geprägt war, von seiner Idee, dass der Zusammenbruch einer Kultur nicht durch einen militärischen Angriff von außen verursacht wird, sondern dadurch, dass sie an sich selbst zugrunde geht. Und dann ist alles an einem Tag – genau gesagt, am 30. März 2013 – in Bewegung geraten; ich erinnere mich, dass es das Osterwochenende war. Ich lebte damals in Brüssel, und hin und wieder habe ich in der Bar des Métropole ein Glas getrunken. Mir hat der Jugendstil schon immer gefallen: In Prag und Wien gibt es herrliche Sachen, und auch in Paris oder London stehen einige interessante Gebäude, aber, ob nun zu Recht oder zu Unrecht, für mich war das Hotel Métropole in Brüssel der Gipfel der Jugendstil-Architektur, und insbesondere dessen Bar. Am Morgen des 30. März ging ich zufälligerweise an der Bar vorbei und bemerkte ein kleines Plakat, auf dem darauf hingewiesen wurde, dass die Bar des Métropole noch an diesem Abend endgültig schließen würde. Ich war verblüfft; ich fragte die Kellner. Sie bestätigten es; die Gründe für die Schließung kannten sie aber nicht genau. Zu erkennen, dass man bis gerade eben in diesem Meisterwerk des Jugendstils Sandwiches und Biere, Wiener Schokoladenspezialitäten und Sahnetörtchen bestellen konnte, dass man sein alltägliches Leben in einer von Schönheit geprägten Umgebung leben konnte und dass all dies verschwinden würde, auf einen Schlag und mitten in der Hauptstadt Europas! Ja, in genau diesem Augenblick habe ich es begriffen: Europa war bereits an sich selbst zugrunde gegangen. Als Leser von Huysmans hat Sie doch sicher, ebenso wie mich, sein ausgeprägter Pessimismus, seine fortwährende Verwünschung der Mittelmäßigkeit seiner Zeit erbost. Und dabei lebte er in einer Epoche, in der die europäischen Nationen ihre Blütezeit erlebten, an der Spitze riesiger Kolonialreiche standen und die Welt beherrschten! In einer ausgesprochen glanzvollen Epoche, und zwar sowohl aus technologischer – die Eisenbahn, das elektrische Licht, das Telefon, der Phonograph, die Stahlkonstruktionen von Eiffel –

als auch aus künstlerischer Sicht – hier gibt es, ob in der Literatur, der Malerei oder der Musik, viel zu viele große Namen, als dass ich sie alle nennen könnte.«

Er hatte zweifelsfrei recht; und selbst unter dem beschränkteren Blickwinkel der »Lebenskunst« war der Verfall beträchtlich. Während ich eine Baklava nahm, die mir Rediger anbot, erinnerte ich mich an ein Buch, das ich einige Jahre zuvor gelesen hatte und das sich mit der Geschichte der Bordelle beschäftigte. Im Bildteil des Werkes war der Prospekt eines Pariser Bordells in der Belle Époque abgebildet. Ich war regelrecht erschüttert, als ich feststellen musste, dass mir einige der von *Mademoiselle Hortense* aufgelisteten sexuellen Spezialitäten absolut nichts sagten; ich hatte überhaupt keine Vorstellung davon, was die »Reise ins Gelbe Land« oder die »russische Zarenseife« sein mochten. Die Erinnerung an manch sexuelle Praktiken war mithin innerhalb eines Jahrhunderts aus dem Gedächtnis der Menschen verschwunden – so wie bestimmte handwerkliche Techniken verschwinden, etwa diejenigen der Holzschuhmacher oder der Glöckner. Was hätte also dafür sprechen können, der Idee vom Niedergang Europas nicht zuzustimmen?

»Dieses Europa, das der Gipfel der menschlichen Zivilisation war, ist innerhalb von wenigen Jahrzehnten an sich selbst zugrunde gegangen«, fuhr Rediger betrübt fort. Er hatte kein Licht eingeschaltet, das Zimmer wurde lediglich von der Schreibtischlampe beleuchtet. »In ganz Europa hat es anarchistische und nihilistische Bewegungen gegeben, den Aufruf zu Gewalt, die Ablehnung jedes moralischen Gesetzes. Und ein paar Jahre später wurde im durch nichts zu rechtfertigenden Wahnsinn des Ersten Weltkrieges allem ein Ende gemacht. Freud hat sich in dieser Hinsicht ebenso wenig getäuscht wie Thomas Mann: Wenn sich Frankreich und Deutschland, die beiden fortschrittlichsten, zivilisiertesten Nationen der Welt, dieser unsinnigen Schlächterei hingeben konnten, dann bedeutete das, dass Europa tot war. Ich habe also den letzten Abend bis zur Schließung im Métropole verbracht. Ich bin zu Fuß nach Hause gegangen, und auf meinem Weg durch halb Brüssel bin ich am Viertel mit den europäischen Institutionen vorbeigelaufen – dieser düsteren, von Elendsquartieren umgebenen Festung. Am nächsten Tag bin ich zu einem Imam in Zaventem gegangen. Und am übernächsten Tag – dem Ostermontag – habe ich in Gegenwart von ungefähr zehn Zeugen die rituelle Formel für die Konversion zum Islam gesprochen.«

Ich war mir nicht sicher, ob ich seine Meinung zur entscheidenden Rolle des Ersten Weltkrieges teilte; sicher, das war eine unverzeihliche Schlächterei gewesen, aber schon der Krieg von 1870 war ziemlich absurd, jedenfalls beschreibt Huysmans ihn so, und hatte schon jede Form von Patriotismus deutlich spürbar entwertet; die Nationen insgesamt waren nichts als eine mörderische Absurdität, und nachdem alle Menschen dies schon zuvor irgendwie geahnt hatten, wurde es für sie ab 1871 sehr wahrscheinlich zu einer Gewissheit; hieraus entsprangen, so schien mir, der Nihilismus, der Anarchismus und der ganze andere Dreck. Was die älteren Kulturen betraf, war ich nicht wirklich auf dem Laufenden.

Der Park der Arènes de Lutèce lag jetzt in völliger Dunkelheit, und auch die letzten Touristen waren verschwunden; die wenigen Straßenlaternen verbreiteten auf den Zuschauerrängen ein schummeriges Licht. Bestimmt glaubten die Römer, ihre Kultur würde ewig währen, und das noch unmittelbar vor dem Untergang ihres Reiches; waren sie auch an sich selbst zugrunde gegangen? Rom war eine brutale Kultur, extrem fähig auf militärischer Ebene – und obendrein eine grausame Kultur, in der dem Volk zur Zerstreuung tödliche Kämpfe zwischen Menschen oder zwischen Menschen und Raubtieren dargeboten wurden. Gab es bei den Römern einen Wunsch zu verschwinden, eine verborgene Schwachstelle? Rediger hatte gewiss Edward Gibbon gelesen und auch noch andere Autoren dieser Art, von denen ich bestenfalls die Namen kannte. Ich fühlte mich nicht ganz imstande, das Gespräch in Gang zu halten.

»Ich rede wirklich viel zu viel...«, sagte er und deutete eine verlegene Geste an. Er schenkte mir ein Glas Boukha ein und reichte mir noch einmal das Tablett mit dem Gebäck; es schmeckte ausgezeichnet, das Zusammenspiel mit dem bitteren Feigenschnaps war köstlich. »Es ist spät, ich sollte Sie jetzt vielleicht besser allein lassen«, sagte ich zögerlich; in Wahrheit verspürte ich keine große Lust zu gehen.

»Warten Sie!« Er erhob sich und ging zu seinem Schreibtisch, hinter dem einige Regale mit Wörterbüchern und Nachschlagewerken standen. Er kam mit einem schmalen, von ihm verfassten Bändchen zurück, das in einer illustrierten Taschenbuchreihe erschienen und mit *Zehn Fragen zum Islam* betitelt war.

»Ich quäle Sie hier drei Stunden lang mit meinem religiösen Bekehrungseifer, und dabei habe ich doch ein Buch über diese Frage geschrieben, die einem in Fleisch und Blut übergehen sollte ... Aber Sie haben vielleicht schon davon gehört?«

»Ja, es hat sich sehr gut verkauft, nicht wahr?«

»Drei Millionen Exemplare«, sagte er entschuldigend. »Man könnte meinen, ich hätte der allgemeinen Verbreitung des

Islam einen vollkommen unerwarteten Dienst erwiesen. Natürlich ist es furchtbar schematisch«, entschuldigte er sich erneut, »aber Sie werden es zumindest schnell gelesen haben.«

Das Bändchen hatte 128 Seiten mit zahlreichen Abbildungen – im Wesentlichen Fotos islamischer Kunst; es würde mich in der Tat nicht viel Zeit kosten. Ich steckte das Buch in meinen Rucksack.

Er schenkte uns nochmals zwei Gläser Boukha ein. Der Mond, der am Nachthimmel aufgegangen war, erleuchtete die Zuschauerränge der Arènes hell, sein Licht schien jetzt deutlich stärker als das der Laternen; ich bemerkte, dass die Bilder mit den Koran-Versen und den Galaxien an der mit Pflanzen behängten Wand von kleinen Strahlern angeleuchtet wurden.

»Sie leben in einem sehr schönen Haus.«

»Es hat mich Jahre gekostet, es zu bekommen, es war wirklich nicht einfach, das dürfen Sie mir glauben ...« Er lehnte sich in seinem Sessel zurück, und zum ersten Mal, seit ich hier war, hatte ich den Eindruck, dass er wirklich gelöst war: Was er mir jetzt sagen würde, war ihm sehr wichtig, daran bestand überhaupt kein Zweifel. »Natürlich interessiere ich mich nicht für Paulhan. Wer sollte sich schon für Paulhan interessieren? Aber es erfüllt jede Minute meines Lebens mit einem Glücksgefühl, in dem Haus zu leben, in dem Dominique Aury *Geschichte der O* geschrieben hat; zumindest in dem Haus, in dem der Geliebte lebte, um dessen Liebe willen sie dieses Buch geschrieben hat. Es ist ein faszinierendes Buch, finden Sie nicht auch?«

Ich war derselben Meinung. Im Prinzip hatte *Geschichte der O* alles, um mir zu missfallen: Die beschriebenen Phantasmen widerten mich an, und das Ganze war ungeheuer kitschig –

die Wohnung auf der Île Saint-Louis, die Stadtvilla auf dem Faubourg Saint-Germain, *Sir Stephen*, kurz, das alles ging mir unheimlich auf den Wecker. Und trotzdem durchzog das ganze Buch eine Leidenschaft, ein Zauber, der alles andere vergessen ließ.

»Es ist die Unterwerfung«, sagte Rediger leise. »Der nie zuvor mit dieser Kraft zum Ausdruck gebrachte grandiose und zugleich einfache Gedanke, dass der Gipfel des menschlichen Glücks in der absoluten Unterwerfung besteht. Das ist ein Gedanke, bei dem ich zögere, ihn meinen Glaubensbrüdern ohne Weiteres darzulegen, die ihn möglicherweise für blasphemisch halten könnten. Aber für mich besteht eine Verbindung zwischen der unbedingten Unterwerfung der Frau unter den Mann, wie sie in *Geschichte der O* beschrieben wird, und der Unterwerfung des Menschen unter Gott, wie sie der Islam anstrebt. Sehen Sie«, fuhr er fort, »der Islam akzeptiert die Welt, und er akzeptiert sie als Ganzes, er akzeptiert die Welt, *wie sie ist*, um mit Nietzsche zu sprechen. Für den Buddhismus ist die Welt *dukkha* – Mangel, Leiden. Auch das Christentum hegt ihr gegenüber große Vorbehalte – wird Satan nicht als der ›Fürst dieser Welt‹ bezeichnet? Für den Islam hingegen ist die göttliche Schöpfung vollkommen, sie ist ein absolutes Meisterwerk. Was ist der Koran letztlich anderes als eine sehr lange, schwärmerische Lobeshymne? Ein Lob des Schöpfers und der Unterwerfung unter seine Gesetze. Für gewöhnlich empfehle ich Menschen, die sich dem Islam nähern möchten, nicht als Erstes die Lektüre des Koran, außer natürlich, sie wollen sich die Mühe machen, Arabisch zu lernen und sich in den Originaltext zu vertiefen. Ich empfehle ihnen vielmehr, sich die Lesung der Suren anzuhören und sie nachzusprechen, ihren Rhythmus, ihren Odem zu fühlen. Der Islam ist die einzige Religion, die in der Liturgie die Verwendung von Übersetzungen verboten hat; weil der Koran vollständig aus Rhythmen, Reimen, Refrains, Assonanzen besteht. Er beruht auf der Idee, der Grundidee der Poesie, einer Einheit von Klang und Sinn, die es ermöglicht, die Welt zu erzählen.«

Er machte erneut eine entschuldigende Geste. Ich denke, er wollte so tun, als wäre ihm sein Bekehrungseifer selbst ein wenig peinlich, obwohl ihm gleichzeitig nur allzu bewusst sein musste, dass er diese Ansprache schon vor zahlreichen Lehrenden gehalten hatte, die er hatte überzeugen wollen; ich vermute, der Hinweis auf die Ablehnung der Übersetzung des Koran war bei Gignac auf fruchtbaren Boden gefallen, denn die Spezialisten für mittelalterliche Literatur sehen die Übertragung der Objekte ihrer Hingabe in die zeitgenössische Sprache mit einem kritischen Blick; aber letztendlich besaßen seine Argumente, ob gut inszeniert oder nicht, eine große Überzeugungskraft. Und ich musste zwangsläufig an seinen Lebensstil denken: eine vierzigjährige Ehefrau für die Küche, eine fünfzehnjährige für andere Dinge … Zweifellos hatte er noch eine oder zwei Ehefrauen im Alter dazwischen, aber es wäre mir schwergefallen, ihm diese Frage zu stellen. Diesmal erhob ich mich wirklich, um mich zu verabschieden, und bedankte mich bei ihm für den anregenden Nachmittag, der sich bis in den Abend erstreckt hatte. Er entgegnete mir, dass auch er die Zeit als sehr angenehm empfunden habe, und schließlich gab es an der Tür noch so etwas wie einen kurzen Austausch von Höflichkeiten; aber wir meinten es beide ehrlich.

Nachdem ich mich dann später zu Hause mehr als eine Stunde lang im Bett hin und her gewälzt hatte, wurde mir klar, dass es mir ganz bestimmt nicht gelingen würde, einzuschlafen. Ich hatte nicht mehr viel Alkohol in der Wohnung, nur eine Flasche Rum, der sich nicht gut mit der Boukha vertragen würde, aber ich brauchte ihn. Zum ersten Mal im Leben hatte ich begonnen, über Gott nachzudenken, die Idee einer Art Schöpfer des Universums in Betracht zu ziehen, der mein ganzes Tun überwachte, und meine erste Reaktion war absolut eindeutig: Es machte mir schlichtweg Angst. Nach und nach beruhigte ich mich – der Alkohol half dabei –, indem ich mir immer wieder sagte, dass ich ein relativ unbedeutendes Individuum sei, dass der Schöpfer bestimmt Wichtigeres zu tun habe usw.; aber trotzdem wurde ich den furchteinflößenden Gedanken nicht los, dass er sich plötzlich meiner Existenz bewusst werden könnte, dass er mich mit *harter Hand* packen und ich erkranken könnte, zum Beispiel, wie Huysmans, an Rachenkrebs, eine bei Rauchern häufig auftretende Krebsart, an der auch Freud litt – ja, Rachenkrebs erschien mir plausibel. Was würde ich nach einer Entfernung des Kiefers machen? Wie könnte ich noch hinaus auf die Straße gehen, in den Supermarkt, um meine Einkäufe zu erledigen, wie die mitleidigen und angewiderten Blicke ertragen? Und wenn ich meine Einkäufe nicht mehr erledigen könnte, wer würde es für mich tun? Die Nacht würde noch lang sein, und ich fühlte mich entsetzlich einsam. Hätte ich denn wenigstens genügend Mut zum Selbstmord? Das war keineswegs sicher.

Ich erwachte gegen sechs Uhr morgens mit starken Kopfschmerzen. Während der Kaffee durchlief, suchte ich die *Zehn Fragen zum Islam*, aber nach einer viertelstündigen Suche musste ich einsehen: Mein Rucksack war nicht da, ich musste ihn bei Rediger vergessen haben.

Nach zwei Aspegic hatte ich wieder genügend Energie, um mich mit einem 1907 erschienenen Wörterbuch des Theaterjargons zu befassen, und es gelang mir, zwei seltene Wörter zu finden, die Huysmans verwendet hatte und die man ohne Weiteres für Neologismen hätte halten können. Das war die unterhaltsame Seite meiner Arbeit, unterhaltsam und relativ einfach; der dickste Brocken würde das Vorwort sein, da wären die Erwartungen an mich hoch, dessen war ich mir vollkommen sicher. Früher oder später würde ich mich mit meiner eigenen Dissertation beschäftigen müssen. Diese achthundert Seiten machten mir Angst, erdrückten mich fast; soweit ich mich erinnerte, hatte ich seinerzeit dazu tendiert, Huysmans' Werk im Licht seiner späteren Konversion zu lesen. Der Autor selbst ermunterte einen förmlich dazu, und ich hatte mich zweifellos von ihm manipulieren lassen – sein zwanzig Jahre später verfasstes Vorwort zu *Gegen den Strich* war dafür symptomatisch. Führte *Gegen den Strich* unweigerlich zurück in den Schoß der Kirche? Schließlich hatte diese Rückkehr stattgefunden, die Aufrichtigkeit von Huysmans ließ daran keinen Zweifel, und *Les foules de Lourdes*, sein letztes Buch, war wahrhaftig das Buch eines Christen, in dem es diesem menschenfeindlichen und einsamen Ästheten durch die Überwindung der Abneigung gegenüber dem Kanon der billigen Bigotterie schließlich gelungen war, sich vom tief verwurzelten, einfachen Glauben der zahllosen Pilger mitreißen zu lassen. Auf der anderen Seite, auf der praktischen Ebene, hatte diese Rückkehr ihm keine nennenswerten Opfer abverlangt: Sein Status als Laienbruder von Ligugé ermöglichte es ihm, außerhalb des Klosters zu leben; er hatte sein eigenes Hausmädchen, das ihm das gutbürgerliche Essen zubereitete, das in seinem Leben eine so überaus große Rolle spielte, er hatte seine eigene Bibliothek und seine holländischen Tabakschachteln. Er nahm an allen Messen und Lesungen teil, und er fand zweifellos Gefallen daran; seine ästhetische und fast fleischliche Begeisterung für die katholische Liturgie war auf jeder Seite seiner letzten Bücher deutlich erkennbar; die metaphysischen Fragen aber, die Rediger am Vortag aufgeworfen hatte, erwähnte Huysmans nie. Die unendlichen Räume, die Pascal Angst machten, die Newton und Kant in Verzückung geraten ließen und vor denen sie Ehrfurcht hatten, hatte er nicht wahrgenommen. Sicher, Huysmans war ein Konvertit, aber keiner von der Sorte eines Péguy oder Claudel. In diesem Augenblick verstand ich, dass meine Dissertation mir keine große Hilfe sein würde; und die Erklärungen von Huysmans ebenso wenig.

Gegen zehn Uhr morgens war ich der Auffassung, dass jetzt die richtige Zeit sei, um mich in die Rue des Arènes Nr. 5 zu begeben; der Butler vom Vortag empfing mich mit einem Lächeln und trug immer noch seinen weißen Anzug mit dem Mao-Kragen. Professor Rediger sei nicht zu Hause, informierte er mich, und ich hätte in der Tat einen Gegenstand vergessen. Innerhalb von weniger als dreißig Sekunden brachte er mir meinen Adidas-Rucksack, den er bestimmt schon am frühen Morgen bereitgelegt hatte; er war höflich, effizient und diskret, in gewisser Weise beeindruckte er mich noch mehr als Redigers Frauen. Verwaltungsangelegenheiten dürfte er im Handumdrehen erledigt haben, mit einem Fingerschnippen.

Ich ging die Rue de Quatrefages hinunter und stand plötzlich, ohne dass ich es beabsichtigt hätte, vor der großen Moschee von Paris. Meine Gedanken kreisten nicht um den möglichen Schöpfer des Universums, sondern schlicht um Steve: Es war absolut offenkundig, sagte ich zu mir, dass das Niveau der Lehre gesunken war. Mein Renommee war nicht so groß wie das von Gignac; aber trotzdem, wenn ich mich dazu entschließen würde, an die Universität zurückzukehren, konnte ich sicher sein, dass man mich freundlich empfangen würde.

Ganz bewusst ging ich dann durch die Rue Daubenton Richtung Sorbonne – Paris III weiter. Ich hatte nicht die Absicht, hineinzugehen, wollte nur am Gitterzaun entlangbummeln; aber als ich den senegalesischen Wachmann erblickte, löste das bei mir ein echtes Gefühl der Freude aus. Auch er strahlte mich an: »Freut mich, Sie zu sehen, Monsieur! Schön, dass Sie wieder zurück sind!« Ich hatte nicht den Mut, ihm die Wahrheit zu sagen, und so trat ich, da er mich dazu quasi aufgefordert hatte, in den Innenhof ein. Immerhin hatte ich fünfzehn Jahre meines Lebens an dieser Fakultät verbracht, und es freute mich, zumindest einem Menschen zu begegnen, den ich kannte. Ich fragte mich, ob er auch zum Islam hatte konvertieren müssen, um wieder angestellt zu werden; aber vielleicht war er ja auch schon vorher Moslem gewesen, einige Senegalesen sind es, so hatte ich jedenfalls den Eindruck.

Eine Viertelstunde lang ging ich unter den Arkaden mit den Eisenträgern spazieren, ein wenig überrascht von meiner eigenen Wehmut, ohne dass ich dabei übersehen hätte, wie hässlich die Umgebung mit den in der schlimmsten Periode des Modernismus erbauten scheußlichen Gebäuden war.

Aber Wehmut hat nichts mit ästhetischem Empfinden zu tun, sie steht noch nicht einmal im Zusammenhang mit der Erinnerung an ein Glücksgefühl; ein Ort macht einen schlichtweg deshalb wehmütig, weil man dort gelebt hat, egal, ob gut oder schlecht, die Vergangenheit ist immer schön, ebenso übrigens wie die Zukunft. Nur die Gegenwart schmerzt, nur sie trägt man mit sich wie einen schmerzhaften Abszess, den man zwischen zwei Unendlichkeiten stillen Glücks nicht loswird.

Nach und nach verflüchtigte sich meine Wehmut, während ich zwischen den Metallträgern umherspazierte, und allmählich hörte ich sogar vollständig auf zu denken. Als ich an der Bar im Erdgeschoss vorbeikam, in der unsere erste Begegnung stattgefunden hatte, dachte ich noch ein wenig an Myriam, nur kurz, aber sehr schmerzhaft. Die Studentinnen waren jetzt natürlich verschleiert, im Allgemeinen mit weißen Schleiern, und wandelten zu zweit oder zu dritt unter den Arkaden umher, was irgendwie an ein Kloster erinnerte, es machte jedenfalls insgesamt unverkennbar den Eindruck von Strebsamkeit. Ich fragte mich, wie es wohl in der älteren Kulisse der Sorbonne – Paris IV wäre, wenn man sich in die Zeit von Abaelard und Heloisa zurückversetzt fühlte.

Zehn Fragen zum Islam war in der Tat ein einfaches, sehr klar gegliedertes Buch. Aus dem ersten Kapitel, das die Frage »Worin besteht unser Glaube?« beantwortete, erfuhr ich so gut wie nichts. Im Großen und Ganzen ging es um das, was Rediger mir am Vortag im Laufe des Nachmittags bei ihm zu Hause dargelegt hatte: die Größe und die Harmonie des Universums, die Vollkommenheit des Plans usw. Hierauf folgte eine kurze Vorstellung der Propheten in der Reihenfolge ihres Erscheinens, die mit Mohammed endete.

Wie die meisten anderen Menschen wahrscheinlich auch übersprang ich die Kapitel, in denen es um die religiösen Pflichten, die Säulen des Islam und das Fasten ging, um direkt zu Kapitel VII zu springen: »Warum Polygamie?« Die Begründung dafür war, ehrlich gesagt, originell: Um seine erhabenen Pläne zu verwirklichen, so stellte Rediger es dar, bediente sich der Schöpfer des Universums beim unbeseelten Kosmos der geometrischen Gesetzmäßigkeiten (natürlich einer nicht euklidischen und nicht kommutativen Geometrie; aber eben doch einer Geometrie). Im Gegensatz dazu spiegelten sich die Pläne des Schöpfers bei den Lebewesen in deren natürlicher Auslese wider: Durch sie erlangten die beseelten Geschöpfe ihr Höchstmaß an Schönheit, Vitalität und Kraft. Für alle Tiergattungen, zu denen auch der Mensch gehöre, gelte dasselbe Gesetz: Nur einige Individuen seien dazu bestimmt, mit ihren Samen die nachfolgende Generation zu zeugen, von der wiederum eine unendliche Zahl von Generationen abhing. Aufgrund des Verhältnisses der Trächtigkeitsdauer bei den Weibchen zur nahezu unbegrenzten Fortpflanzungsfähigkeit der Männchen laste der Selektionsdruck vor allem auf Letzteren. Die Ungleichheit zwischen den Männchen – wenn manche von ihnen in den Genuss mehrerer Weibchen kämen, müssten andere zwangsläufig darauf verzichten – solle folglich nicht als abartiger Effekt der Polygamie angesehen werden, sondern gerade als ihr eigentliches Ziel. Auf diese Weise würde sich das Schicksal der Gattung vollenden.

Diese seltsamen Überlegungen leiteten direkt über zum unverfänglicheren Kapitel VIII, das dem Thema »Ökologie und Islam« gewidmet war und Rediger die Möglichkeit bot, nebenbei auf die Halal-Ernährung einzugehen, die er als eine Art bessere Bio-Nahrung darstellte. Die Kapitel IX und X, die sich mit der Wirtschaft und den politischen Institutionen befassten, schienen eigens geschrieben worden zu sein, um die Präsidentschaftskandidatur von Mohammed Ben Abbes vorzubereiten.

In diesem Buch, das für ein sehr breites Publikum gedacht war, das er damit tatsächlich auch erreicht hatte, machte Rediger zahlreiche Konzessionen an eine humanistisch geprägte Leserschaft, und er versäumte es nicht, den Islam mit den grausamen Hirtenkulturen zu vergleichen, die ihm vorausgegangen waren. So betonte er, dass der Islam nicht die Polygamie erfunden, sondern vielmehr dazu beigetragen hätte, ihre Praxis zu reglementieren; dass weder die Steinigung noch die Beschneidung auf ihn zurückgingen; dass der Prophet Mohammed die Befreiung der Sklaven für lobenswert hielt und dass er, indem er die prinzipielle Gleichheit aller Menschen vor dem Schöpfer verfügt hatte, in den Ländern, in denen der Islam herrschte, jeder Form rassischer Diskriminierung ein Ende bereitet hätte.

Ich kannte all diese Argumente, ich hatte sie tausend Mal gehört – doch das änderte nichts an ihrer Stichhaltigkeit. Was mich aber schon bei unserem Treffen erstaunt hatte und was mich noch mehr an seinem Buch erstaunte, das war seine *argumentative Geschicklichkeit*, die Rediger zwangsläufig für die Politik prädestinierte. Im Laufe unseres gemeinsamen Nachmittags im Haus in der Rue des Arènes hatten wir kein Wort über Politik verloren; dennoch war ich überhaupt nicht überrascht, als er eine Woche später im Rahmen einer kleinen Umbildung der Ministerien auf den Posten eines Staatssekretärs für das Universitätswesen berufen wurde, den man bei dieser Gelegenheit wieder eingerichtet hatte.

In der Zwischenzeit hatte ich herausfinden können, dass er sich in Artikeln für Magazine, die einem kleineren Leserkreis vorbehalten waren, wie beispielsweise der *Revue d'études palestiniennes* oder *Oummah*, deutlich weniger Zurückhaltung auferlegt hatte. Die fehlende Neugier der Journalisten war für Intellektuelle wirklich ein Segen, denn das alles konnte man längst im Internet finden, und ich hatte den Eindruck, dass es ihm ein paar Unannehmlichkeiten eingebracht hätte, wenn einige dieser Artikel ausgegraben worden wären. Aber vielleicht täuschte ich mich ja auch, sehr viele Intellektuelle hatten im Laufe des 20. Jahrhunderts Stalin, Mao oder Pol Pot unterstützt, ohne dass ihnen das jemals ernsthaft zum Vorwurf gemacht worden wäre; der Intellektuelle in Frankreich musste nicht *verantwortlich* sein, das lag nicht in seinem Wesen.

In einem Artikel für *Oummah* warf Rediger die Frage auf, ob der Islam dazu berufen sei, die Welt zu beherrschen, um sie am Ende zustimmend zu beantworten. Die abendländischen Kulturen seien so offensichtlich dem Untergang geweiht, dass er sich ihnen kaum noch widme (ebenso wie sich der liberale Individualismus notwendigerweise durchgesetzt habe, solange er sich darauf beschränkt habe, mittelgroße Strukturen wie Parteien, Verbände oder Kasten aufzulösen, habe er zwangsläufig seine endgültige Niederlage besiegelt, als er die Kernstruktur der Gesellschaft, die Familie, und damit den Bestand der Bevölkerung angegriffen habe; hierauf folge logischerweise das Zeitalter des Islam). Den Fällen Indien und China widmete er sich dagegen weitschweifiger: Hätten Indien und China ihre traditionellen Kulturen bewahrt, schrieb er, dann hätten sie sich, da ihnen der Monotheismus fremd geblieben wäre, dem Zugriff des Islam entzogen; doch von dem Augenblick an, da sie sich von den westlichen Werten hätten infizieren lassen, seien sie ebenfalls verdammt gewesen: Diesen Prozess beschrieb er ausführlich und erstellte einen genauen Zeitplan. Der klare und gut recherchierte Artikel verriet den Einfluss Guénons und spiegelte dessen grundsätzliche Unterscheidung zwischen der Gesamtheit der traditionellen Kulturen und der modernen Kultur wider.

In einem anderen Artikel sprach er sich eindeutig für eine höchst ungleiche Verteilung des Reichtums aus. Auch wenn die Armut im eigentlichen Sinne aus einer authentischen moslemischen Gesellschaft verbannt werden müsse (die Unterstützung durch Almosen ist eine der fünf Säulen des Islam), solle diese dennoch einen beträchtlichen Abstand zwischen der in akzeptabler Armut lebenden überwiegenden Mehrheit der Bevölkerung und einer verschwindend kleinen Anzahl von Personen bewahren, die so außerordentlich reich seien, dass sie sich übertriebene und verrückte Ausgaben leisten könnten und damit den Fortbestand des Luxus und der Künste gewährleisteten. Diese aristokratische Haltung leitete sich wiederum direkt von Nietzsche ab; Rediger war im Grunde genommen den Denkern seiner Jugend erstaunlich treu geblieben.

Nietzscheanisch war auch seine sarkastische und verletzende Feindseligkeit gegenüber dem Christentum, das seiner Meinung nach ausschließlich auf der dekadenten, außenseiterischen Persönlichkeit von Jesus basierte. Der Begründer des Christentums hätte sich gerne in der Gesellschaft von Frauen aufgehalten, und das *merke man* auch, schrieb er: »Wenn der Islam das Christentum verachtet«, heißt es unter Bezugnahme auf den Verfasser von *Der Antichrist*, »dann gibt es dafür tausend Gründe; der Islam setzt zuallererst *Männer* voraus.« Die Idee der Göttlichkeit Christi, fuhr Rediger fort, sei der grundlegende Irrtum gewesen, der unausweichlich zum Humanismus und zu den »Menschenrechten« geführt habe. Auch das hatte Nietzsche schon mit deutlich härteren Worten gesagt, so wie er sich sehr wahrscheinlich auch der Vorstellung angeschlossen hätte, dass die Aufgabe des Islam darin bestehe, die Welt zu reinigen, indem er sie von der schädlichen Lehre der Inkarnation befreit.

Mit zunehmendem Alter näherte auch ich mich Nietzsche immer mehr an, was zweifellos unvermeidlich ist, wenn man untenrum Probleme hat. Und ich interessierte mich mehr für Elohim, den erhabenen Schöpfergott des Universums, als für seinen blassen Sprössling. Jesus hatte die Menschen zu sehr geliebt, das war das Problem; sich für sie kreuzigen zu lassen, zeugte mindestens von *schlechtem Geschmack*, wie die alte Hure gesagt hätte. Auch seine übrigen Taten deuteten nicht gerade auf besonders große Besonnenheit hin, das belegt die Vergebung für die ehebrecherische Frau mit Argumenten wie »Wer unter euch ohne Sünde ist« usw. Das dürfte nicht besonders schwer gewesen sein, man hätte nur irgendein siebenjähriges Kind herbeirufen müssen, das hätte ihn schon geworfen, den ersten Stein, das verdammte Gör.

Rediger schrieb sehr gut, er war klar und verständlich, baute hier und da eine witzige Spitze ein, so zum Beispiel als er einen seiner Glaubensbrüder verspottete, zweifellos ein konkurrierender muslimischer Intellektueller, der in einem Artikel den Begriff der »Imame 2.0« eingeführt hatte, die es sich zur Aufgabe gemacht hätten, die jungen Franzosen, deren Vorfahren aus islamischen Ländern nach Frankreich eingewandert waren, davon zu überzeugen, wieder zum Islam zu konvertieren. Man solle jetzt doch wohl eher über *Imame 3.0* reden, korrigierte Rediger ihn, die die jungen gebürtigen Franzosen zur Konversion ermutigen. Allerdings blitzte Redigers Humor immer nur kurz auf; es folgte stets sehr schnell eine ernsthafte Überlegung. Vor allem jedoch seine *linksislamischen* Glaubensbrüder überschüttete er mit seinem Spott: Der Linksislam, schrieb er, sei ein verzweifelter Versuch verrotteter, verfaulter, klinisch toter Marxisten, sich aus dem Müllhaufen der Geschichte zu erheben, indem sie sich an die aufsteigenden Kräfte des Islam anbiederten. Auf konzeptioneller Ebene, fuhr er fort, seien sie genauso lächerlich wie die »Linksnietzscheaner«. Nietzsche war für ihn ganz offensichtlich eine Obsession; dennoch hatte ich seine von Nietzsche inspirierten Artikel ziemlich bald satt – ich hatte zweifellos selbst zu viel Nietzsche gelesen, ich kannte und verstand ihn genau, er vermochte mich nicht mehr in seinen Bann zu schlagen. Merkwürdigerweise reizte mich seine guénonsche Ader viel mehr – es ist nicht zu leugnen, dass sich Guénon, wenn man alles von ihm liest, als ziemlich mieser Autor erweist, aber Rediger lieferte eine zugängliche Version, eine Light-Variante. Mir gefiel vor allem ein Artikel mit dem Titel »Geometrie der Verbindung«, der in der *Revue d'études traditionnelles* erschienen war. Darin brachte er einmal mehr das Scheitern des Kommunismus zur Sprache – der dessen ungeachtet ein erster Versuch gewesen sei, den liberalen Individualismus zu bekämpfen –, um zu betonen, dass Trotzki letztendlich gegenüber Stalin Recht behalten habe: Der Kommunismus hätte nur unter der Bedingung einer weltweiten Verbreitung triumphieren können. Dieselbe Regel gelte, so behauptete er, für den Islam: Er müsse universal sein, oder er existiere gar nicht. Das Wesentliche des Artikels war jedoch eine seltsame Reflexion zur Graphen-Theorie, die nicht einer gewissen Art spinozistischen Kitsches mit den dazugehörigen Scholien und dem ganzen anderen Krimskrams entbehrte. Der Artikel versuchte den Nachweis zu erbringen, dass einzig und allein eine Religion dazu imstande sei, eine echte Verbindung zwischen den einzelnen Menschen herzustellen. Wenn man sich einen Verbindungs-Graphen vorstelle, schrieb Rediger, also durch persönliche Beziehungen miteinander verbundene Individuen (Punkte), dann sei es unmöglich, einen planen Graphen zu konstruieren, der die Gesamtheit der Individuen miteinander verbinde. Die Lösung könne nur darin bestehen, auf eine höhere Ebene zu wechseln, auf der sich ein einziger Punkt befinde, genannt »Gott«, mit dem die Gesamtheit der Individuen verbunden sei und über den sie wiederum miteinander verbunden seien.

Das alles war sehr angenehm zu lesen, aber gleichzeitig hielt ich die geometrische Beweisführung für falsch; immerhin lenkte es mich von meinen Rohrproblemen ab. Davon abgesehen befand sich mein intellektuelles Leben an einem toten Punkt; mit dem Anmerkungsverzeichnis kam ich voran, aber beim Vorwort hakte es nach wie vor gewaltig. Übrigens stieß ich bei einer Internetrecherche zu Huysmans interessanterweise auf einen der bemerkenswertesten Artikel von Rediger, der Huysmans in der *Revue européenne* als denjenigen Autor bezeichnete, bei dem die Sackgasse des Naturalismus und des Materialismus am offenkundigsten erkennbar geworden sei; aber der ganze Artikel war ein einziger Aufruf an seine früheren traditionalistischen und identitären Freunde. Es sei tragisch, bekundete er leidenschaftlich, dass eine irrationale Feindseligkeit gegenüber dem Islam sie daran hindere, die folgende Gewissheit nicht zu erkennen: Sie seien in den wesentlichen Punkten im völligen Einklang mit den Moslems. Was die Ablehnung von Atheismus und Humanismus angehe, die notwendige Unterwerfung der Frau und die Rückkehr des Patriarchats: Ihr Kampf sei in jeder Hinsicht derselbe. Und dieser Kampf, der für den Beginn der neuen Etappe einer organischen Kultur notwendig sei, sei heute nicht mehr im Namen des Christentums zu führen; es sei der Islam, die jüngere, einfachere und wahrhaftigere Schwesterreligion (weshalb sei denn beispielsweise Guénon sonst zum Islam konvertiert? Guénon sei in erster Linie ein wissenschaftlicher Geist gewesen, und als Wissenschaftler, wegen seiner konzeptionellen Klarheit, habe er sich für den Islam entschieden und auch deshalb, weil er bestimmte unbedeutende und irrationale Glaubensgrundsätze wie etwa den der realen Gegenwart in der Eucharistie habe vermeiden wollen); es sei also der Islam, der heute das Zepter übernommen habe. Wegen des schändlichen Gehabes, der Scheinheiligkeit und der Heuchelei der Progressisten sei die katholische Kirche nicht mehr in der Lage, sich dem Sittenverfall entgegenzustellen. Die Homo-Ehe, der Schwangerschaftsabbruch oder die Frauenarbeit seien unmissverständlich und entschieden abzulehnen. Man dürfe nicht länger die Augen vor der unumstößlichen Tatsache verschließen: Nachdem es einen solchen Grad der abscheuerregenden Verwesung erreicht habe, sei das abendländische Europa nicht mehr fähig, sich selbst zu retten – ebenso wenig, wie es das antike Rom im 5. Jahrhundert unserer Zeitrechnung vermocht habe. Der massive Zustrom von Einwanderern mit einem traditionellen kulturellen Hintergrund, der noch geprägt sei von natürlichen Hierarchien, der Unterwerfung der Frau sowie dem Respekt vor den Alten, sei eine historische Chance für die moralische und familiäre Wiederaufrüstung Europas, sie werde dem alten Kontinent die Aussicht auf ein neues goldenes Zeitalter eröffnen. Diese Einwanderer seien zwar manchmal Christen; zum größten Teil aber seien es, das gelte es zur Kenntnis zu nehmen, Moslems.

Er, Rediger, sei der Erste, der anerkennen würde, dass das christliche Mittelalter eine große Kultur gewesen sei, deren künstlerische Leistungen im Gedächtnis der Menschen ewig lebendig blieben; doch diese Kultur habe nach und nach an Boden verloren, habe Kompromisse mit dem Rationalismus eingehen und darauf verzichten müssen, sich die irdische Macht zu unterwerfen; auf diese Weise sei sie allmählich zugrunde gegangen. Und warum all das? Das bleibe im Grunde genommen ein Geheimnis. Gott habe es so entschieden.

Kurze Zeit später erhielt ich das 1881 bei Ollendorff erschienene *Wörterbuch des modernen Argot* von Rigaud, das ich schon vor langer Zeit bestellt hatte und mit dessen Hilfe ich einige Unklarheiten beseitigen konnte. Wie ich vermutet hatte, handelte es sich bei einigen rätselhaften Begriffen Huysmans' um Wortschöpfungen aus dem Argot, die im Allgemeinen für »Bordell« oder »Freudenhaus« standen. Sexuelle Beziehungen unterhielt Huysmans fast ausschließlich zu Prostituierten, und im Briefwechsel mit Arij Prins wurde das Thema der Bordelle in Europa ausführlich behandelt. Beim Überfliegen dieser Korrespondenz hatte ich plötzlich das Gefühl, unbedingt nach Brüssel reisen zu müssen. Hierfür bestand eigentlich gar kein konkreter Anlass. Zwar wurde Huysmans in Brüssel verlegt, aber genau genommen mussten in der zweiten Hälfte des 19. Jahrhunderts beinahe alle bedeutenden Autoren, Huysmans wie die anderen, irgendwann einmal die Dienste eines belgischen Verlegers in Anspruch nehmen, um die Zensur zu umgehen; und in der Zeit, als ich an meiner Dissertation schrieb, hielt ich diese Reise für verzichtbar. Ich war einige Jahre später dorthin gereist, eigentlich eher wegen Baudelaire; es waren vor allem der Dreck und die Tristesse der Stadt, die mich überrascht hatten, sowie der noch deutlicher als in Paris oder London spürbare Hass zwischen den Bevölkerungsgruppen: In Brüssel fühlte man sich, mehr als in jeder anderen europäischen Hauptstadt, wie am Rande eines Bürgerkrieges.

Erst kürzlich war die Muslimische Partei Belgiens an die

Macht gekommen. Wegen des politischen Gleichgewichts in Europa hielt man dieses Ereignis ganz allgemein für bedeutsam. Zwar gehörten in England, Holland und Deutschland nationale muslimische Parteien bereits Regierungskoalitionen an, aber Belgien war nach Frankreich das zweite Land, in dem die muslimische Partei eine Mehrheit errungen hatte. Für diese demütigende Niederlage der europäischen Rechten gab es im Falle Belgiens eine einfache Erklärung: Während es die flämische und die wallonische nationalistische Partei, die in ihren Regionen jeweils die mit Abstand stärksten politischen Gruppierungen waren, nie geschafft hatten, sich zu verständigen oder auch nur ernsthafte Gespräche miteinander zu führen, konnten sich die flämische und die wallonische muslimische Partei auf der Grundlage ihrer gemeinsamen Religion mühelos auf ein Regierungsbündnis verständigen.

Den Wahlsieg der Muslimischen Partei Belgiens hatte Mohammed Ben Abbes augenblicklich in einer herzlichen Glückwunschadresse begrüßt; die Biografie ihres Generalsekretärs Raymond Stouvenens wies zudem eine Reihe von Gemeinsamkeiten mit derjenigen Redigers auf: Er war in der identitären Bewegung aktiv gewesen, in der er einen hohen Posten bekleidet hatte – ohne sich jemals durch deren offen neofaschistische Strömungen zu kompromittieren –, bevor er zum Islam konvertierte.

Im Bordrestaurant des Thalys hatte man jetzt die Wahl zwischen einem traditionellen Menü und einem Halal-Menü. Das war die erste sichtbare Veränderung – und es war zugleich die letzte: Die Straßen waren noch genauso verdreckt, und das Hotel Métropole hatte einen Großteil seines alten Glanzes bewahrt, auch wenn seine Bar geschlossen war. Gegen neunzehn Uhr ging ich hinaus, es war noch kälter als in Paris, und die Gehwege waren mit schwärzlichem Schnee bedeckt. In einem Restaurant in der Rue Montagne-aux-Herbes-potagères, wo ich mich nicht recht zwischen einem Waterzooi-Hühnereintopf und einem Aal grün mit Kräutern entscheiden konnte, überkam mich die Gewissheit, dass ich Huysmans vollständig verstanden hatte, besser als er sich jemals selbst, und dass ich jetzt mein Vorwort würde schreiben können. Ich musste ins Hotel zurück, um mir Notizen zu machen, und verließ das Restaurant, ohne bestellt zu haben. Auf der Karte des Zimmerservice stand Waterzooi-Hühnereintopf, womit auch diese Frage abschließend geklärt war. Es wäre ein Fehler gewesen, den von Huysmans immer wieder gern erwähnten »Ausschweifungen« und »Hochzeiten« eine allzu große Bedeutung beizumessen, denn dahinter verbarg sich vor allem ein naturalistischer Tick; es war ein für die Epoche typisches Klischee, das auch mit der Notwendigkeit zusammenhing, einen Skandal zu verursachen, die Bourgeois zu schockieren, und ganz bestimmt auch damit, die Karriere voranzubringen. Und für den Widerspruch, den er zwischen den fleischlichen Gelüsten und der Strenge des Klosterlebens konstruierte, galt das Gleiche. Die Keuschheit war kein Problem, sie war es nie gewesen, für Huysmans ebenso wenig wie für jeden anderen, und mein kurzer Aufenthalt in Ligugé hatte mir das lediglich nochmals bestätigt. Setzt man einen Mann erotischen Reizen aus (mögen sie noch so standardisiert sein, tiefe Ausschnitte und Miniröcke funktionieren immer, *tetas y culo*, wie es bei den Spaniern sehr anschaulich heißt), empfindet er sexuelles Verlangen; entfallen diese Reize, empfindet er dieses Verlangen nicht mehr, und innerhalb weniger Monate, manchmal sogar nur weniger Wochen, verliert er sogar jede Erinnerung an die Sexualität. In Wahrheit hatte das den Mönchen nie auch nur das geringste Problem bereitet, und seitdem die neue islamische Regierung dafür gesorgt hatte, dass die Kleidung der Frauen gesitteter wurde, spürte übrigens auch ich, wie mein Verlangen allmählich nachließ. Manchmal vergingen ganze Tage, ohne dass ich daran dachte. Die Lage der Frauen stellte sich möglicherweise etwas anders dar, da die erotische Reizung bei Frauen diffuser und daher auch schwerer zu überwinden ist; aber ich hatte nun wirklich keine Zeit, mich mit Nebensächlichkeiten abzugeben, die mit der eigentlichen Sache nichts zu tun hatten. Ich machte mir wie besessen Notizen; nachdem ich mein Waterzooi aufgegessen hatte, bestellte ich noch eine Käseplatte. Nicht nur der Sex hatte für Huysmans niemals die Bedeutung, die er ihm unterstellte, sondern dasselbe galt mit Sicherheit auch für den Tod, die existenziellen Ängste spielten für ihn keine Rolle. Was ihn an der berühmten Kreuzigung von Grünewald so sehr bewegt hatte, war nicht die Darstellung des Todeskampfes Christi gewesen, sondern die seiner körperlichen Qualen, womit Huysmans auch in diesem Punkt allen anderen Menschen glich, denen ihr eigener Tod im Allgemeinen mehr oder minder gleichgültig ist; ihre einzige wirkliche Sorge besteht darin, der körperlichen Qual so weit wie möglich zu entkommen. Selbst Äußerungen Huysmans' im Bereich der Kunstkritik waren irreführend. Er hatte heftig Partei für die Impressionisten ergriffen, als diese am Akademismus ihrer Zeit Anstoß genommen hatten, hatte bewundernde Seiten über Maler wie Gustave Moreau oder Odilon Redon verfasst; aber er selbst knüpfte in seinen Romanen weniger an den Impressionismus oder den Symbolismus an als vielmehr an eine sehr viel ältere Bildtradition, und zwar die der flämischen Meister. Die traumähnlichen Visionen in *Auf Reede*, die an manche Merkwürdigkeiten der symbolistischen Malerei hätten erinnern können, waren ziemlich misslungen; zumindest hinterließen sie einen deutlich weniger lebendigen Eindruck als seine einfühlsamen, zärtlichen Beschreibungen der Mahlzeiten bei den Carhaix in *Tief unten*. Dabei fiel mir auf, dass ich *Tief unten* in Paris vergessen hatte; ich musste zurück. Ich ging ins Internet, der erste Thalys fuhr um fünf Uhr, um sieben Uhr morgens war ich zu Hause und fand die Passagen, in denen er die Küche von »Mutter Carhaix« beschrieb, wie er sie nannte. Das einzige echte Thema von Huysmans war das bürgerliche Glück, ein für den Junggesellen auf schmerzhafte Weise unerreichbares bürgerliches Glück, das nicht einmal das des Großbürgertums war, denn die Küche, die in *Tief unten* so überschwänglich gepriesen wird, ist eher das, was man als »ehrliche Hausmannskost« bezeichnen könnte; und noch weniger das der Aristokratie, denn für die »wappentragenden Trottel«, die er in *Der Oblate* anprangerte, hegte er immer nur Verachtung. Das wahrhaftige Glück stellte in seinen Augen ein vergnügliches Essen unter Künstlern und unter Freunden dar, ein Pot-au-feu mit Meerrettichsauce, dazu ein »ehrlicher« Wein und anschließend ein Pflaumenschnaps und Tabak in der Ofenecke, während draußen die Böen des Winterwindes um die Türme von Saint-Sulpice pfeifen. Diese einfachen Freuden hatte das Leben Huysmans verweigert, und man muss schon so herzlos und grob sein, wie Bloy es war, um sich darüber zu wundern, dass er beim Tod von Anna Meunier im Jahr 1895 weinte, der einzigen Frau, mit der er eine dauerhafte Beziehung gepflegt hatte, mit der er, kurz gesagt, »einen Haushalt« hatte gründen können, bevor Annas damals unheilbare Nervenkrankheit sie in die Nervenheilanstalt Sainte-Anne brachte.

Tagsüber kaufte ich mir fünf Stangen Zigaretten, dann fand ich die Visitenkarte des libanesischen Caterers wieder, und zwei Wochen später war mein Vorwort fertig. Ein Azorentief hatte Frankreich erreicht. In der Luft lag eine leichte, irgendwie frühlingshafte Feuchtigkeit, eine Andeutung milderer Temperaturen. Noch im letzten Jahr hätte man bei solchen Witterungsbedingungen die ersten kurzen Röcke gesehen. Nach der Avenue de Choisy ging ich durch die Avenue des Gobelins weiter in die Rue Monge. In einem Café in der Nähe des Instituts der arabischen Welt las ich noch einmal meine ungefähr vierzig Seiten durch. Es mussten noch einige Satzzeichen korrigiert, einige Quellenangaben genauer überprüft werden, aber unabhängig davon stand völlig zweifelsfrei fest: Dies war das Beste, was ich je zustande gebracht hatte; und es war der beste Text, der jemals über Huysmans geschrieben worden war.

Ich ging gemächlich zu Fuß nach Hause, wie ein kleiner alter Mann, während mir langsam bewusst wurde, dass das jetzt wirklich das Ende meines intellektuellen Lebens war – und dass es auch das Ende meiner langen, sehr langen Beziehung zu Joris-Karl Huysmans war.

Diese Neuigkeit würde ich Bastien Lacoue natürlich nicht mitteilen; bevor er sich Sorgen über den Abschluss des Projekts machte, würde es mindestens ein Jahr, wenn nicht sogar zwei Jahre dauern, das wusste ich. Ich hätte alle Zeit der Welt, um meine Fußnoten ordentlich zu bearbeiten, und mir stünde jetzt ein supercooler Lebensabschnitt bevor.

Vielleicht doch nur cool, mäßigte ich mich, als ich zum ersten Mal seit meiner Rückkehr aus Brüssel meinen Briefkasten öffnete; schließlich waren da immer noch die Probleme mit der Bürokratie – und die »schläft nie«.

Im Moment fühlte ich mich nicht dazu in der Lage, auch nur einen einzigen der Umschläge zu öffnen; ich war zwei Wochen lang gewissermaßen *in die Sphären des Ideals* befördert worden, hatte auf meinem bescheidenen Niveau etwas *erschaffen*; jetzt wieder meinen Status als gewöhnliches verwaltungstechnisches Subjekt anzunehmen, das erschien mir etwas hart. Unter den Briefen war ein mittelgroßer Umschlag von der Université Paris IV – Sorbonne. Aha, sagte ich mir.

Mein »Aha« war gerechtfertigt, nachdem ich dessen Inhalt kannte: Ich war schon für den nächsten Tag zum Festakt für Jean-François Loiseleur anlässlich seiner Berufung zum Professor an der Universität eingeladen. Es würde ein offizieller Empfang mit Ansprache im Hörsaal Amphithéâtre Richelieu stattfinden und anschließend ein Cocktailempfang in einem für diesen Zweck bestimmten Nebenraum.

Ich erinnerte mich noch ganz genau an Loiseleur, der mich vor Jahren im *Journal des dix-neuvièmistes* eingeführt hatte.

Er hatte seine Universitätslaufbahn nach einer originellen Doktorarbeit über die letzten Gedichte von Leconte de Lisle begonnen. Leconte de Lisle galt zusammen mit Heredia als führender Kopf der Parnassiens, weshalb man ihn im Allgemeinen verachtete, wurde er doch als »redlicher Handwerker ohne Genie« angesehen, um es mit den Worten der Herausgeber wichtiger Anthologien zu sagen. Unter dem Eindruck einer Art mystisch-kosmologischer Krise hatte er jedoch auf seine alten Tage einige seltsame Gedichte verfasst, die weder dem ähnelten, was er vorher geschrieben hatte, noch dem, was man in seiner Epoche schrieb, die, ehrlich gesagt, mit fast gar nichts irgendeine Ähnlichkeit hatten und über die man auf den ersten Blick lediglich sagen konnte, dass sie *völlig hermetisch* waren. Loiseleurs erstes Verdienst bestand darin, sie ausgegraben zu haben, und sein zweites darin, dass es ihm gelungen war, ein wenig mehr darüber zu sagen, ohne sie jedoch einer bekannten literarischen Schule zuordnen zu können – er hielt es für angemessener, sie mit bestimmten geistigen Phänomenen der Zeit des alternden Parnassien, wie etwa der Theosophie oder der spiritistischen Bewegung, in Verbindung zu bringen. So hatte er in diesem Bereich, in dem er keinen Konkurrenten hatte, eine gewisse Bekanntheit erworben, und auch ohne das internationale Format eines Gignac für sich beanspruchen zu können, wurde er regelmäßig zu Vorträgen nach Oxford und Saint Andrews eingeladen.

Als Person entsprach Loiseleur auf eine bemerkenswerte Weise dem Gegenstand seiner wissenschaftlichen Forschungen; noch nie war mir jemand begegnet, der so sehr an die Comicfigur des Gelehrten Cosinus erinnerte: lange, graue und fettige Haare, riesige Brille, schlecht sitzende Anzüge in einem derart miserablen Zustand, dass sie oft schon fast unhygienisch wirkten, was ihm eine Art von Mitleid durchsetztem Respekt einbrachte. Er hatte mit Sicherheit nicht die Absicht, irgendeine *Rolle zu spielen*: Er war schlichtweg so und konnte nicht anders sein; abgesehen davon war er der netteste, gutartigste Mensch auf der Welt, dem jede Form von Eitelkeit vollkommen fremd war. Die Lehre an sich, zu der ja trotz alledem immer auch ein gewisser Kontakt mit Menschen unterschiedlichen Charakters gehört, war ihm stets ein Graus gewesen. Wie hatte Rediger ihn zu überzeugen vermocht? Ja, ich würde zumindest zum Cocktailempfang gehen. Ich war neugierig.

Die Festsäle der Sorbonne, die über ein gewisses historisches Flair und eine berühmte Adresse verfügten, waren zu meiner Zeit nie für große akademische Feiern genutzt worden, sondern wurden häufig für Modenschauen und andere Promi-Events zu einem horrenden Preis vermietet; das war vielleicht nicht sehr ehrenwert, aber ziemlich nützlich, um den universitären Etat auszugleichen. Die neuen saudischen Besitzer hatten das alles in Ordnung gebracht, und so hatte der Ort unter ihrer Federführung eine gewisse akademische Würde zurückerlangt. Als ich den ersten Saal betrat, erblickte ich erfreut die Banner des libanesischen Caterers, der mich die ganze Zeit während meiner Arbeit am Vorwort begleitet hatte. Ich kannte die Karte jetzt in- und auswendig und stellte meinen Teller souverän zusammen. Das Publikum setzte sich aus der gewohnten Mischung französischer Akademiker und arabischer Würdenträger zusammen, doch diesmal waren viele Franzosen darunter, und ich hatte den Eindruck, alle Hochschullehrer seien gekommen. Das war ziemlich leicht nachvollziehbar: Sich freiwillig unter die Fuchtel der neuen saudischen Leitung zu begeben war in den Augen vieler ein gewissermaßen schändlicher Akt, sozusagen ein Akt der *Kollaboration*; wenn sie sich untereinander versammelten, fühlten sie sich stark, sie machten sich gegenseitig Mut, und sie empfanden eine große Befriedigung, wenn sie die Gelegenheit hatten, einen neuen Kollegen in ihren Kreis aufzunehmen.

Unmittelbar nachdem man mir meine Mezze serviert hatte, stand ich Loiseleur von Angesicht zu Angesicht gegenüber. Er hatte sich verändert: Ohne gänzlich präsentabel zu sein, hatte sein äußeres Erscheinungsbild deutliche Fortschritte gemacht. Seine zwar immer noch langen und fettigen Haare waren jetzt andeutungsweise gekämmt; Jacke und Hose seines Anzugs hatten fast dieselbe Farbe, und es schmückte sie kein einziger Fettfleck und kein Zigarettenbrandloch; man konnte spüren, zumindest hatte ich diesen Eindruck, dass eine weibliche Hand zu wirken begonnen hatte.

»Ja, richtig«, bestätigte er mir, ohne dass ich ihn irgendetwas gefragt hatte, »ich habe *den Schritt gewagt*. Merkwürdig, das hatte ich mir früher nie vorstellen können, aber eigentlich ist es sehr angenehm. Übrigens, freut mich, Sie wiederzusehen. Und Sie, wie geht es Ihnen?«

»Sie sind *verheiratet*, wollen Sie sagen?« Ich brauchte eine Bestätigung aus seinem Munde.

»Ja, ja, verheiratet, so ist das. Eigentlich sehr merkwürdig, nicht wahr, ein einzig Fleisch? Aber sehr gut. Und Sie, wie geht es Ihnen?«

Er hätte mir ebenso gut erklären können, dass er Junkie geworden sei oder ein begeisterter Skifahrer, nichts vermochte mich in Bezug auf Loiseleur wirklich zu überraschen; aber trotzdem erschütterte es mich irgendwie, und während ich die Anstecknadel der Ehrenlegion anstarrte, die er an seiner widerlichen petrolblauen Jacke trug, wiederholte ich stumpf-sinnig: »*Verheiratet?* Mit einer *Frau?*« Ich musste mir vorge-stellt haben, dass er mit sechzig Jahren noch jungfräulich war; aber das war schließlich durchaus möglich.

»Ja, schon, eine Frau, sie haben eine für mich gefunden«, be-stätigte er, indem er energisch den Kopf hob. »Eine Studentin im zweiten Studienjahr.«

Es verschlug mir die Sprache. Dann wurde er von einem Kollegen weggeführt, einem alten, kleinen Exzentriker, der einen ähnlichen Typus verkörperte, aber viel reinlicher war – ein Experte für das 17. Jahrhundert, meinte ich mich zu erin-nern, der auf Possen spezialisiert war und ein Buch über Scar-ron geschrieben hatte. Kurz darauf entdeckte ich Rediger in-mitten einer kleinen Gruppe am anderen Ende des Saales, in dem der Empfang stattgefunden hatte. In letzter Zeit hatte ich, in mein Vorwort vertieft, nicht sehr oft an ihn gedacht, und jetzt bemerkte ich, dass ich mich aufrichtig freute, ihn wiederzusehen. Ich müsse ihn jetzt wohl »Herr Minister« nennen, scherzte ich. »Wie ist es in der Politik? Es muss ganz schön anstrengend sein, oder?«, fragte ich ihn ernsthafter.

»Ja. Was man sich erzählt, ist auf gar keinen Fall übertrie-ben. Ich war an Machtkämpfe in einem universitären Umfeld gewöhnt; aber das ist eine Stufe höher. Abgesehen davon ist Ben Abbes wirklich ein bemerkenswerter Mensch; ich bin stolz, mit ihm zusammenzuarbeiten.«

Da erinnerte ich mich an Tanneur, an seinen Vergleich mit Kaiser Augustus an jenem Abend, als wir in seinem Haus im Département Lot gemeinsam gegessen hatten; dieser Ver-gleich schien Rediger zu interessieren und ihm zu denken zu geben. Die Verhandlungen mit dem Libanon und Ägypten gingen gut voran, sagte er mir; und zu Libyen und Syrien, wo

Ben Abbes seine persönlichen Freundschaften mit den Muslimbrüdern vor Ort wiederbelebt hatte, seien erste Kontakte geknüpft worden. In Wahrheit versuche er ganz einfach innerhalb von weniger als einer Generation und nur auf diplomatischem Weg das noch einmal herzustellen, wofür das Römische Reich Jahrhunderte benötigt hatte – und das alles ohne jedes weitere Hinzutun erweitert um die großen Territorien Nordeuropas von Estland über Skandinavien bis nach Irland. Darüber hinaus habe er ein Gespür für die Kraft der Symbole, weshalb er plane, den Vorschlag für eine EU-Richtlinie mit dem Ziel einzureichen, den Sitz der Kommission nach Rom und den des Parlaments nach Athen zu verlegen. »Es gibt nur wenige Erbauer von Imperien«, ergänzte Rediger nachdenklich. »Es ist eine schwierige Kunst, Nationen zu einen, die durch Religion und Sprache getrennt sind, sie für ein gemeinsames politisches Projekt zu begeistern. Außer dem Römischen Reich fällt mir nur noch, allerdings in einem kleineren Maßstab, das Osmanische Reich ein. Napoleon hätte zweifellos die notwendigen Eigenschaften besessen – seine Behandlung der israelischen Angelegenheiten war bemerkenswert, und im Verlauf seiner Ägyptischen Expedition hat er bewiesen, dass er ohne Weiteres dazu in der Lage war, auch mit dem Islam umzugehen. Ben Abbes, ja ... Es ist möglich, dass Ben Abbes aus demselben Holz geschnitzt ist.«

Ich nickte begeistert, obwohl ich den Bezug zum Osmanischen Reich nicht recht nachvollziehen konnte, aber ich fühlte mich wohl in diesem ätherischen, beflügelnden Ambiente höflicher Konversation unter gebildeten Menschen. Dann kamen wir zwangsläufig auf mein Vorwort zu sprechen; es sei mir schwergefallen, mich von dieser Arbeit über Huysmans zu lösen, die mich mal mehr, mal weniger unterschwellig über

Jahre beschäftigt hatte – mein Leben habe letztlich kein anderes Ziel gehabt, stellte ich mit leichter Wehmut fest, was ich meinen Gesprächspartner allerdings nicht spüren ließ; das war zwar etwas zu schwülstig, traf aber dennoch zu. Im Übrigen hörte er mir aufmerksam zu, ohne die geringsten Anzeichen von Langeweile zu zeigen. Eine Bedienung kam vorbei und schenkte uns nach.

»Ich habe Ihr Buch auch gelesen«, sagte ich.

»Es freut mich, dass Sie sich die Zeit dafür genommen haben. Für mich war dieser kleine Versuch der Vereinfachung, um eine breite Leserschaft zu erreichen, durchaus ungewohnt. Ich hoffe, Sie fanden es klar.«

»Ja, insgesamt sehr klar. Obwohl es trotzdem einige Fragen bei mir aufgeworfen hat.«

Wir machten einige Schritte auf eine Fensteröffnung zu, nur wenige Schritte, aber sie genügten, um uns dem Hauptstrom der Gäste zu entziehen, die sich von einem Ende des Saales zum anderen bewegten. Durch das Fensterkreuz erblickte man die in kaltes weißes Licht getauchten Säulengänge und die Kuppel der Kapelle, die Richelieu hatte erbauen lassen; ich erinnerte mich daran, dass dort sein Schädel aufbewahrt wurde. »Auch ein großer Staatsmann, Richelieu …«, sagte ich, ohne weiter darüber nachgedacht zu haben, aber Rediger knüpfte nahtlos an: »Ja, ich bin ganz Ihrer Meinung, was Richelieu für Frankreich geleistet hat, ist beachtlich. Die französischen Könige waren manchmal ziemlich mittelmäßig, es waren die Zufälle der Genetik, die sie dazu machten; aber die großen Minister, die durften es nicht sein, auf keinen Fall. Es ist merkwürdig, dass wir jetzt zwar in einer Demokratie leben, die Schere aber immer noch genauso weit auseinandergeht.

Ich habe Ihnen ja bereits gesagt, für wie fähig ich Ben Abbes halte; Bayrou hingegen ist wirklich ein Idiot, ein politisches Tier ohne Konturen, er taugt zu nichts anderem, als in den Medien gut auszusehen; zum Glück hat Ben Abbes faktisch die alleinige Macht. Sie werden sagen, dass ich von Ben Abbes besessen bin, aber selbst Richelieu bringt mich wieder auf ihn zurück: Denn ebenso wie Richelieu schickt sich Ben Abbes an, der französischen Sprache einen riesigen Dienst zu erweisen. Mit dem Beitritt der arabischen Länder wird sich das sprachliche Gleichgewicht in Europa zugunsten Frankreichs verschieben. Sie werden sehen, früher oder später wird es einen Richtlinienentwurf geben, der darauf abzielt, das Französische neben dem Englischen zur gleichberechtigten Arbeitssprache der EU-Institutionen zu machen. Aber verzeihen Sie mir, ich rede nur über Politik... Sie hätten, sagten Sie vorhin, Fragen zu meinem Buch?«

»Nun ja«, antwortete ich nach längerem Schweigen, »es ist mir fast etwas peinlich, aber ich habe natürlich das Kapitel über Polygamie gelesen, und wissen Sie, es fällt mir ein wenig schwer, mich als dominantes Männchen zu betrachten. Daran habe ich heute Abend wieder gedacht, als ich auf den Empfang kam und Loiseleur gesehen habe. Ehrlich gesagt, die Universitätsprofessoren...«

»Da kann ich Ihnen ganz klar antworten, dass Sie sich irren. Die natürliche Selektion ist ein universelles Prinzip, das für alle Lebewesen gilt, auch wenn sie sehr unterschiedliche Formen annimmt. Sie betrifft sogar die Pflanzen; doch in diesem Fall steht sie mit der Verfügbarkeit von Bodennährstoffen, Wasser oder Sonnenlicht in Verbindung... Der Mensch jedoch ist ein Tier, das ist unbestritten, aber er ist weder ein Präriehund noch eine Antilope. Was ihm seine Vormachtstellung in der Natur sichert, sind weder seine Krallen noch seine Zähne noch seine Schnelligkeit; es ist im Großen und Ganzen seine Intelligenz. Was ich sage, meine ich ganz und gar ernst: Es ist alles andere als unnormal, dass Universitätsprofessoren zu den dominanten Männchen gehören.«

Er lächelte wieder. »Wissen Sie ... an dem Nachmittag bei mir zu Hause haben wir über Metaphysik, die Entstehung des Universums und so weiter geredet. Ich bin mir sehr wohl im Klaren darüber, dass das nicht das ist, was die Menschen im Allgemeinen wirklich interessiert, aber wenn man die eigentlichen Themen anspricht, ist das, wie Sie gesagt haben, peinlicher. Übrigens reden auch wir noch immer recht abstrakt von natürlicher Selektion, wir versuchen das Gespräch auf einem angemessen hohen Niveau zu halten. Es ist ganz offenbar schwierig, direkt zu fragen: Wie hoch wird mein Gehalt sein? Wie viele Frauen darf ich haben?«

»Beim Gehalt habe ich schon eine ungefähre Vorstellung.«

»Nun, die Anzahl der Frauen ergibt sich mehr oder weniger daraus. Das islamische Gesetz verlangt, dass die Ehefrauen gleich behandelt werden, woraus sich schon gewisse Notwendigkeiten ableiten, und sei es auch nur hinsichtlich der Wohnsituation. Was Sie betrifft, so denke ich, dass Sie ohne große Probleme drei Frauen haben könnten – aber natürlich sind Sie dazu keineswegs verpflichtet.«

Das brachte einen natürlich zum Nachdenken; aber ich hatte noch eine weitere, viel peinlichere Frage; ich blickte mich kurz nach allen Seiten um, um sicherzugehen, dass uns niemand hören konnte, bevor ich fortfuhr.

»Da wäre noch eine weitere ... Nun, das ist jetzt wirklich heikel ... Lassen Sie es mich so ausdrücken: Die islamische

Kleidung hat durchaus ihre Vorteile, und die allgemeine Stimmung in der Gesellschaft hat sich beruhigt, aber sie ist dennoch sehr ... verhüllend, würde ich sagen. Wenn man nun in der Situation ist, aussuchen zu müssen, kann das einige Probleme hervorrufen ...«

Das Lächeln Redigers wurde noch breiter. »Sie müssen sich nicht genieren, darüber zu sprechen, wirklich nicht! Sie wären kein echter Mann, wenn derlei Dinge Sie nicht beschäftigen würden ... Aber ich möchte Ihnen eine Frage stellen, die Sie vielleicht merkwürdig finden: Haben Sie wirklich das Bedürfnis zu wählen?«

»Na ja ... schon. Ich denke doch.«

»Ist das nicht irgendwie illusorisch? Man hat beobachtet, dass alle Männer, denen man die Wahl lässt, genau dieselbe Auswahl treffen. Deshalb haben die meisten Kulturen, und allen voran die muslimische Kultur, die Institution der Heiratsvermittlerinnen eingerichtet. Das ist ein äußerst wichtiger Beruf, der Frauen mit sehr viel Erfahrung und großer Weisheit vorbehalten ist. Als Frauen sind sie natürlich befugt, die Mädchen entblößt zu sehen, das vorzunehmen, was man fraglos als eine Art ›Bewertung‹ bezeichnen muss, und deren körperliches Aussehen mit dem gesellschaftlichen Ansehen der zukünftigen Ehemänner in Beziehung zu setzen. Und ich darf Ihnen versichern, dass Sie bestimmt keinen Grund zur Klage hätten.«

Ich verstummte. Ich war völlig baff, um ehrlich zu sein.

»Nebenbei gesagt«, fuhr Rediger fort. »Wenn die menschliche Gattung ein klein wenig dazu in der Lage sein sollte, sich weiterzuentwickeln, dann verdankt sie dies ausschließlich der geistigen Formbarkeit der Frauen. Der Mann ist absolut unerziehbar. Jeder Mann, ob er nun Sprachphilosoph, Mathematiker oder Komponist von Zwölftonmusik ist, trifft seine Fortpflanzungsentscheidung zwangsläufig nach rein äußerlichen Kriterien, die seit Jahrtausenden unverändert geblieben sind. Ursprünglich fühlen sich natürlich auch die Frauen in erster Linie von den körperlichen Vorzügen angezogen; mithilfe einer entsprechenden Erziehung ist es jedoch möglich, sie davon zu überzeugen, dass das nicht das Wesentliche ist. Man kann sie beispielsweise dazu bringen, sich von reichen Männern angezogen zu fühlen – und schließlich erfordert es im Vergleich zum Durchschnitt schon ein wenig mehr Intelligenz und Schläue, um Reichtum zu erlangen. Man kann sie sogar in gewisser Weise vom hohen erotischen Wert von Hochschulprofessoren überzeugen …« Er zeigte sein schönstes Lächeln, und ich fragte mich einen Moment lang, ob das ironisch gemeint war, aber nein, das war wohl nicht der Fall. »Gut, man kann den Professoren auch ein höheres Gehalt bewilligen, was die ganze Angelegenheit dann doch erheblich vereinfacht«, schloss er.

Er eröffnete mir gleichsam neue Horizonte, und ich fragte mich, ob Loiseleur die Dienste einer Heiratsvermittlerin in Anspruch genommen hatte; doch indem man die Frage stellte, hatte man sie bereits beantwortet: Konnte ich mir vorstellen, wie mein ehemaliger Kollege Studentinnen *anmachte*? In einem Fall wie dem seinen war eine arrangierte Hochzeit offenkundig die einzig mögliche Vorgehensweise.

Der Empfang neigte sich dem Ende zu, und die Nacht war erstaunlich mild. Ich ging zu Fuß nach Hause, ohne konkret über irgendetwas nachzudenken, ich träumte eher vor mich hin. Dass mein intellektuelles Leben zu Ende war, wurde zunehmend zur Gewissheit; ich würde wohl noch an irgendwelchen Kolloquien teilnehmen, von meinem Ersparten und meiner Pension leben, aber ich begann mir darüber bewusst zu werden – und das war nun tatsächlich etwas Neues –, dass es da sehr wahrscheinlich noch etwas anderes geben würde.

Es würden noch einige Wochen verstreichen, eine Art Anstandsfrist, während der in der Pariser Region die Temperaturen zunehmend milder würden und der Frühling Einzug hielte; und dann würde ich natürlich wieder bei Rediger anrufen.

Vor allem aus Feingefühl würde er seine innere Freude ein wenig überspielen, denn es wäre ihm wichtig, sich überrascht zu zeigen, um mir das Gefühl zu geben, es sei mein *freier Wille*; er würde wirklich glücklich über meine Zustimmung sein, dessen war ich mir sicher, doch im Grunde stand sie für ihn schon vorher fest, und das seit Langem, vielleicht sogar schon seit jenem Nachmittag, den ich bei ihm in der Rue des Arènes verbracht hatte – ich hatte mich seinerzeit überhaupt nicht darum bemüht, den Eindruck zu verbergen, den die äußerlichen Vorzüge Aïchas und die kleinen warmen Teigtaschen Malikas auf mich gemacht hatten. Die muslimischen Frauen waren ergeben und gefügig, damit könnte ich fest rechnen, sie waren ganz in diesem Sinne erzogen worden, und im Grunde genommen reicht das, um auf seine Kosten zu kommen; was die Küche betraf, so war mir das recht egal, in dem Punkt war ich weniger wählerisch als Huysmans; aber auf jeden Fall erhielten sie die entsprechende Erziehung, sodass es in der Regel gelingen sollte, zumindest passable Hausfrauen aus ihnen zu machen.

Die Feier der Konversion an sich würde sehr schlicht sein; sie würde höchstwahrscheinlich in der Großen Pariser Moschee stattfinden, was für alle das Einfachste wäre. Angesichts meiner relativ großen Bedeutung wäre der Rektor anwesend oder wenigstens einer seiner engsten Mitarbeiter. Selbstverständlich wäre auch Rediger zugegen. Die Zahl der Anwesenden wäre jedenfalls nicht festgelegt; es wären zweifellos auch noch ein paar gewöhnliche Gläubige da. Die Moschee wäre für diesen Anlass nicht geschlossen worden, und ich müsste meinen Übertritt in Gegenwart meiner neuen muslimischen Brüder bezeugen, mit denen ich vor Gott gleich wäre.

Morgens hätte man den Hamam, der normalerweise für Männer geschlossen ist, speziell für mich geöffnet; mit einem Bademantel bekleidet würde ich durch lange, von Säulen mit Rundbögen gesäumte Gänge gehen, deren Wände mit außergewöhnlich fein gearbeiteten Mosaiken verziert sind; in einem kleineren, ebenfalls mit geschmackvollen Mosaiken verzierten und in bläuliches Licht getauchten Raum ließe ich dann das lauwarme Wasser langsam, sehr langsam über meinen Körper fließen, bis er gereinigt wäre. Anschließend würde ich die neue Kleidung anziehen, die ich mir gekauft hätte. Hierauf würde ich den großen Saal betreten, in dem der Ritus stattfände.

Um mich herum herrschte Stille. Bilder von Sternkonstellationen, Supernovae, Spiralnebeln würden in meinem Kopf herumschwirren; auch Bilder von Quellen, unberührten Wüsten und riesigen, fast völlig ursprünglichen Wäldern; nach und nach würde ich der Großartigkeit der kosmischen Ordnung gewahr werden. Dann würde ich mit ruhiger Stimme die folgende Formel sprechen, die ich phonetisch auswendig gelernt hätte: »*Ashhadu alla ilaha illallah wa ashhadu anna Muhammadar rasulullah.*« Was übersetzt bedeutet: »Es gibt

keinen Gott außer Gott, und Mohammed ist sein Gesandter.«
Und das wäre schon alles; fortan wäre ich ein Muslim.

Der Empfang an der Sorbonne würde dann sehr viel länger
dauern. Rediger hätte sich zunehmend auf seine politische
Karriere konzentriert und wäre kurz zuvor zum Außenmi-
nister ernannt worden, weshalb er kaum noch Zeit hätte, sich
seiner Aufgabe als Universitätspräsident zu widmen; allerdings wäre es ihm ein Anliegen, persönlich die Rede anlässlich meiner Amtseinführung zu halten (und ich wusste, ich
war mir absolut sicher, dass er eine ausgezeichnete Rede vorbereitet hätte und es ihm eine große Freude sein würde, sie zu
halten). Alle meine Kollegen wären anwesend – die Neuigkeit
meiner Pléiade-Ausgabe hatte sich im akademischen Umfeld
verbreitet, sie waren jetzt alle auf dem Laufenden, ich war
ganz sicher kein unwichtiger Kontakt; und alle würden Talare
tragen, denn die saudischen Behörden hätten kurz zuvor das
Tragen dieser Prunkgewänder wieder eingeführt.

Unmittelbar vor meiner Antwortrede (die traditionsgemäß
sehr kurz ausfiele) würde ich gewiss ein letztes Mal an Myriam
denken. Sie würde, das wäre mir bewusst, ihr eigenes Leben
unter Bedingungen führen, die sehr viel schwieriger wären als
die meinen. Ich würde mir aufrichtig wünschen, dass ihr Leben glücklich sein möge – auch wenn ich nicht wirklich daran
glaubte.

Der Cocktailempfang wäre entspannt und würde sich bis
spät in den Abend hineinziehen.

Einige Monate später wäre wieder Vorlesungsbeginn, und natürlich wären die Studentinnen hübsch, verschleiert, schüch-
tern. Ich weiß nicht, wie sich die Informationen über die Be-

kanntheit der Hochschullehrer unter den Studenten verbreiteten, aber sie verbreiteten sich von jeher, das war unausweichlich, und ich dachte nicht, dass sich daran irgendetwas grundlegend verändert hatte. Jede dieser jungen Frauen, mochte sie noch so hübsch sein, wäre glücklich und stolz, von mir auserwählt zu werden, und sich geehrt fühlen, mein Bett mit mir zu teilen. Sie wären es wert, geliebt zu werden. Und auch mir würde es gelingen, sie zu lieben.

Ähnlich wie es mein Vater einige Jahre zuvor erlebt hatte, würde sich mir eine neue Chance bieten; es wäre die Chance auf ein zweites Leben, das nicht besonders viel mit dem vorherigen gemein haben würde.

Ich hätte nichts zu bereuen.

Dank

Ich habe an keiner Universität studiert, und alle Informationen über diese Institution stammen von Agathe Novak-Lechevalier, Hochschullehrerin der Université Paris X – Nanterre. Sollten meine Beschreibungen einigermaßen glaubwürdig erscheinen, so habe ich das ausschließlich ihr zu verdanken.